Татьяна Полякова

Татьяна Полякова

Миллионерша желает познакомиться

Москва
ЭКСМО
2002

УДК 882
ББК 84(2 Рос-Рус)6-4
  П 54

Серийное оформление художника *Н. Кудри*

Серия основана в 2002 году

Полякова Т. В.
П 54   Миллионерша желает познакомиться: Повесть. —
       М.: Изд-во Эксмо, 2002. — 320 с. (Серия «Авантюрный
       детектив»).

       ISBN 5-699-00778-4

Если бы провели чемпионат мира по невезению, то Маня Смородина заняла бы на нем далеко не последнее место. В один день у нее сломалась машина, украли паспорт и деньги, а вдобавок ее взяли заложницей при ограблении кафе. Грабители отпустили ее, но на этом злоключения Мани не кончились: теперь она натыкается на трупы то одноклассника, то сожителя своей мачехи, и, похоже, убийца все ближе подбирается к ней самой. Даже обаятельный Стас ничем не может помочь Мане. Впрочем, может: он предлагает ей руку и сердце. Но она уже не в силах понять, чем закончится эта симфония невезения — аккордами Шопена или Мендельсона...

                                              УДК 882
                                              ББК 84(2 Рос-Рус)6-4

— Простите, — робко начала я, — это ограбление?

Вопрос мой адресовался здоровенному парню в маске, который энергично размахивал железкой, подозрительно напоминающей пистолет. Видно было, что парень здорово нервничает. Он орал: «Всем на пол!», и этим криком вывел меня из глубокой задумчивости, в которой я пребывала с утра. Спросила я скорее по привычке (я люблю задавать вопросы, потому что от природы любопытна), а еще из вполне понятного желания быть в курсе происходящего. Потому что, если это ограбление, я, в общем-то, ничего против не имею: в кошельке у меня 100 руб. 55 коп., и я согласна пожертвовать ими, лишь бы парни не волновались; из украшений на мне кожаный браслет, между прочим, дорогой, и мне он нравится, лишаться его я не планировала, но вряд ли парни позарятся на такую грумзу. В общем, если это ограбление, мое дело тихо-мирно сидеть в уголке, то есть теперь лежать на полу, дождаться, когда грабители смоются, и продолжить размышления о жизни, которая, кстати, в последнее время не очень-то радовала. Если же парни, не приведи господи, террористы, тогда придется настраивать себя на испытания, а мне этого, по понятным причинам, не хотелось, испытания я не очень жалую, а сейчас они и вовсе некстати.

Короче, задавая этот вопрос мягко, вежливо, со свойственной мне интеллигентностью, я хотела только определиться.

— Заткнись! — рявкнул здоровяк, схватил меня за

шиворот и толкнул на пол, где я и распласталась, про- шипев «придурок», правда, прошипев еле слышно, ос- мотрительно понизив голос и отвернувшись.

«Террористы», — с тоской подумала я, потому что ничего хорошего от жизни не ждала. И даже не испы- тывала особого удивления, в очередной раз умудрив- шись попасть в историю. Для меня это дело обычное: бутерброд всегда падает маслом вниз, автобус усколь- зает из-под носа, вылет самолета задерживается, пас- порт теряется, каблуки ломаются, а жулики в толпе без- ошибочно находят меня, чтобы свистнуть кошелек из сумки.

Другая бы на моем месте загрустила, решив, что это пожизненный крест, но я была оптимисткой и верила, что однажды мне повезет по-крупному, иначе выходит, что в мире нет справедливости, а с этим я согласиться никак не могла.

В общем, я лежала на полу, томно вздыхала и пото- рапливала провидение, мол, хватит испытаний, пора переходить к тотальному везению. Я, конечно, не про- тив еще немного потерпеть, но террористы — это, по- жалуй, слишком.

Чтобы отвлечь себя от этих мыслей (с провидением шутить не стоило), я принялась вспоминать события этого дня, пытаясь определить, является ли он чем-то особенным или ничего, день как день, и закончится вполне мирно. Не хотелось бы думать, что день этот последний, хотя парни в масках свирепствовали вовсю, то есть орали и грозили всех перестрелять. «Ничего, ни- чего, — утешала я себя, — все как-нибудь образуется».

Утром у меня перегорел электрический чайник, де- ло обычное, потом я поехала к Светке, приткнула ма- шину возле подъезда на пригорке, забыв поставить ее на ручник, а она возьми да и покатись; передним колесом влетев в канализационный колодец, люк которого был открыт. Это событие я восприняла как должное, такое и раньше случалось. После того как машину удалось вытолкать усилиями пришедших мне на помощь граждан мужского пола, выяснилось, что ее придется отправлять в ремонт. Было обидно и совершенно непонятно: с какой стати? Слово «подвеска» вызывало у меня стойкие ассоциации с «Тремя мушкетерами» и потому воспринималось несусветной глупостью, но толстый дядька, который талдычил мне про подвеску, сумел запугать меня, и я отправилась на станцию технического обслуживания, где машины лишилась, то есть мне сказали, что забрать ее я смогу только через два дня. К машине я привыкла и почувствовала себя сиротой, оттого ничего хорошего от жизни не ждала, и правильно, между прочим.

Я вспомнила о Светке, которой должна была пятьсот баксов и намеревалась сегодня их вернуть, поехала к ней на троллейбусе, потому что, кроме баксов, у меня был только проездной, который я два дня назад нашла возле подъезда. Я обошла соседей, выясняя, не потерял ли его кто-нибудь из них, и в конце концов оставила было у себя, решив, что с этой находки начнется новая эра в моей жизни — эра повального везения. Ничуть не бывало. Панически боясь кошельков, я спрятала доллары во внутренний кармашек сумки, откуда они исчезли, потому что какой-то гад, воспользовавшись толчеей в троллейбусе, просто разрезал сумку. Обнаружила я это у Светки, когда попыталась достать деньги, — рука моя свободно проникла в новообразовавшееся отверстие, и я убедилась, что денежки тю-тю. Светка вздохнула и сказала с печалью:

— Не переживай. — Подумала и добавила: — Когда-нибудь это кончится.

— Надеюсь, — пожала я плечами.

— Давай чай пить, — ласково предложила подруга, — а с деньгами не торопись. Я ничего не планировала покупать, какая разница, где они лежат, у тебя или у меня...

— Спасибо, — вздохнула я и подумала, что если бы не послушала толстого дядьку и не поехала в сервис... или хотя бы для начала заскочила к Светке и вернула деньги... Все-таки интересно: это судьба или во всем виновата я?

Лишившись и машины, и денег, я решила, что для одного дня это слишком. Я взяла в долг у Светки сто рублей и отправилась домой, вызвав такси. Но едва мы отъехали от Светкиного подъезда, как у «Волги» спустило сначала одно колесо, которое водитель быстро заменил, а потом и второе, заменить которое вот так сразу возможным не представлялось. Водитель матерился сквозь зубы, а я даже не удивилась и побрела к троллейбусной остановке, надо же было как-то выбираться из этого района.

Троллейбус был почти пуст, а сумка уже разрезана, и я благополучно добралась до дома. То, что за время пути дважды отключали электроэнергию, я в расчет не беру, это пустяк, да и отключали-то всего минут на двадцать, меня такими пустяками не проймешь.

Приехав домой, я вспомнила, что забыла ключи на тумбочке. Само собой на звонки никто не реагировал, выходит, и Ритка и ее возлюбленный куда-то смылись (хотя Ритка в это время всегда дома, но на то оно и невезение). Вспомнив, что у меня есть 100 руб. и 55 коп., я зашла в кафе на соседней улице с намерением выпить чаю и скоротать время до появления Ритки.

Надо сказать, что «Мамины блины», так называлось кафе, я предпочитала всем другим подобным заведениям в нашем городе, потому что только здесь чай подавали в фарфоровых чайниках, расписанных розами, чашки с блюдцем тоже были фарфоровые, а чай ароматный, не какие-то дурацкие пакетики, которые заливают кипятком и суют тебе под нос, а потом ты ломаешь голову, куда приткнуть этот пакетик. В общем, данное заведение неизменно настраивало меня на лирический лад и возвращало веру в грядущее везение.

Я твердо была убеждена, что здесь мне ничего не грозит. Здесь я даже ни разу ложку не уронила и никто не опрокидывал на меня чайник. Это был оазис покоя в безбрежном море невезения. Оттого-то я поначалу не испугалась, когда вдруг звякнул колокольчик у двери, а вслед за этим мужской голос рявкнул: «Всем на пол!» Я повернула голову и увидела двух типов в одинаковых водолазках и шапках-масках на голове, они стояли плечом к плечу, тыча во все стороны пистолетами. Я с обидой подумала: «Не может быть», в том смысле, что это могло случиться со мной где угодно, но только не в этом безопасном месте. Но случилось именно здесь, и я едва не заревела от обиды. Говорю едва, потому что давно запретила себе заниматься этим неблагодарным делом — если каждый раз реветь, так и будешь ходить с красными, как у кролика, глазами, хотя кролики мне симпатичны, и все же...

Словом, я решила воздержаться от слез, затихла, расслабилась и посоветовала себе не принимать происходящее близко к сердцу. К встрече с террористами я была внутренне готова, ведь в последнее время средства массовой информации принялись поминать их по сто раз на день, к месту и не к месту. Если уж они завелись у нас, дураку ясно, меня им не обойти, и я для себя решила, что при случае в панику впадать не буду и попытаюсь отнестись к ним как к бутерброду, упавшему маслом вниз.

Оттого в настоящий момент я лежала себе спокойно, в основном опасаясь одного: как бы здоровенный детина не отдавил мне ноги или руки, вертясь на месте точно заведенный.

— Лежать тихо! — гневно восклицал он, хотя, кроме него, голос никто не подавал. Второй тип рванул к кассе, протянул девушке-кассиру полиэтиленовый пакет и рявкнул:

— Деньги, быстро!

С моего места открывался прекрасный вид, так как лежала я недалеко от двери и все кафе у меня было как на ладони, стоит лишь чуть-чуть приподнять голову, а я ее, конечно, приподняла: любопытство, ничего не поделаешь.

Девушка торопливо достала деньги и бросила их в пакет, сумма, судя по всему, была смехотворная. Я мысленно усмехнулась: не одной мне не везет, а потом и успокоилась — никакие парни не террористы, обычные грабители, свистнут мои сто рублей (не мои — Светкины) и бросятся отсюда со всех ног. Хорошо, что здесь пол чистый, но плохо, что на мне белая блузка... «Ладно, все в пределах нормы», — философски рассудила я. Между тем парень забрал деньги и шагнул навстречу дружку, который все еще топтался возле двери, держа всех под прицелом.

— Кошельки на пол, прямо перед собой! — скомандовал он.

Я охотно выполнила его приказ и только тогда заметила, что в глубине зала сидит себе дядька лет сорока, упитанный, веснушчатый, рыжий, с пышными усами, и ест блины как ни в чем не бывало. Надо сразу же пояснить следующие два факта. Блины здесь были знатные,

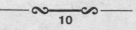

в меню я насчитала двадцать наименований, лично я очень уважала «Деревенские». Второй факт, рыжего я заметила не сразу, потому что сидел он сбоку от меня, а вертеть головой налево-направо команды не было, и лишь когда я полезла за кошельком... В общем, рыжий произвел впечатление. На предложение предъявить кошелек он никак не отреагировал, уплетал себе блины с таким видом, точно происходящее вокруг его не касалось. Так как остальная немногочисленная публика по команде залегла (в кафе было человек десять), я решила, что рыжий член шайки, а возможно, даже главарь. Почему-то мне казалось, что он у них непременно за главного, хотя эти двое в масках, а он... Не успела я как следует пошевелить мозгами на сей предмет, как выяснилось, что ошиблась.

— А тебя это что, не касается? — рыкнул один из грабителей, обращаясь к Рыжему. Второй между тем заглянул на кухню и выволок оттуда еще двух женщин, толстуху в белом халате и платке и девушку лет двадцати в переднике, то есть теперь весь персонал кафе оказался в зале вместе с остальными действующими лицами. Надо отдать людям должное, все вели себя спокойно, если не считать рыкающего грабителя. И вдруг начались вещи совершенно неожиданные. Рыжий доел блины, вытер рот салфеткой (чтобы увидеть это, мне пришлось так вывернуть шею, что я рисковала заполучить вывих и косоглазие одновременно) и вдруг заявил:

— Да пошел ты, урод.

Вот прямо так и сказал. Признаться, я им восторгалась, потому что мое настроение было созвучно его ответу. Я бы тоже с удовольствием заявила нечто подобное, но не могла не признать, что если железяка в руках парня настоящая, это было бы неосмотрительно. Однако Рыжий произнес: «Да пошел ты, урод», и это произвело впечатление на грабителя. Готова поклясться, он растерялся, потому что с полминуты стоял столбом, а Рыжий отбросил салфетку и с достоинством продолжил:

— Советую поскорее уносить отсюда ноги. Забирай свою мелочишку и исчезни, пока я не разозлился. В противном случае ты очень об этом пожалеешь. И не думай, что, раз вы в масках, я вас не найду. Да я вас из-под земли достану. — С этими словами Рыжий поднялся с намерением покинуть заведение. Я была почти убеждена: он в самом деле возьмет да и уйдет отсюда, потому что грабитель возле двери явно не знал, как реагировать на его слова, и пребывал в трансе. И тут второй тип, тот, что, уложив на пол прибывших с кухни женщин, собирал кошельки и засовывал их в пакет, развернулся и, не говоря ни слова, выстрелил прямо в грудь Рыжему, тот удивленно вытаращил глаза, покачнулся, а грабитель выстрелил еще, я зажмурилась и в ужасе заорала, а Рыжий упал, по крайней мере, судя по звуку, похоже на то.

Надо сказать, к тому моменту орала не только я, но и остальные граждане, в том числе грабитель возле двери, но если мы просто орали, то он орал членораздельно.

— Ты что, спятил? — вопил он, обращаясь к дружку. — Ты же убил его... мать твою, ты же его убил...

— Уходим, — заявил тот в ответ, направляясь к двери, однако его напарник продолжал стоять столбом, он схватил его за руку, увлекая за собой к двери, но когда до нее оставалось совсем ничего, он вдруг замер, отчетливо пробормотав: «Черт». Я к тому времени перестала орать и, так как грабители не обращали на меня внимания, чуть-чуть передвинулась, чтобы было лучше видно происходящее возле двери. Через некоторое время стало ясно, к чему относилось замечание грабителя: в

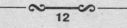

окно, находившееся рядом с дверью, я видела часть тротуара (кафе располагалось в полуподвале) и милицейскую машину, которая остановилась возле этого самого тротуара, машину целиком я, конечно, видеть не могла, зато полоску на ее боку разглядела, а также надпись: «Милиция».

Стрелявший в Рыжего грабитель кинулся к толстухе в белом халате.

— Это ты, паскуда, ментов вызвала, — взвыл он. Женщина закатила глаза и ничегошеньки не ответила, оставив парня с носом, потому что лишилась сознания, что лично мне было вполне понятно, памятуя о том, что случилось с Рыжим. — Черт, — зло повторил грабитель, а его дружок, пританцовывая возле двери, заунывно повторил:

— Что же делать?

— Тихо! — скомандовал нервный, и все само собой замолчали, хотя к тому моменту и так уже поутихли, не орали, а по большей части клацали зубами. Не знаю, заметили они машину или как иначе догадались о том, что грабители попали в затруднительное положение, но все замерли, с трепетом ожидая развития событий. Один труп у нас уже был, и становиться следующим желания ни у кого не возникло.

Между тем нервный подскочил к двери и запер ее на засов, через несколько секунд после этого кто-то с той стороны толкнул дверь, потом еще раз и еще, все настойчивее и настойчивее.

— Что делать? — перешел на шепот стоявший возле двери грабитель, то есть теперь они оба стояли возле двери. — Зачем ты его убил? Что теперь делать?

Честное слово, в его голосе слышались слезы, и мне вдруг сделалось его жалко, уж мне ли не знать, что такое невезение. Но они, конечно, сами виноваты. «Так им и надо», — сурово решила я и вздохнула. Следовало признать, что из всех возможных неприятностей, свалившихся на меня за последние двадцать дней, эта была самая скверная. «И еще неизвестно, чем кончится дело, хотя ясно, ничем хорошим», — думала я, но последующего за этим поворота событий даже не ожидала.

— Берем заложника, — заявил нервный, шагнул ко мне и сграбастал меня за шиворот. — Пойдешь с нами.

— Почему я? — возмущенно поинтересовалась я, потому что невезение для меня вещь привычная, но это все-таки чересчур... Я услышала, как второй спросил:

— Почему она?

— Заткнись! — рявкнул нервный, и мы оба замолчали.

«Вот и конец всем моим несчастьям», — косясь на железяку в руках парня, подумала я, прижимая сумку к груди, грабитель сунул мне в руки пакет с добычей и заявил:

— Двигай и не вздумай дергаться, башку снесу.

— Отпусти ее, — все-таки вступился за меня второй тип.

— Заткнись, — огрызнулся тот, — делай, что тебе говорят.

Он подтолкнул меня к двери, отодвинул засов, на мгновение выпустив мою шею из цепких объятий, отчетливо вздохнул и распахнул дверь. А я зажмурилась, ожидая выстрела, но, странное дело, никто не стрелял.

Более того, когда я разлепила глаза и сделала следующий шаг, понукаемая моим конвоиром, милиции поблизости я не обнаружила. К тому моменту они благополучно загрузились в свои «Жигули». Грабители, осознав это, удивленно переглянулись, а «Жигули» между тем плавно тронулись с места.

— Не фига себе, — пробормотал добродушный грабитель, выразив наше общее мнение.

В самом деле, было чему удивляться. Почти что в центре города, белым днем на ступеньках кафе стоят два идиота в масках, потрясая пистолетами, между ними я, прижимая к груди их дурацкий пакет, а милиция сматывается буквально из-под носа на стареньких «Жигулях».

— Нет, это даже странно, — не удержалась я от избытка чувств, забыв про нервного спутника, а еще про то, что слова мне здесь никто не давал.

— Вот, блин, придурки, — поддержал меня нервный, продолжая стоять столбом, и тут невезение попёрло по полной программе. Не успела я прийти в себя от неожиданного бегства милиции, как нервный вновь завопил: — Черт... — И больно дернул меня за локоть. Я завертела головой, пытаясь понять, что его так разволновало, но вдруг и второй завопил:

— Черт... — И мы бросились в ближайший переулок, то есть это они бросились, а я только механически передвигала ноги, но глазами вокруг шарить не забывала и увидела видеокамеру, направленную на нас. Двое молодых людей с расстояния метров в триста увлеченно снимали уличную сцену, главными героями которой, несомненно, были мы.

— Откуда они взялись? — взвизгнул добродушный, сворачивая за угол, а я машинально ответила:

— Погодники.

— Кто? — рявкнул нервный. Похоже, нормально говорить он вовсе не мог, только рявкать, а теперь еще и задыхался.

— Прогноз погоды снимают, — пояснила я, — для телевидения, я парня узнала...

— Ну надо же, — захныкал добродушный, а нервный повторил свое излюбленное «черт».

Между тем мы свернули в переулок, где не было ни

души, затем бросились во двор, миновали его и выскочили на соседнюю улицу. Прямо напротив притулился видавший виды «Фольксваген». Добродушный прыгнул за руль, нервный распахнул заднюю дверь, принуждая меня загрузиться в машину.

— Отпустите меня, пожалуйста, — возвысила я голос. Желания сопровождать их у меня не было, да и смысла я в этом не видела, даже не с моей точки зрения, а с их. Но нервный рассудил иначе.

— Заткнись, — взвился он и больно меня толкнул.

— Отпусти ее, — попросил водитель, — зачем нам девчонка?

К тому моменту на нас начали обращать внимание редкие прохожие. Нервный рассвирепел и ткнул меня пистолетом. Я поспешила занять заднее сиденье, он упал рядом и рыкнул:

— Гони.

Его приятель погнал, а я в знак протеста положила пакет на колени своему соседу и заявила:

— Заберите. Не ровен час — менты сцапают меня с вашей добычей, еще соучастие пришьют.

— Если сцапают, я им так и скажу — соучастница, — препротивно засмеялся нервный. — Так что молись, чтобы ушли.

Воодушевленная его обещанием, я принялась пристально вглядываться в заднее стекло, но, к великому своему облегчению, никакого намека на погоню не обнаружила.

— Ушли, — вздохнув, заявил водитель и тут же добавил испуганно: — Вроде бы... Отпусти девчонку, зачем она нам?

— Мало ли что... — проворчал нервный, однако прозвучало это для меня оптимистично, то есть вполне благодушно.

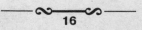

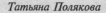

Тут мы в очередной раз свернули, миновали два квартала и замерли в нескольких метрах от афишной тумбы. Нервный распахнул дверь с моей стороны и вытолкал меня на асфальт. В полном недоумении я стояла на четвереньках, наблюдая, как машина свернула в ближайшую подворотню, потом поднялась и сказала:

— Черт... — Как известно, дурной пример заразителен.

Данная фраза в основном относилась к ободранным коленкам и к потере сумки, которая осталась в машине. Сумку можно было смело выбросить из-за солидной дыры, проделанной неизвестным троллейбусным воришкой, но, к сожалению, в ней лежал мой паспорт, выданный мне лишь вчера, и то после долгих мытарств, вспоминать о которых даже не хочется. Вечером я подумала убрать его в секретер, но позвонила Светка, я заболталась с ней и про паспорт, само собой, забыла, а вот теперь вспомнила... Я не выдержала и заревела с досады.

Я стояла, хлюпая носом и вызывая удивление у прохожих, и потратила на все это минут пять, по истечении которых в голову мне пришла мысль заглянуть во двор. Сумка моя для грабителей ценности не представляла, а уликой являлась, — логично от нее избавиться. Радуясь способности здраво мыслить, я робко заглянула во двор, потом уже увереннее прошла его почти до половины и убедилась, что двор проходной, он выходил на улицу Кирова, где в настоящий момент стоял потрепанный «Фольксваген», на котором удрали грабители. Точнее, «Фольксваген» стоял как раз на выезде со двора, прямо под аркой, загораживая проезд темно-серой «Волге», водитель которой отчаянно сигналил. Совершенно напрасно, кстати сказать, потому что в машине никого не было.

Это меня здорово воодушевило. Маловероятно, что

преступники прихватили с собой мою сумку. Я осторожно приблизилась и потянула дверь на себя, она открылась, а я едва не подпрыгнула, потому что водитель «Волги» заорал как сумасшедший:

— Убирай свою развалюху.

Это было чересчур для моих нервов, поэтому я тоже заорала:

— Да пошел ты... — и принялась шарить в машине в поисках сумки.

На это ушла минута, в продолжение которой водитель «Волги» истошно сигналил. Я перестала обращать на него внимание, потому что здорово расстроилась, сумки в машине не оказалось. Скажите на милость, ну зачем им моя сумка да еще с дырой, в таком виде ее любимой девушке не подаришь. Счастье еще, что я сотовый забыла дома, с утра поставив его на подзарядку.

Я сидела в машине, размышляя о своей незавидной доле, пока дверь с моей стороны не распахнулась и водитель «Волги», потный и багровый, не ухватил меня за плечо с диким воплем:

— Да ты издеваешься, что ли?

И тут началось нечто совершенно невообразимое. Мужской голос сзади рявкнул:

— Стоять, руки за голову! — И с двух сторон к машине высыпали люди, все, как один, потрясая железяками.

— О, господи, — простонала я, а водитель «Волги» позеленел и втянул голову в плечи.

Признаться, я очень волновалась: вновь появившиеся типы тоже могли быть грабителями, почему бы и нет? Два ограбления за один день многовато, но с моим невезеньем... Единственное, что смущало меня: на данный момент грабить здесь совершенно нечего, если не

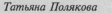

считать «Фольксвагена», который выглядел весьма плачевно. А может, им «Волга» приглянулась?

Но тут выяснилось, что подскочившие с двух сторон мужчины (я насчитала семь человек) вовсе не грабители, а наша доблестная милиция. Мужчину с «Волги» ткнули физиономией в капот, щелкнули наручниками, а потом переключились на меня.

— Где второй?

— Не знаю, — замотала я головой.

Кто-то наклонился ко мне и душевно спросил:

— Вы в порядке?

— Конечно, нет, — возмутилась я. — У меня увели паспорт.

— Что?

— Паспорт. Он был в сумке. А они ее зачем-то свистнули.

Водителя «Волги» повели во двор, он тряс головой и повторял:

— Да я ее пальцем не тронул, ей-богу, только просил тачку с дороги убрать.

Обладатель душевного голоса вновь наклонился ко мне, и я смогла его рассмотреть — парень лет двадцати семи, симпатичный блондин.

— Как себя чувствуете? — проявил он любопытство.

— Не знаю, — пожала я плечами. — Паспорт жалко. Тетка в паспортном столе сказала, что если я... Вы мне справку дадите, что это не я его потеряла, что его свистнули?

— Дадим, конечно.

Поначалу я обрадовалась, а потом загрустила, вспомнив, что справку из милиции уже приносила и от пожарных тоже.

— Не поверит, — обреченно решила я.

— Я понимаю, вы сейчас в таком состоянии, — продолжил блондин, — и все же... пожалуйста, вспомните, куда побежал второй преступник?

— Да я не видела. Я сюда подошла, чтобы сумку поискать, а они ее зачем-то свистнули, вот придурки. Слушайте, а может, они ее во дворе бросили? — озарило меня. — Там мусорные баки, пожалуй, стоит посмотреть.

Я начала выбираться из машины, блондин протянул мне руку, еще трое его товарищей, стоя в двух шагах, сурово хмурились, глядя на меня.

— Где второй? — спросил самый нетерпеливый из всех.

— Да что вы пристали, — возмутилась я, — откуда мне знать? Я паспорт ищу.

— Какой, к черту, паспорт? Вы видели, куда он скрылся?

— Кто? — теряя терпение, поинтересовалась я.

— Второй преступник.

— Да я и первого не видела...

— Как? А...

— А этот дядька вон на той «Волге» подъехал, «Фольксваген» ему мешал.

— Так он не грабитель? — страшно огорчились все четверо.

— Нет, конечно, — удивилась я.

— А куда грабители делись?

— Откуда мне знать? Нет, это даже странно... — Меня переполняло возмущение, к тому же не терпелось вернуться во двор и поискать там сумку.

— Это вас они захватили в кафе? — вновь полез с вопросами блондин.

— Ну...

— А когда вы расстались?

— Я на часы не смотрела. Минут пятнадцать назад, а что?

— Да куда они делись? — отчаянно завопил мужчина лет сорока, стоявший слева.

— Вы меня с ума сведете, — вновь возмутилась я.

— Спокойно, — сказал блондин, обращаясь в основном к своим друзьям. — Расскажите, что произошло после того, как вы покинули кафе?

— Они потащили меня в переулок. Там стояла машина...

— Да-да, этот момент успели заснять телевизионщики. Что дальше?

— На соседней улице, прямо возле арки, они остановились и вытолкали меня на асфальт, а сами свернули во двор. Я немного поревела, а потом решила двор проверить, может, они выкинули сумку. Ну зачем им сумка, тем более разрезанная каким-то идиотом сегодня в троллейбусе, а в сумке паспорт, я его в этом году теряла уже четыре раза, тетка там злющая, и она предупредила меня, что, если я еще раз его потеряю, могу даже ей на глаза не показываться. Вот.

— Про паспорт я уже понял. Вы заглянули во двор и что?

— Ничего. Смотрю, машина стоит, пустая. Я обрадовалась, маловероятно, что они сумку с собой забрали. Но сумки здесь нет, сами видите. Я хочу поискать ее во дворе, может, выбросили?

— Значит, вы не видели, куда скрылись преступники? — с душевной болью спросил блондин.

— Нет, конечно. Как я увижу, если они уехали на машине, а меня выпихнули на тротуар?

— Они были в масках?

— Да, — кивнула я.

— Все ясно, — вздохнул блондин. — Двор проходной, бросили машину, сняли маски и спокойно вышли на улицу. Надо поговорить с мужиком из «Волги», вся надежда на него, может, кого заметил. А вам придется проехать с нами, — вздохнул он, глядя на меня.

— Пожалуйста, только сначала поищу во дворе свою сумку.

Сумку мы искали вместе, но не нашли. Если преступники действовали так, как предполагал блондин, на кой черт им моя сумка? Идти с ней по улице, значит, обратить на себя внимание, женская сумка в руках у мужчины — это всегда выглядит странно. Хотя, конечно, сумка небольшая и они вполне могли сунуть ее в пакет с добычей, только вот зачем? Неужто думали, что в ней золото-бриллианты? Сумасшедший дом, честное слово.

Потратив время впустую, мы отправились в милицию, где я встретилась с заметно повеселевшим водителем «Волги». Наручники с него уже сняли и разговаривали с ним исключительно вежливо. Так как дверь была слегка приоткрыта, я смогла узнать следующее: когда дядька сворачивал на своей «Волге», от тротуара отъехала машина. Похоже, иномарка, но какая точно, он не знает и даже цвет указать не может, внимания не обратил. А вот судьба моей сумки осталась неизвестной.

В коридоре я ждала минут пять, после чего меня проводили в кабинет и битых два часа задавали вопросы. Свой рассказ я могла уместить во временной промежуток в двенадцать раз меньший, и это при том, что говорила бы не спеша, оттого я считала время потраченным впустую. Правда, один из вопросов вызвал во мне живейший интерес.

— А ранее с преступниками вам встречаться не приходилось?

— Откуда я знаю, они же в масках!

— А голоса? Голоса вам знакомыми не показались?

Вот тут я и задумалась. В самом деле, что-то меня здорово удивило. Весь облик добродушного грабителя, а не только его голос, вселял смутную тревогу.

— Что? — перегибаясь ко мне, спросил страж порядка.

— Чего? — нахмурилась я.

— Вспомнили?

— Кого?

— Грабителя, естественно.

— Если хотите знать, мне не до их голосов было. Я здорово перепугалась. Да говори они хоть голосом Винни-Пуха, и то с перепугу бы не узнала. И вообще, я свой паспорт хочу. Найдите мне паспорт. Тетка сказала, ни за что другой не даст, хоть тресни.

— Помогите нам отыскать преступников, и мы вернем вам паспорт.

Я посмотрела на него и поняла: не видеть мне паспорта, как своих ушей.

В конце концов меня отпустили, и я побрела домой в тоске и отчаянии. Однако сказанное следователем отложилось в мозгу, и теперь я пыталась вспомнить, где раньше видела, ну и слышала, конечно, добродушного грабителя. Чем больше я об этом думала, тем больше убеждалась, что была знакома с парнем. Тут и кое-какие странности в его поведении припомнились. Когда нервный решил сделать меня заложницей, второй от этого не пришел в восторг и был на моей стороне, когда я просила отпустить меня. Это что же получается: не только я его где-то видела, но и он меня. Выходит, мы знакомы? А ведь точно, знакомы... Кто же этот гад?

Пребывая в крайней задумчивости, я добралась до своего дома, поднялась на второй этаж и нажала кнопку звонка. Мне открыла Ритка.

— Привет, — сказала она хмуро.

— Привет, — откликнулась я, думая о своем, прошла в гостиную, плюхнулась в кресло, пытаясь понять, на кого из знакомых похож добродушный.

— Ты чего? — заглядывая в гостиную, спросила Ритка.

— Ничего, — ответила я, торопясь от нее отделаться.

— Ужинать будешь?

— Нет.

— Ну и как хочешь. Только потом не говори...

— Кузин, — брякнула я и даже глаза вытаращила.

— Чего? — в свою очередь вытаращила глаза Ритка.

— Так, пустяки, — испуганно замотала я головой, но теперь была абсолютно уверена: добродушный не кто иной, как мой бывший одноклассник Славка Кузин. — Что-то у меня голова болит, — заявила я и поспешила в свою комнату.

Здесь я торопливо достала из шкафа альбом, где хранились школьные фотографии, и отыскала нужную: вот, пожалуйста, я и злодей Кузин на выпускном в десятом классе. После десятого класса он отправился в училище, откуда его благополучно выперли. Надо сказать, Славка был невезучим парнем, вечно с ним что-то случалось. В основном на этой почве мы и подружились. Правда, он уверял, что влюблен в меня, но я отнеслась к этому скептически, прежде всего потому, что считала: двое невезучих — это уже слишком. К тому же у Славки смешно торчали уши, а веснушки были такими большими и яркими, что вкупе со своей фамилией Кузин он просто не мог не быть прозван одноклассниками Кузей, каковое прозвище и получил еще в первом классе. Уверена, его и сейчас все так называют.

Кузя не казался мне особо привлекательным, а саму себя я считала девушкой красивой, оттого-то была убеж-

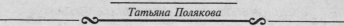

дена, что он мне не пара. Ко всему прочему у Славки обнаружился скверный характер, он вечно задирался, грубил учителям и общественностью был причислен к хулиганам. В данном случае общественность оказалась права, хотя теперь назвать Кузю хулиганом язык не поворачивался, он самый настоящий преступник, грабитель и убийца.

Я воззрилась на фотографию, вздохнула и решила позвонить в милицию. А что еще прикажете делать, раз я его узнала. Они ведь, между прочим, спрашивали, не показался ли мне преступник знакомым. Я уже потянулась к телефону, но рука моя вильнула в сторону, а потом и вовсе замерла на телефонном справочнике. Конечно, преступление преступлением, но с Кузей мы сидели за одной партой, и доносить на него... К тому же я могла обознаться. Ведь могла же, раз лица не видела. Голос это голос, и еще вопрос, Кузин ли... к тому же он никого не убивал, а когда нервный застрелил Рыжего, испугался не меньше меня.

Конечно, и ограбления кафе хватит за глаза, но я ведь всех обстоятельств не знаю, с Кузей я не виделась лет пять, и неизвестно, как сложилась его жизнь, а памятуя его всегдашнее невезение...

Словом, я уговорила себя, что спешить ни к чему. Для начала стоило бы поговорить с одноклассником, услышать его версию происходящего, посоветовать отправиться в милицию с повинной, а заодно узнать, что там с моим паспортом.

Данное решение меня воодушевило, но осуществить его препятствовало одно обстоятельство: я не знала номера Славкиного телефона. Во времена нашей школьной дружбы телефона у него вовсе не было, а теперь... я перевела взгляд на справочник и принялась его изучать. Вскоре стало ясно: если телефон у Славки появился, то в справочнике он не значился. Конечно, я прекрасно помнила, где он живет, но это на другом конце города, а моя машина в автосервисе. От троллейбусной остановки, где жил Славка, минут пятнадцать ходу жуткими подворотнями, и если я там пойду вечером одна, непременно нарвусь на приключение, это уж не ходи к гадалке, а на такси у меня нет денег. Можно занять у Ритки...

При этой мысли я сразу же скривилась. Ритка — зануда, начнет воспитывать. Нет уж, на сегодня с меня умных речей хватит. Что же тогда? Чем безнадежнее мне казалось предприятие, тем больше я жаждала осуществить его. Я вздохнула и выбралась из своей комнаты. Ритка чем-то гремела на кухне. Я вошла и заявила:

— Есть хочу.

— Сейчас, — кивнула она.

Севка, ее возлюбленный, сидел перед телевизором с совершенно безумным видом, но, услышав нас, обернулся и взглянул на меня с намеком на презрение.

— А сама ты поесть не в состоянии? — глумливо поинтересовался он.

— Чего это ты мне указываешь в собственном доме? — поинтересовалась я.

— Между прочим... — разозлился он, но договорить не успел.

— Не начинайте сначала, — грохнув чем-то тяжелым, возопила Ритка. — Я, как нормальный человек, имею право на вечер, проведенный в покое, без скандалов и ругани.

— Она сидит у тебя на шее, — не удержался Севка, а я с удовольствием заметила:

— А ты живешь в моем доме. Если тебе что-то не нравится, катись отсюда.

— Прекратите, — вновь чем-то грохнув, пресекла нас Ритка. — Отстань от нее. Ты же знаешь, если она возьмется что-то разогревать, то непременно устроит пожар.

Кстати, бог миловал, пожаров я никогда еще не устраивала, но это было навязчивой Риткиной идеей. Каждый раз, когда я появлялась в кухне и включала плиту или микроволновку, она начинала трястись, как осиновый лист. Мне это было на руку, так как освобождало от готовки, которую я ненавидела, и хоть в душе я и не соглашалась с Риткой, но печалью на лице давала понять, что ее беспокойство не беспочвенно.

Севку это страшно злило. В нашей квартире он устроился с удобствами и, судя по всему, надолго и не чаял избавиться от меня, ежедневно намекая, что у меня есть своя квартира, на что я отвечала, что эта квартира тоже моя, и мы орали до тех пор, пока не вмешивалась Ритка и не разгоняла нас по комнатам.

Ритку было жаль, целых пять лет мы с ней отлично уживались, и лишь появление Севки все испортило. Севка появился на следующий день после похорон отца, может, и на похоронах присутствовал, но я его не заметила. Проводить папу пришло очень много людей. Папа был в городе личностью известной, по крайней мере, так о нем написали в газетах. Чем он был известен другим, оставалось лишь догадываться, сама я папу видела редко, он был очень занятым человеком, всю свою сознательную жизнь я только и слышала: «Папа очень занят». Когда я училась в начальных классах, нас покинула мама. Я не могу припомнить, как это произошло, потому что мама тоже была очень занята, и ее исчезновения я поначалу даже не заметила. Только когда тетя Валя, сестра отца, три вечера подряд, укладывая меня спать и проливая горькие слезы, шептала: «Бедная моя девочка, при живой матери сирота», я сообразила, что что-то у нас не так, и загрустила. Вечером четвертого дня папа, выкроив время, сел рядом со мной на диван, обнял меня и сказал:

— Дочка, мама от нас уехала.

— Куда? — полюбопытствовала я.

— В Москву. У нее там будет другая семья. Возможно, мама возьмет тебя, но несколько позже.

— А тетю Валю? — насторожилась я.

— Что тетю Валю? — не понял отец.

— Тетю Валю она возьмет?

— Ну... видишь ли... с тетей Валей они никогда особенно не дружили.

— Тогда знаешь что... я, пожалуй, к ней не поеду.

— Отлично, — кивнул отец, — я очень рад.

Я тоже была рада, без мамы стало гораздо спокойнее. Раньше тетя Валя тратила свободное время на то, чтобы ругаться с мамой, доказывая ей, что ребенка воспитывают неправильно, а теперь она проводила его со мной. Как я уже сказала, у папы свободного времени было мало, а тратил он его в основном на выпивку, то есть, если оно у него было, он ехал куда-нибудь и отчаянно напивался или в одиночестве сидел в своей комнате и пил тихо, никому не мешая. Тетя Валя объясняла это тяжелой работой. Папа в то время заведовал вторсырьем, и, думая о его работе, я непременно представляла отца перетаскивающим ржавые трубы, потому что как-то раз мы с тетей Валей заезжали к нему на работу, и хоть папа никаких труб не таскал, но увиденное произвело на меня впечатление. «Мой папа работает на свалке», — решила я, очень ему сочувствуя, и потому тяга папы к горячительным напиткам была мне вполне понятной.

Потом времена сменились. Помню, папа вернулся вечером и заявил:

— Даст бог, станет легче, устал я под статьей хо-

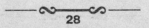

дить. — После чего ушел в свою комнату коротать вечер с бутылкой.

— Теперь станет легче, — шепотом сообщила я тете Вале.

— Кому? — нахмурилась она.

— Папе.

— А-а... лишь бы власть не сменилась.

— А что это за статья, под которой ходит папа? — додумалась спросить я.

— Это он сказал? — еще больше нахмурилась тетка. Я кивнула.

— Должно быть, конфискация имущества, — пожала она плечами, но тут же отмахнулась: — Не забивай голову. Тебе все это ни к чему.

Вскоре папа сделался предпринимателем, а потом владельцем крупной фирмы. Об этом мне сообщила тетя Валя.

— В дом кого попало не води, — заявила она. — Жулья развелось...

Меня стали встречать из школы и вечером во двор не выпускали. Это было грустное время. Наконец теткина подозрительность в отношении моих друзей сменилась радушием, она оставила работу в библиотеке, всецело посвятив себя дому.

Жили мы вполне счастливо, я закончила школу, поступила в институт, влюбилась, решила выйти замуж, но тетя Валя пришла в ужас, а папа сказал:

— Ни за что.

Я рассердилась и даже сбежала из дома, правда, недалеко и ненадолго. Уже вечером папа обнаружил меня у Светки и вернул в родные пенаты. Он был непривычно трезв, говорил долго и убедительно, называя мой поступок безответственным, вскользь заметил, что Мишка (так звали моего избранника) мне не пара, и посоветовал не спешить с замужеством, а чтоб я не переживала, подарил мне машину. Новенький «Опель» произвел на меня впечатление, и от мыслей о замужестве я отказалась, хотя еще некоторое время тайно встречалась с Мишкой. Но так как он позволил несколько злобных выпадов в адрес моего родителя, в частности, обозвав его жуликом и королем утиля, я решила, что папа был прав, Мишка мне действительно не подходит, и порвала с ним раз и навсегда.

Через несколько дней после этого случилось несчастье: умерла моя любимая тетя Валя. Это было как гром среди ясного неба, на здоровье тетка никогда не жаловалась, а умерла от инфаркта. Мы с папой осиротели. Папа пил более обыкновенного, а я рыдала день и ночь напролет. Через два месяца, немного придя в себя, мы попытались наладить наш быт. Решив почистить рыбу, я едва не отрезала себе палец, пришлось вызывать «Скорую». На следующий день я забыла закрыть в кухне кран, когда чистила картошку, раковина забилась, и я затопила соседей, потому что побежала в магазин за хлебом, а ключи оставила на тумбочке и в квартиру войти не могла. Папа решил готовить сам и едва не учинил пожар, забыв котлеты на плите. В общем, мы бились как рыба об лед, а питались в основном в кафе, пока папа не заявил:

— Надо что-то делать. — Взял бутылку коньяка, ушел в свою комнату, а появившись оттуда через час, сообщил: — Придется жениться. Можно, конечно, нанять домработницу, но чужой человек в доме... я этого не переживу. Придется жениться, — с намеком на панику, повторил он.

— Хорошо, — согласно кивнула я.

И через два дня у нас в доме появилась Ритка.

Она была на двадцать лет моложе папы и к моменту

водворения у нас уже трижды побывала замужем, но каждый раз неудачно. Мы с ней сразу же подружились. Ритка была настроена весьма критически ко всем особям женского пола и потому подруг у нее не было. Папа в первый же день предупредил нас, что волновать себя по пустякам не позволит, и если мы начнем конфликтовать, он это быстро прекратит, и при этом так взглянул на супругу, что стало совершенно ясно, что он имел в виду. Ритка и не думала конфликтовать со мной, потому что я с готовностью согласилась с тем, что она, во-первых, красавица, во-вторых, разбирается в жизни лучше, чем я, и потому мне стоит прислушиваться к ее советам. Прислушиваться я была готова к чему угодно, насчет красоты и жизненного опыта тоже никаких проблем, так что наша жизнь мгновенно наладилась.

Ритка нигде никогда не работала из принципиальных соображений и мне не советовала, поэтому раз по пять на день вопрошала:

— На кой черт тебе сдался этот институт? Лучше пошли в солярий.

Я и сама толком не знала, нужен мне институт или нет, но вознамерилась его закончить, в чем и преуспела. К тому моменту папа числился видным деятелем нашего города, а пить стал значительно больше, то есть это мы так предполагали, хотя видели его исключительно редко, в основном в начале месяца, когда он выдавал нам деньги на расходы, а также ценные указания, как их потратить.

Иногда мы с удивлением узнавали, что папа на Канарах или Мадейре, но с вопросами не лезли, так как папа этого не любил. Однако доходившие до нас слухи о том, что папу уже давно никто не видит трезвым, всерьез тревожили нас, потому что последнее время папа жаловался на здоровье.

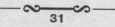

— Твоему отцу не мешало бы поберечь себя, — выговаривала мне Ритка за неимением родителя, а я согласно кивала.

По окончании института возник вопрос о моем трудоустройстве, и папа в начале месяца сказал:

— Я подумаю. — Но потом по обыкновению исчез, а когда я по телефону пыталась напомнить ему о его обещании, повторял: — Я подумаю. А ты пока отдохни.

В результате я отдыхала целый год и уже всерьез не верила, что папа что-нибудь придумает, и в конце концов устроилась на работу сама, решив, что папа при его занятости об этом даже не узнает. Но он узнал (подозреваю, настучала Ритка, потому что шататься по салонам и магазинам одной ей было скучно) и был в гневе.

— Что это за работа за две тысячи в месяц? — сердито выговаривал он мне. — Ты что, сирота? Горбиться за такие деньги...

Хотя я вовсе и не горбилась, но почувствовала себя предателем: в самом деле, что это я отца позорю? Папа в очередной раз обещал подумать, с прежней работы я ушла, чтобы сделать ему приятное, а на новую так и не устроилась, потому что папа внезапно свалился с инфарктом (должно быть, в нашей семье эта болезнь занимала особое место). Мы с Риткой здорово перепугались, врачи в один голос твердили, что, если папа немедленно и навсегда не бросит пить, они ни за что не отвечают, поверить же, что папа откажется от своих привычек, было нелегко, но я набралась смелости и поговорила с папой.

— Фигня, — отмахнулся он, тут к нему подскочил лечащий врач и заговорил о возможных последствиях (летальных), увлекаясь все больше и больше. Речь произвела на меня впечатление, и я тут же, не сходя с места, поклялась никогда не брать в рот спиртного.

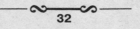

Через неделю папа выписался из больницы и начал вести свой привычный образ жизни.

— Любопытно, что из этого выйдет, — вздыхала Ритка, имея в виду папину полемику с врачами.

К сожалению, победили врачи. Где-то в Карибском море папа в состоянии похмелья нырнул и не смог вынырнуть. Предположительно, не выдержало сердце. Так как папа последние три года дома появлялся редко и напоминал фантом, став личностью мифической, данное событие скорее взволновало, нежели огорчило. Мы с Риткой много говорили о папе, но увидеть его было практически невозможно, и то, что папа вдруг исчез, вовсе ничего не значило, ничто не мешало ему появиться вновь.

Однако рассчитывали мы на это напрасно, через месяц нам предположительно доставили папу. Говорю предположительно, потому что сопровождающие его люди сами, похоже, были в этом не уверены, а проверить догадки не представлялось возможным. В общем, папу похоронили, а нам на руки выдали свидетельство о его смерти. Еще до папиных похорон начались вещи, прямо скажем, мистические. Кто-то бродил по квартире, переставлял вещи, а однажды даже пробил стену в ванной. Ритка заявила в милицию, заявление у нее приняли с постным выражением лица и интересным пожатием плеч. По ночам мы с Риткой не спали, а все больше прислушивались, поэтому я не возражала, когда у нас появился Севка, как-никак мужчина в доме, это успокаивает. Севка был любовником Ритки, и его наличие меня ничуть не удивило, раз уж папа был скорее идеей, чем человеком из плоти и крови. Но у парня оказался скверный характер, к тому же он начал ко мне приставать, будучи моложе Ритки на восемь лет. Но так как предполагалось, что она у нас краше и лучше всех, сту-

чать на Севку и расстраивать ее я не стала. Когда же он в очередной раз приступил к домогательствам, я легонько задвинула ему по известному месту, он присел от неожиданности, а я нечаянно задела рукой чайник и в результате ошпарила Севку, хотя это в мои планы не входило. После чего мы стали врагами. Ко мне он цеплялся по сто раз на день, но рук уже не распускал. Меня это вполне устроило, но, чтоб держать его в тонусе, я время от времени напоминала, что он живет в моей квартире.

На самом деле квартир у папы было шесть, хотя мы, конечно, жили в одной. По старой привычке папа оформил их на меня, так же, как и четыре машины, которые имелись в нашей семье. Дача была записана на покойную тетку и после ее смерти тоже отошла ко мне. Умирать папа не собирался и потому завещания не оставил, хотя похоже было, что завещать собственно нечего.

После похорон мы обнаружили в папином столе две тысячи долларов, у нас с Риткой оставалось еще пятьсот, и это все, что мы имели. Ни сберегательных книжек, ни иных документов, сейф на работе тоже оказался пуст. У папы были пластиковые карты, но все деньги с них он успел потратить. В общем, выяснилось, что папино богатство не более чем миф, что меня, признаться, не удивило, а вот Ритку здорово расстроило.

— Мы погибнем в нищете, — прижимая руки к груди, заявила она. Но и в это я не верила.

После похорон папин друг и по совместительству коммерческий директор дядя Витя, к которому я питала самые добрые чувства, так как, в отличие от папы, он появлялся у нас значительно чаще и даже интересовался моими делами, отвел меня в сторонку и со вздохом сказал:

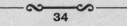

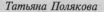
— Девочка моя, фирма отцу не принадлежит, ты же знаешь папу, он терпеть не мог что-то оформлять на себя. Но ты мне человек не чужой, и я считаю себя обязанным... ты будешь получать каждый месяц по тысяче долларов. Хорошо?

— А как же Рита? — нахмурилась я.

Дядя Витя пожал плечами, тем самым давая понять, что Ритку близкой родственницей не считает.

— И ты согласилась? — рычала Ритка тем же вечером, когда я рассказала ей о предложении дяди Вити. — Да ты хоть понимаешь, что эта фирма...

— Она официально папе не принадлежит. Папа большую часть своей жизни прожил с мыслями о конфискации, и это наложило отпечаток...

— Нас обобрали, — воздев руки над головой, вопила Ритка.

— Не глупи, — попробовала я вразумить ее, достала листок бумаги из стола со столбиком цифр, над которым не так давно усердно трудилась, и подвинула его Ритке. — Вот смотри, мы сдаем пять квартир, что приносит доход в пятьсот долларов в месяц, тысячу обещал дядя Витя. Осенью я устроюсь на работу, летом все же хочется отдохнуть. Ты тоже могла бы... — Ритка скривилась, а я кивнула: — Ну, хорошо, хорошо. По семьсот пятьдесят долларов каждой тоже неплохо. В нищете мы не умрем.

Ритка прослезилась, обняла меня за плечи и расцеловала.

— Что бы я без тебя делала... конечно, все это так ненадежно, а мне уже тридцать... — Я подняла брови, а она поправила: — Ладно, тридцать шесть, хотя выгляжу я на двадцать пять.

— На двадцать четыре, — согласно кивнула я.

— Спасибо. Но мне тридцать шесть, и теперь выясняется, что у меня ни денег, ни квартиры... только машина, но и ей два года.

— Продай папины машины и оставь деньги себе. Если тебе так спокойнее...

— Конечно, это не те деньги, на которые я рассчитывала, но все равно спасибо.

— Пожалуйста.

— Хорошо, что у меня есть семья, то есть ты.

— А Севка?

— Что Севка? Много ли от него толку? И что-то я не слышала, чтобы он собирался на мне жениться.

— Может, женится, — пожала я плечами.

Вот так обстояли наши дела на момент ограбления. Мы жили в одной квартире, Севка о женитьбе помалкивал, но держался хозяином, поэтому мы отчаянно ругались.

Ритка положила передо мной салфетку и поставила разогретый ужин, я принялась вяло жевать, тупо пялясь перед собой.

— С тобой что-то не так, — понаблюдав за мной с минуту, заявила Ритка. — Что ты натворила? Разбила машину?

— Нет. В ней просто отвалилась какая-то штука. Или лопнула...

— Что лопнуло?

— Мое терпение, — отозвался Севка и сделал телевизор погромче.

— Что лопнуло? — повторила Ритка.

— Забыла, как это называется...

— Час от часу не легче. И где теперь машина?

— На станции. Обещали сделать.

— Тебе надо ездить общественным транспортом.

— Не надо, — заверила я. — Сегодня поехала, и у меня стащили пятьсот баксов. Я была должна Светке.

— О господи. И что теперь?

— Ничего. Она еще подождет.

— Сумасшедший дом... Надеюсь, это все?

— Нет, — задумчиво ответила я. — Меня взяли в заложники.

Севка отлепил взгляд от телевизора, посмотрел сначала на меня, а потом на Ритку, точно спрашивая ее совета. Та ничего советовать не могла, она стояла и хлопала глазами. Конечно, она тоже считала, что это никуда не годится, в смысле правдоподобия, но зная мое невезение...

— Это что, шутка? — на всякий случай спросила она, а я отрицательно покачала головой, не оставляя ей никаких шансов.

— Чушь, — презрительно фыркнул Севка, — она все выдумывает.

Это было обидно, и отвечать я сочла ниже своего достоинства, ограничившись презрительной усмешкой. Ритка пододвинула стул и села рядом со мной. Пока она все это проделывала, по телевизору начались местные новости. Сегодняшнее происшествие журналисты обойти не могли и даже начали с него. Через минуту я увидела себя на экране в компании двух идиотов в масках. Съемку вели с приличного расстояния, но узнать меня все-таки было можно.

— Господи, — охнула Ритка, прижимая руку к груди, попеременно глядя то на экран, то на меня, а Севка прямо-таки позеленел, подозреваю, что с досады, потому что теперь даже у него не хватит совести заявить, что я вру, раз меня в новостях показывают.

— Ничего себе, — пробормотал он.

— Да тихо ты, — шикнула на него Ритка, — дай послушать.

То, что сообщили в новостях, порадовать меня никак не могло. Грабители, прихватив деньги (общая сумма, по приблизительным подсчетам, исчислялась одиннадцатью тысячами рублей, и это вместе с кошельками граждан, в том числе с моей разнесчастной сотней) и застрелив одного из посетителей, который оказал сопротивление (вот уж кто соврать любит, так это журналисты), скрылись на машине (далее следовали марка, цвет и номер), взяв с собой меня в качестве заложницы. В ближайшей подворотне они от меня избавились и в буквальном смысле исчезли. Далее следовал обычный в таких случаях набор фраз: ведется следствие и все такое...

— Господи, — опять ужаснулась Ритка, когда сюжет закончился, — что ты пережила...

— Да уж, — вздохнула я.

— С этим надо что-то делать, — покачала она головой.

— В каком смысле? — не поняла я.

— Ну, не знаю. Но это уже становится невыносимым. Может, тебе к экстрасенсу сходить, может, тебя кто сглазил?

— Что за чушь! — влез Севка.

— И вовсе не чушь. Ты посмотри, что делается. Она всю посуду перебила, я уж молчу про машину... а теперь еще и это.

— Рот нечего разевать, тогда и посуду бить не будет, — разозлился он.

— В заложники меня взяли потому, что я рот разевала?

— Наверняка что-нибудь сморозила, и они выбрали тебя.

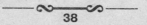

— Ничего подобного. — Я приготовилась скандалить, но Севка неожиданно сменил тему.

— А кого убили?

— Откуда мне знать? Телевизионщики и те не знают.

— Наверняка знают, только помалкивают. Ты в милиции была?

— Конечно.

— Бедняжка, — посочувствовала мне Ритка и даже заревела.

— Ладно, чего ты, — расстроилась я. — Все ведь обошлось.

— Тебя могли убить.

— Ну, так ведь не убили, — вновь влез Севка. Сказано это было таким тоном, точно данное обстоятельство его очень огорчило.

— Ты совершенно бесчувственный, — обиделась за меня Ритка и начала приставать с вопросами. Я подробно ответила на них, утаив лишь, что в грабителе узнала бывшего одноклассника. Севку вновь заинтересовал убитый мужчина.

— Рыжий, говоришь? С усами?

— Ага. Здоровый такой.

— Вот черт, — выругался он и сделался задумчивым.

— Ты что, с ним знаком? — наудачу спросила я. Он аж подпрыгнул.

— Спятила? Да я и не видел, кого убили...

— Может, описание кому подходит? — подсказала Ритка.

— Никаких рыжих я не знаю, — разозлился Севка и ушел с кухни, не забыв хлопнуть дверью.

— Чего он психует? — пожала плечами Ритка.

— Дай мне свою машину, — задумчиво попросила я.

— Ни за что, — тут же ответила она, — ты ее непременно разобьешь.

— Не каждый же день я машины разбиваю, — не согласилась я.

— Мою обязательно разобьешь, уж я-то знаю. И вообще, тебе лучше некоторое время посидеть дома. Мало ли что... И этим придуркам с телевидения вовсе незачем было тебя показывать, вдруг грабители... то есть я хотела сказать... Короче, сиди дома, а я посмотрю в газетах объявление, может, найду подходящего экстрасенса.

Я пожала плечами и отправилась в свою комнату. Но на месте мне не сиделось. Душа жаждала движения и великих свершений. К тому же тоска по недавно обретенному, а сегодня опять утраченному паспорту навалилась на меня с новой силой. Стеная и охая, я бродила по комнате, то и дело косясь на часы. Время позднее, я имею в виду позднее для похода в гости, надо на что-то решаться. Если Кузин не сменил адрес, то живет с родителями, и мой неурочный визит как-то придется объяснять.

Конечно, маловероятно, что после сегодняшних событий он преспокойно проводит вечер в кругу семьи, но мать должна знать, где он обретается, если сменил адрес, а если все еще живет с родителями, но отсутствует, передаст, что я интересовалась им. К тому же у него мог появиться телефон, тогда я разживусь номером.

Наконец я решилась и выскользнула в холл. Ритка в кухне шуршала газетами, должно быть, всерьез занялась экстрасенсами. Стараясь не шуметь, я потихоньку выдвинула верхний ящик тумбочки, здесь Ритка обычно держала ключи от машины. Ничего подобного, ключи отсутствовали, то есть ключи валялись, но не от ее машины, а от «Ауди» Севки, чему имелось материальное подтверждение: фирменный знак на брелке. Пробормотав сквозь зубы: «Ну, зануда», я устремилась

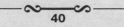

к Риткиной сумке, которая лежала на пуфике. Только не подумайте, что для меня в порядке вещей заглядывать в чужие сумки. Но на сей раз — особый случай, по крайней мере мне удалось убедить себя в этом. Однако невезение и здесь не оставило меня: ключей не оказалось и в сумке. Выходит, Ритка, опасаясь за свою тачку, просто-напросто их спрятала.

Отчаяние переполняло меня, причем до такой степени, что стало ясно: я пойду на все, лишь бы раздобыть машину. Так что нечего удивляться, что я стырила ключи от Севкиной «Ауди». Непохоже, чтобы он собирался покидать квартиру, а если все-таки хватится ключей, я пошлю его к черту. На прошлой неделе он дважды брал мою машину, потому что вовремя не прошел техосмотр, так что будет только справедливым, если я один раз воспользуюсь его тачкой.

Я достала ключи, сняла с крючка ключ от гаража и на цыпочках проскользнула к входной двери, изловчившись не спугнуть Ритку. Прикрыла дверь, потом надавила посильнее, чтобы замок защелкнулся, и едва ли не кубарем скатилась вниз.

Гараж находился в соседнем дворе, большой, на две машины, но для третьей там места не было. Севка гараж сразу же оккупировал, так что Ритке свою машину приходилось оставлять на стоянке или, как сегодня, прямо во дворе под окнами. Не стоило бы Ритке потакать своему любовнику, он здорово обнаглел. Ходит в папиных тапочках и Риткином халате... впрочем, это не мое дело...

Гаража я достигла в рекордно короткие сроки, опасаясь, что мое исчезновение не останется незамеченным, за мной, чего доброго, снарядят погоню, и тогда машины я лишусь. На то, чтобы открыть ворота, выгнать «Ауди» и закрыть ворота, ушло минут пять, я покинула двор со вздохом облегчения: меня не застукали.

Как я уже сказала, жил Кузин на другом конце города, и по дороге я имела возможность пораскинуть мозгами, как следует вести себя при встрече. Если он откажется идти с повинной, пригрожу, что тут же позвоню в милицию. Это должно подействовать. Тут я вспомнила про мобильный, который по-прежнему лежал дома, и чертыхнулась. Надо же быть такой растяпой. А если Кузин не впечатлится угрозой или, того хуже, до смерти перепугается и шваркнет меня по башке чем-нибудь тяжелым? Способен ли на такое бывший одноклассник? Мне-то казалось, что не способен, но я и предположить не могла, что он затеет грабеж, да еще с убийством. Правда, стрелял не он... А вдруг он сейчас дома, но не один, а в компании с нервным типом, то есть с убийцей? Странно, что раньше это не пришло мне в голову.

Встречаться с Кузиным мне сразу же расхотелось, я даже притормозила, посоветовав себе все как следует обдумать. Подъехала к дому, где предположительно проживал преступник, но так ничего и не придумала. Надо было на что-то решаться. В надежде, что это поможет, я взглянула на окна третьего этажа, все они показались мне одинаковыми, я точно не знала, которые из них кузинские. С тяжелым сердцем я покинула машину и вошла в подъезд.

Дверь выглядела изрядно обшарпанной и была лишена номера. Минут через пять стало ясно: открывать мне не собираются. Выходит, все мои мучения напрасны? Этого я допустить не могла и решительно позвонила в соседнюю квартиру. Дверь открыл вихрастый молодой человек в шортах и темных очках. Только я задалась вопросом «зачем человеку очки от солнца в такое время, да еще в собственной квартире», как заметила внушительного вида синяк, который не желал умещаться за очками.

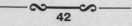

— Привет, — радостно заявил парень.

В другой ситуации я бы презрительно отвернулась, но сейчас следовало подружиться с парнем, и я растянула губы в ответной улыбке.

— Здравствуйте, — проворковала я зазывно. — Не знаете, где ваш сосед?

— Кузя, что ли?

— Вячеслав, — кивнула я.

— А вы ему кто?

— Никто. Просто знакомая.

— Знакомая? Чтоб у Кузи были такие знакомые... приходила здесь парочка... такие кошелки, скажу по секрету...

— Мы с ним в одном классе учились, — решила пояснить я, — а теперь он мне очень понадобился.

— Зачем?

— Слушайте, это мое дело, — теряя терпение, заявила я.

— Конечно, просто интересно. Может, зайдете? Я тут в одиночестве коротаю вечер...

— Выходит, где Славка, вы не знаете? — игнорируя последнее замечание, задала я вопрос.

— Откуда? Его предки на даче, а он где-нибудь бутылки собирает.

— Какие бутылки? — ахнула я, машинально прижимая руку к сердцу.

— Обыкновенные. У Кузи характер паршивый, и он отовсюду вылетает, я его сам два раза на работу устраивал. Бесполезно. Пара недель — это максимум. Предки его деньгами не балуют, вот и бедствует.

— Ясно, — с горечью кивнула я, жалость к однокласснику заполнила все мое существо. Выходит, на преступление его толкнула крайняя нужда и безнадежность. Несчастный Кузя... — Вот что, — едва справившись с волнением, попросила я, — если он появится, скажите, что приходила Маня, то есть... в общем, он поймет. Пусть он мне позвонит. Телефон он знает, хотя мог и забыть. — Я собралась оставить номер, но, заметив, как губы парня растянулись в ухмылке, решила, что не стоит. — Номер есть в телефонном справочнике, пусть обязательно позвонит.

— Хорошо, — без энтузиазма согласился парень.

— Вы передадите или мне записку в двери оставить?

— Передам, передам. А телефон могли бы записать, — крикнул он мне вдогонку, но я, поспешно спускаясь по лестнице, сделала вид, что не слышу.

Признаться, рассказ соседа произвел на меня впечатление, да такое, что, проехав пару кварталов, я вынуждена была остановиться, приткнулась к тротуару и зажмурилась, не давая волю слезам, то и дело повторяя: «Бедный Кузя...» Надеюсь, он мне позвонит, и мы решим вопрос.

Что конкретно мы будем решать, а главное — как, я понятия не имела и отложила все это на завтра, а сегодня следовало как можно скорее вернуть на место Севкину машину.

Аккуратно промокнув глаза платком, я тронулась с места, и тут раздался треск, меня здорово тряхнуло... Короче, трогаясь с места, мне не мешало бы взглянуть в зеркало. Я не взглянула и теперь горько сожалела об этом. Ясное дело, Севкина красавица лучше не стала, но это было еще не самое скверное. Немного придя в себя, то есть вернув себе способность реагировать на окружающих, я увидела темно-вишневый «Лендкруизер», который после соприкосновения с «Ауди» тоже лучше не стал.

— До кучи, — вздохнула я и с отчаянием покачала головой. Ритка права, надо идти к экстрасенсу, к колду-

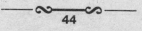

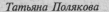
нам, к черту, к кому угодно, лишь бы прекратить все это.

Между тем дверь джипа распахнулась, и оттуда выкатился верзила с такой свирепой рожей, что стало ясно: моя сегодняшняя роль заложника — это просто фантики. Сейчас меня выволокут из машины и попросту растопчут.

— Только не это, — простонала я, наблюдая за тем, как парень приближается. Он распахнул мою дверь, а я поспешно сказала: — Послушайте, я знаю, что виновата, только не надо так смотреть.

Он собирался что-то ответить, точнее будет сказать, подошел с заранее подготовленной речью, но вдруг передумал произносить ее. Посмотрел на меня внимательнее, губы его дрогнули в подобии улыбки, а потом она буквально расцвела на его физиономии.

Надо признать, мужчины довольно часто реагировали на меня подобным образом. С точки зрения моего папы, я — эталон красоты. Конечно, папа слегка преувеличивал, то есть мне самой нравилось почти все, и если б не мой вздернутый нос... нос все портил, хотя Ритка утверждает, что он способен свести мужчин с ума.

Если честно, никого сводить с ума я не собиралась, мне и своего сумасшествия выше крыши, и реакцией мужчин на свою красоту никогда не обольщалась, они столбенели день, от силы два, потом начинали удивляться, что вполне естественно, раз со мной вечно что-то происходило. Еще через два дня пытались учить меня жизни, через три контролировать каждый мой шаг, а через пять становились неврастениками, всякий раз вздрагивая, стоило мне дотронуться до какого-нибудь предмета. Панически боялись электропроводов и зеленели, когда я садилась за руль. А кому интересны мужчины-неврастеники? Мне-то они уж точно ни к чему.

Конечно, не хотелось себя огорчать, но кольца, розы и Мендельсон, скорее всего, пройдут стороной, и я останусь старой девой. И хотя парень расточал мне улыбки, я не очень-то обольщалась, но все равно улыбнулась, робко и даже застенчиво, потому что мне его было жаль, и не только из-за пострадавшей машины. Если он чего-то ожидает от нашей встречи, его постигнет горькое разочарование.

— Какие у нас глазки, — заявил парень нараспев с видом законченного придурка, а я сразу же перестала ему сочувствовать, у меня на идиотов нет времени. — Не худо бы этими глазками на дорогу посматривать.

— У меня сегодня был ужасный день... я хотела сказать... вообще-то я езжу очень аккуратно...

— Не сомневаюсь, — кивнул он. — Тачка застрахована?

— Что? Нет, то есть... я не уверена.

— Детка, это твоя машина? — Улыбка все еще держалась на его губах, но интонация стала насмешливой.

— Какая разница? — сурово нахмурилась я, потому что не выносила насмешек.

— Как для кого, — пожал он плечами. Теперь я решила, что он издевается.

— Послушайте, у меня мало времени...

— Значит, тачка не твоя. Мужа?

— Нет.

— Мужа нет или тачка не его?

— Я не замужем, а машина друга моей мачехи, если вам так интересно.

Теперь он выглядел слегка обалдевшим, должно быть, размышлял, после чего изрек:

— Уже хорошо.

— Что?

— Что не замужем. Было бы обидно.

— Послушайте, я знаю, что виновата, я уже извинилась и готова извиниться еще, но я не понимаю, с какой стати...

— Ментов будем вызывать или сами разберемся? — перебил он.

Вопрос поставил меня в тупик. Я вспомнила, что документов на машину у меня нет и водительского удостоверения тоже, потому что впопыхах, покидая квартиру, я о нем даже не подумала.

— Сами, — коротко ответила я.

— Ага, — кивнул он, его улыбка стала шире и теперь выглядела издевательской, он обошел мою, то есть Севкину, машину, распахнул дверь и устроился рядом со мной. — Значит, так, тачка у меня недешевая, крыло ты мне помяла, давай решать...

— Я заплачу, — с готовностью кивнула я. Черт, ну надо же... как назло, денег ни копейки.

— Сейчас заплатишь? — спросил он.

— Честно говоря... в общем, я заплачу завтра. Скажем, к обеду. Вас устроит?

— К обеду? Я подумаю, — кивнул он, оглядываясь с таким видом, точно потерял в моей машине кольцо с бриллиантами.

— А вы долго будете думать? — посуровела я.

— Как получится.

— Что-нибудь ищете? — не удержалась я.

— Точно. Твою сумочку.

— Зачем она вам? — Признаться, его ответ вызвал у меня недоумение.

— Сдается мне, документов у тебя нет. Отгадал?

— Допустим. Ну и что?

— А ты, деточка, эту тачку часом не угнала?

— Смеетесь? Как бы я смогла такое проделать? И вот ключи, вы же видите. — Зря я ему про ключи сказала, он извлек их из замка зажигания и определил в свой карман.

— Есть мысль, что на тачке ты катаешься без спроса.

— Вам-то какое дело? — огрызнулась я, сообразив, что ключи он не вернет. О последствиях мне даже думать не хотелось. Севка меня попросту придушит... уж орать-то будет как сумасшедший, а потом попрекать всю оставшуюся жизнь. — Отдайте ключи. — Мысль о Севке придала мне отваги. — И вообще...

— Прокатимся до автосервиса? — точно не слыша, спросил он. — А может, ко мне?

— Вы что, машины ремонтируете?

Лучше бы я не спрашивала, он решит, что я идиотка... ну и черт с ним... Я покраснела с досады и от этого разозлилась еще больше.

— Нет, у меня другой бизнес, — порадовал он. Рука его переместилась на спинку моего кресла, а оттуда на мое плечо. — Но ко мне стоило бы заехать, — продолжил он как ни в чем не бывало. — У меня прикольная квартира, зеркало на потолке...

— Вот свинья, — забыв про осторожность, вынесла я вердикт. — Верни ключи и катись отсюда. Можешь вызывать ментов, да хоть ОМОН. Выметайся.

Он засмеялся, но с места не тронулся и даже руки не убрал, и как-то так выходило, что никуда он в этой жизни не торопится.

— Ну и черт с тобой, — рявкнула я, вышла из машины и хлопнула дверью. — Подавись ты этой тачкой, она все равно не моя.

Не успела я сделать и двух шагов, как он покинул кабину и оказался рядом со мной.

— Ладно, ладно, я пошутил.

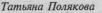

— Хороши шуточки.

— Да не заводись ты. Держи ключи, вот они. — Он протянул мне ключи, и я доверчиво шагнула навстречу, раздался странный хруст, а я вдруг начала прихрамывать. Я с ужасом перевела взгляд на туфли... каблук переломился строго пополам.

— Все, — сказала я и закрыла глаза.

— Эй... — Парень взял меня за руку.

— Не трогай меня, — шарахнулась я в сторону. — Так больше продолжаться не может...

— Послушай... — попытался он вставить слово, я стащила туфлю и стала потрясать ею перед его носом.

— Двести семьдесят долларов. Неделю назад. Я еще долг не вернула, потому что какой-то урод свистнул у меня бабки в троллейбусе — из-за того, что какой-то гад не закрыл люк канализационного колодца и я влетела в него на своей машине и ее пришлось отправить в ремонт, потом какие-то придурки устраивают стрельбу в кафе и берут меня в заложницы, потом в милиции три часа из меня вытряхивают душу вопросами, потом Ритка прячет свои ключи и приходится взять Севкину машину. Славки не оказывается дома, так что все мои муки напрасны, потом я влетаю в твой джип, ты болтаешь о своей дурацкой квартире с дурацкими зеркалами, а теперь еще и каблук... — Тут я малость притормозила, решив перевести дыхание, а заодно удосужилась взглянуть, что происходит вокруг. В трех метрах от нас замер «Мерседес», из которого в немом изумлении на меня таращились сразу четверо придурков. Придурок с джипа стоял рядом, вытянув руки, обращенные ладонями ко мне, и кивал в такт моим словам, потом повернулся к парням на «Мерседесе» и сказал:

— Все в порядке. Я просто разговариваю со своей девушкой. — «Мерседес» плавно тронулся с места, а парень спросил: — У тебя все? — Держа туфлю в руке, я заковыляла к машине. — Кто такой Славка? — наблюдая за моим передвижением, спросил парень.

— Славка? — опешила я.

— Ну, ты сказала, что его не оказалось дома, и все твои муки напрасны...

— Сказала, — согласилась я, не понимая, куда он клонит.

— Он — твой парень?

— Вовсе нет. Скажешь тоже, Славка мой парень... Он мне очень нужен по важному делу.

— Значит, твой парень Севка, и ты взяла у него машину.

— Ничего подобного. То есть машину я у него взяла, но при чем здесь мой парень, откуда бы ему взяться, черт возьми?

— Поправь меня, если я чего-то недопонял. У тебя нет мужа и нет парня. Так?

— Так, — пожала я плечами.

— Мне везет, — удовлетворенно констатировал он, а я убежденно заметила:

— Это ненадолго. — Распахнула дверь машины, села и с тоской воззрилась на туфлю, он подошел, взял ее у меня из рук и зашвырнул в кусты. — Ты что делаешь? — возмутилась я, хотя за секунду до этого намеревалась проделать тоже самое.

— Не переживай. Я куплю тебе новые туфли.

— Еще чего... Меня не интересует твоя квартира, а твои дурацкие зеркала тем более.

— Да ладно, я пошутил, зеркало всего одно, и то в прихожей... Будем считать, что ты успокоилась. Успокоилась?

— Да.

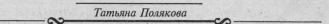

— Отлично. Значит так, я звоню другу, у него своя мастерская здесь неподалеку...

— Тогда зачем его вызывать, давай поедем...

— А вдруг ты сбежишь по дороге?

— Ты же знаешь номер машины, и найти меня будет нетрудно. Если хочешь, я тебе расписку напишу.

— Мне гораздо спокойнее, если ты будешь рядом. Крыло ты мне только поцарапала, это сущая ерунда, выберу время, заеду к Косте... А вот твой Севка тебе спасибо не скажет. Бампер надо менять, и крыло выглядит паршиво. Я думаю, Костя к утру все устроит. Твой Севка даже ничего не узнает. — Я в этом сильно сомневалась, но согласно кивнула, потому что другого выхода все равно не было. Парень достал мобильный, набрал номер и спросил меня: — Слушай, а тебя как зовут?

— Маня, — брякнула я, потом глухо простонала, но было уже поздно, да и все равно. Парень радостно заржал, но, обратив внимание на то, как каменеет моя физиономия, заявил:

— То есть Маша? Должен сказать, это имя тебе необыкновенно идет. — Он еще раз фыркнул и стал звонить.

Я посмотрела на туфлю, украшавшую мою правую ногу, сняла ее и забросила в кусты. Денег было жалко до слез, но эмоции неожиданно покинули меня, на смену им пришло тупое равнодушие. «Если так пойдет дальше, — с грустью решила я, — я стану совершенно бесчувственной». Следующие пятнадцать минут молодой человек, так неожиданно свалившийся мне на голову, усиленно развлекал меня.

— Кстати, меня зовут Стас, — радостно сообщил он. — Двадцать восемь лет, не женат, рост 186 см, вес... не помню точно, но не мешало бы скинуть пару килограммов, и не надо так смотреть, я сказал — пару, но для тебя могу лишний раз отжаться и сбросить три, брюнет, глаза карие, но ясные, нос прямой, рот чувственный, подбородок мужественный, в целом выгляжу на редкость привлекательно.

— Это кто сказал? — усмехнулась я.

— Все знакомые девушки так считают.

— Они близоруки или косоглазы. В любом случае им надо всерьез обеспокоиться своим зрением.

— По-твоему, я не симпатичный?

— Ну... сейчас ты выглядишь несколько лучше, нежели в тот момент, когда выскочил из своей машины.

— Еще бы... а я был готов тебе голову оторвать. Думал, вытащу сейчас этого придурка и с удовольствием шлепну прямо об асфальт. И что я вижу: вместо гнусной похмельной рожи — девушка моей мечты, с самыми красивыми на свете глазами. Дай рассмотрю как следует, какого они цвета? — С этими словами он нахально ухватил меня за подбородок и уставился в мои глаза. — Так и есть, — заявил он удовлетворенно, — зеленые. Мне цыганка нагадала: меня полюбит девушка с зелеными глазами, и я на ней женюсь. Ты готова меня полюбить?

— А ты готов жениться?

— Еще бы, прямо сейчас.

— Должна заметить, это не очень хорошая идея, и ты сам очень скоро это поймешь.

— Ты нарочно меня запугиваешь... А вот и Костя, — сообщил он и покинул кабину.

В этот момент я заметила грузовичок бело-зеленого цвета, он остановился по соседству, и из него вышел молодой мужчина, длинный и худощавый, в рабочем комбинезоне. Я сочла своим долгом тоже выйти. Муж-

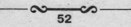

чины обменялись рукопожатием, Костя подошел ближе и, серьезно глядя на меня, заявил:

— Он сделал это нарочно. Можете подавать в суд, я пойду свидетелем. Одно не пойму, как он вас высмотрел, раз на вашей «Ауди» тонированные стекла.

Тут до меня дошло, что он имеет в виду, и я тоже исключительно серьезно ответила:

— Ничего подобного, это я в него врезалась.

— Выходит, ему просто повезло, — вздохнул он и повернулся к приятелю. — Чего ты от меня хочешь?

— Видишь ли, эта тачка вовсе не ее, Маня... как бы это выразиться... взяла ее на время...

— Прошу прощения, — перебил Костя. — Маня — это ваше имя?

— Да.

— Идет вам невероятно.

— Спасибо. Вы еще долго будете надо мной издеваться?

— В самом деле, Костя, не приставай к девушке, это мое везение, а не твое. Короче, ты забираешь ее тачку и как можно скорее приводишь в божеский вид. Тем самым спасешь красивую девушку и окажешь большую услугу мне.

— А твоя тачка? — кивнул Костя.

— Моя тачка перебьется.

— Еще бы, — фыркнул дружок, косясь на меня. — Что ж, летите, голуби, а я буду совершать ежедневный трудовой подвиг.

— Вот-вот, постарайся завершить его как можно скорее... желательно к утру.

— Ясно. К утру и не раньше. Девушка, я бы на вашем месте не стал доверять этому типу. Вот я человек положительный и надежный.

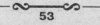

— И я положительный, надежный и к тому же красавец... Тачку сам загонишь или помочь?

— Да уж обойдусь.

— Тогда держи ключи. — С этими словами Стас взял меня за руку и повел к джипу.

Ходить босиком по асфальту мне ранее не приходилось, и я уколола ногу, пискнула, а Стас тут же предложил:

— Хочешь, понесу тебя на руках?

— Не хочу.

Он помог мне устроиться на сиденье, продемонстрировав хорошее воспитание, а я с тоской взглянула на «Ауди», которую Костя как раз загонял на эвакуатор.

— Слушай, а он ее вернет? — с тоской спросила я, сообразив, что имею дело с двумя совершенно незнакомыми гражданами, один из которых в 00 часов 05 минут собирается куда-то увозить машину, к тому же не мою, а чужую. Впрочем, свою я ни за что бы не отдала, и лишь мысль о том, как будет орать и беситься Севка, могла сподвигнуть меня на эту дикую авантюру.

Услышав мой вопрос, Стас закатил глаза и изрек:

— Какой тяжелый случай. Маня, людям надо верить.

— Мой папа утверждал обратное.

— Твой папа прокурор?

— Нет, почему?

— А кто?

— О, господи, какая разница, моего папу похоронили двадцать дней назад.

— Его сгубило неверие... это шутка, извини. Так ты сирота? То-то сердце у меня болезненно сжалось, лишь только я увидел тебя. — Болтая таким образом, он завел машину, и мы тронулись с места.

— Я живу на Пирогова, — сообщила я.

— Ты считаешь разумным ехать сейчас домой? — очень серьезно спросил Стас.

— Но...

— Может, лучше подождать, когда Костя починит машину? Поедем в какой-нибудь ресторан. Лично я люблю «Титаник». Ах, какая там семга...

— «Титаник» затонул, — отрезала я. — Ночью есть вредно, и в ресторан меня не пустят, да я туда босиком и сама не пойду.

— О, черт, я совершенно забыл про туфли. Слушай, есть в городе магазин, который работает в это время?

— Продовольственный? — съязвила я.

— Остается одно: моя квартира.

— Ясно, — кивнула я. — Останови вот тут, у перехода.

— Детка, не дури. Босиком ты выглядишь восхитительно, но боюсь, что, кроме меня, это никто не оценит.

— Скажи мне адрес мастерской, завтра встретимся у Кости, и я расплачусь за машину. Еще раз назовешь меня деткой, начну звать тебя козликом или сусликом. Всего доброго.

Он притормозил, но выйти из машины мне не удалось, потому что Стас схватил меня за руку.

— Я разучился знакомиться с девушками, — заявил он с тихой грустью.

— Вовсе нет, мы же познакомились.

— Ладно, готов согласиться, что мои методы обольщения никуда не годятся. Маня, — вдруг позвал он и широко улыбнулся, — до чего ж мне нравится твое имя, а ты мне нравишься еще больше. Без дураков. Если твой Севка жмот, то торопиться домой в самом деле ни к чему, а где-то тебе надо переждать, пока Костя латает машину. Обещаю не приставать, — закончил он проникновенно, и взгляд, которым сопровождалось это заверение, был чист и светел, как у младенца. Очень хотелось поверить.

— Не думаю, что поступать так разумно, — с сомнением ответила я, так как была девушкой осторожной. — Может быть, лучше...

— Хуже, — убежденно сказал он.

— Что?

— Все. Едем. В конце концов я лицо пострадавшее, и ты хотя бы из вежливости могла бы...

В итоге мы поехали к нему. Дом квартир на двадцать выглядел внушительно, с зимним садом и прочими достижениями цивилизации, Ритка мечтала о квартире в таком доме, но папа сказал, «нечего выделяться», и вместо этого купил в старом фонде три квартиры на одном этаже, поломал перегородки... вышло что-то совершенно невообразимое. Это Ритка так говорит, а не я, мне моя комната нравится, а все остальное...

В подъезде за стеклянной перегородкой сидел парень и читал книгу. Стас кивнул ему, а он громко поздоровался и уставился на меня.

— У нее украли туфли, — сообщил ему Стас, — прямо в автобусе. Представляешь? Теперь я ее спасаю.

Слава богу, подошел лифт, и мы поднялись на второй этаж. Квартира была большой, дорогой, а хозяин явно не знал, что с ней делать. Более-менее жилой выглядела только кухня. В гостиной огромное окно с жалюзи, белый ковер, синий диван, два кресла и домашний кинотеатр: все это разместилось на площади в двадцать квадратных метров, остальные тридцать ничем не были заняты, если не считать пыли.

— Давно ты здесь живешь? — устраиваясь в кресле, спросила я.

— Полгода. Все никак не выберу время заняться мебелью. Поможешь мне?

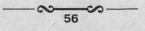

— В каком смысле?

— Ну... прокатимся по магазинам, женщины лучше разбираются в таких вещах. Что-нибудь выпьешь?

— Нет, спасибо.

— Я имел в виду чай или кофе.

— Ничего не надо. Не беспокойся.

— Жаль, что ты села в кресло.

— Почему? Оно какое-то особенное?

— Нет. Просто сядь ты на диван, я бы устроился рядом.

— Ты обещал не приставать.

— Так я даже не пытаюсь. Может, пересядешь?

— Я уже жалею, что согласилась приехать.

Он сделал обиженную физиономию и исчез в кухне, откуда возник через десять минут с сервировочным столиком.

— Как видишь, только чай. Являясь гостеприимным хозяином, я просто обязан тебя угостить.

— Хорошо, — согласилась я, и мы выпили по чашке чая.

— Давай познакомимся поближе?

— Зачем? — ожидая подвоха, спросила я.

— Зачем люди знакомятся? Чтобы знать друг друга.

— Хорошо, — кивнула я. — Расскажи о себе.

— Так я уже все рассказал.

— Ничего подобного. Чем ты занимаешься?

— Да так... всем помаленьку. — Я с усмешкой оглядела комнату, а Стас засмеялся: — У меня своя фирма. Две бензозаправки, то да се... Совсем неинтересно. А ты учишься, работаешь?

— Закончила институт, ищу работу.

— Давно?

— Ищу работу?

— Угу.

— Ну...

— Не найдешь, — убежденно заявил он. — Тебе проще выйти замуж.

— Я экономист по образованию, — обиделась я. — У меня диплом с отличием. И вообще, при чем здесь замужество, скажи на милость?

— Не обижайся, только нормальный человек тебя на работу не возьмет. На работе надо работать, а при взгляде на тебя в голову приходят совершенно другие мысли. Допустим, шеф будет ходить с закрытыми глазами, а как же трудовой коллектив?

— Я хочу влиться в сугубо женский коллектив.

— Не советую. У бедняжек возникнет чувство собственной неполноценности, а люди, ведущие счет деньгам, должны быть оптимистами.

— Если я слегка поцарапала твою машину, это еще не повод весь вечер надо мной издеваться.

— Я больше не буду, — сказал он покаянно. — Я даже готов предложить тебе работу в своей фирме. Отдельный кабинет, телефон и компьютер, чтобы ты не скучала, когда меня нет рядом. О зарплате договоримся. Ты обещала мне номер своего телефона...

— Пожалуйста.

Он протянул мне листок бумаги и ручку, я записала номер мобильного, подумала и чуть ниже вывела «Мария».

— А фамилия у тебя есть?

— Конечно. Мария Анатольевна Смородина.

— Очень приятно. Станислав Геннадьевич Самойлов. Еще чаю? Постой, говоришь, папу похоронили двадцать дней назад?

— Да.

— А звали папу Анатолий Вениаминович?

— Ты был с ним знаком? — насторожилась я.

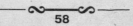

— Наслышан, — кивнул Стас и как-то странно посмотрел на меня. — Значит, ты сирота. Ты пей чай, пей, не стесняйся. Конфеты нравятся?

— Я не люблю ассорти.

— А что ты любишь?

— Мармелад.

— Учту. Живешь одна?

— Нет, с мачехой.

— Не обижает?

— Кто?

— Мачеха.

— С ума сошел? С какой стати?

— Мачехи обычно злые. А ты красавица, по идее, она просто обязана отравить тебя яблоком.

— Сроду не встречала такого болтуна. Ритка замечательная, мы с ней прекрасно ладили, пока Севка...

— А это кто?

— Ее друг.

— Давно он появился?

— Не знаю. В доме двадцать дней назад.

— Понятно.

Что ему понятно, узнать не удалось, зазвонил телефон. Стас отозвался с большой неохотой. Что ему говорили, я не слышала, по, видимо, что-то неприятное, потому что он начал морщиться, а потом спросил:

— Ты что, сам разобраться не можешь? — Похоже, говоривший разобраться не мог, потому что Стас опять спросил: — До утра подождать нельзя? — Потом взглянул на меня с намеком на отчаяние и сказал с горечью: — Хорошо. Сейчас приеду. — А я удовлетворенно отметила: ну вот, стоило парню познакомиться со мной, и пошло невезение, то есть ничего хорошего я в этом не видела, удовлетворение относилось к тому факту, что я в очередной раз оказалась права.

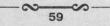

— Что-то случилось? — спросила я Стаса, когда он, закончив разговор, задумчиво меня разглядывал.

— Что? А... нет, все нормально. Мне надо уехать на полчаса, а ты пока располагайся, посмотри телевизор, отдохни. Я мигом.

— С какой стати мне здесь располагаться, если ты уезжаешь по делам? Отвези меня домой.

— Мне было бы спокойнее, останься ты здесь.

— Почему это? — насторожилась я.

— Ну... мы только что познакомились, ты утверждаешь, что парня у тебя нет, и по этой причине мне бы не хотелось терять тебя из виду, вдруг объявится какой-нибудь придурок?

— Что же мне теперь, жить у тебя?

— А что? Лично я не возражаю.

— Это временно, — заверила я, поднимаясь. — Ты успеешь отвезти меня домой?

— Слушай, раз ты не хочешь оставаться одна, может, со мной поедешь? Посидишь в машине, это правда на пять минут.

— Отвяжись, — сурово отрезала я и направилась к двери. Сборы были не долгими, раз у меня не было ни обуви, ни сумки.

— А если Севка хватился машины? — выдал Стас последний аргумент, но и он впечатления на меня не произвел.

— Какая разница, когда с ним скандалить? Сейчас или через час?

— Если бы машину к тому времени уже починили...

— Орать он будет ничуть не меньше, — заверила я и покинула квартиру. Стасу ничего не оставалось, как последовать за мной.

По дороге он пытался завязать светскую беседу, но я упорно отмалчивалась, мысль о Севке не давала по-

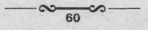

коя. Настроение значительно ухудшилось, когда я увидела свет в нашем кухонном окне.

— Это у тебя? — спросил Стас, который тоже обратил на окно внимание.

— Ага.

— Может, не стоит...

— Стоит, — вздохнула я, распахивая дверь.

— Тогда я тебя провожу.

— Это уж точно ни к чему, — махнула я рукой на прощание и побежала к подъезду.

Совершенно неожиданно я так разволновалась, что, поднимаясь на второй этаж, почувствовала подозрительное сердцебиение. Тут я вспомнила, что не взяла ключи от двери, выругалась и нажала кнопку звонка. Дверь открыла Ритка, собралась что-то спросить, но тут взгляд ее переместился к моим ногам. Не заметить, что я без обуви, она не могла, шевельнула губами, как-то странно дернулась, потом прижала ладонь ко лбу, точно пыталась установить, имеет ли место повышенная температура, или волноваться нечего, и, пробормотав: «Нет, так больше продолжаться не может», отправилась в свою комнату. Общаться с ней я была не расположена, потому и возражать не стала. Заглянула на кухню, убедилась, что Севки там нет, выключила свет и, поздравив себя с редкой удачей, отправилась в свою комнату, заперлась на всякий случай (если Севке придет в голову выяснять со мной отношения, пусть делает это через дверь) и легла спать.

Уснула я мгновенно, а снилось мне что-то приятное. Неизвестный красавец был влюблен в меня до безумия, и дело двигалось к свадьбе, но тут в дверь громко постучали, я проснулась и очень обиделась: до свадьбы по-прежнему далеко, а Севка из-за двери вопит:

— Маня, я долго буду здесь стоять? Тебя к телефону, между прочим, прислуги у нас нет, и ты могла бы...

«О господи, — обрадовалась я, натягивая халат, — выходит, он не скандалить...» Поспешно открыла дверь и схватила трубку. Звонил Стас.

— У тебя сотовый выключен, — сообщил он.

— Я знаю. А как ты узнал мой домашний номер?

— Так ты ж мне фамилию сказала, — удивился он. — Не разбудил? Я подумал, чем раньше ты вернешь машину... Кстати, он ее не хватился?

— Пока нет.

— Вот и отлично. Я сейчас подъеду. Выходи.

— Спасибо, — обрадовалась я и бросилась в ванную. Денег у меня со вчерашнего дня не прибавилось, так что разочаровывать Стаса не хотелось.

Через двадцать минут я метнулась к входной двери, заметив, что Севка в кухне пьет кофе, развалясь в папином любимом кресле.

— Ты куда так рано? — спросил он.

— У меня полно дел.

— У тебя? — не поверил он. — Откуда они взялись? А тип на «Круизере», что торчит уже пятнадцать минут в нашем дворе, не тебя случайно поджидает?

— Тебе-то что за дело? — отмахнулась я и спешно покинула квартиру, не забыв сумку, сотовый и ключи от гаража. Похоже, Севка ничего не заподозрил, и если мне повезет... но об этом лучше не думать.

Стас действительно ждал во дворе, дверь машины с его стороны была распахнута, сам он наслаждался свежим воздухом. Он проникновенно улыбнулся мне, шагнув навстречу, но во взгляде я уловила некоторую настороженность. Должно быть, ремонт влетел в копеечку и парень беспокоится, что я не верну ему деньги.

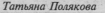

Совершенно напрасно, долги я всегда возвращаю, правда, не всегда вовремя.

— Привет, — сказал он, подумал и поцеловал меня в лоб. Севка наверняка подглядывает, ну и черт с ним.

— Привет, — бодро отозвалась я. — Значит, я могу забрать свою машину, то есть Севкину?

— Конечно, поехали. Говоришь, пропажи он не заметил? — спросил Стас уже по дороге.

— Слава богу, нет, — улыбнулась я, — хотя ничто не мешает ему сделать это сейчас. — Я пригорюнилась, памятуя о своем невезении.

— Тогда стоит поторопиться, — кивнул Стас.

Он и в самом деле поторопился, и вскоре я увидела красавицу «Ауди» возле ворот автосервиса.

— По-моему, она стала еще красивее, — обрадовалась я.

— Да, выглядит неплохо.

— Твой друг здесь? — спросила я.

— Зачем он тебе?

— Хочу узнать, сколько я должна за ремонт.

— Нисколько.

— Хорошо, тогда сколько я должна тебе?

— Слушай...

— Вот что, — начала я сурово, но он меня перебил:

— Может, оставим этот разговор на потом, а пока вернем машину на место?

Я вынуждена была согласиться, что это гораздо разумнее, и через некоторое время благополучно загнала машину в гараж.

— Какое счастье, — вздохнула я, запирая ворота. — Осталось незаметно вернуть ключи...

— Возвращай, — кивнул Стас, — я подожду.

— Подождешь?

— Конечно. Мы же хотели поговорить о твоем долге.

— Да... Я быстро.

Я припустилась к своему дому, вошла в квартиру и убедилась, что Севка все еще торчит в кухне, на сей раз жарит себе яичницу. Я вернула ключи на место, чувствуя себя почти счастливой, мне хотелось быть в мире со всеми, даже с Севкой, и я спросила:

— Где Рита?

— Спит.

— Ты куда-то собираешься?

— Нет. Неважно себя чувствую, побуду сегодня дома. А ты что вернулась?

— Очки забыла, а день обещает быть жарким.

— Что это за тип на джипе? — проявил он интерес.

— Знакомый.

— Давно он появился?

— Пару дней назад, — легко соврала я.

— Ага, — кивнул Севка и нахмурился. — Кто он такой?

— Зовут Стас.

— И больше ты о нем ничего не знаешь? — подождав немного и ничего не дождавшись, возмутился Севка.

— Его биография меня не интересует, — огрызнулась я, хорошее настроение пошло на убыль.

— Чем он занимается, хоть это тебе известно?

— А ты чем занимаешься? — усмехнулась я и поспешила убраться восвояси.

Стас встретил меня ласковой улыбкой.

— Ну как?

— Нормально, — пожала я плечами.

— Ничего не заметил?

— Нет.

— Отлично. Поехали обедать, то есть завтракать. Что-нибудь должно быть открыто даже в это время.

— Я не хочу завтракать, — возразила я.

— А я хочу. Ты должна пойти мне навстречу.

— Вообще-то я хотела узнать, во сколько обошелся ремонт, и вернуться домой.

— Я не в состоянии обсуждать такие важные вопросы на голодный желудок.

— Хорошо, — пожала я плечами, устраиваясь рядом с ним.

Через полчаса мы уже сидели в очень симпатичном кафе, Стас завтракал, а я пила кофе, наотрез отказавшись от еды.

— Так сколько я тебе должна? — заметив, что он уже съел половину завтрака и теперь совсем голодным считаться не мог, спросила я.

— Ничего, — покачал он головой, — мы в расчете.

— Что ты мне голову морочишь? — возмутилась я.

— Ремонт стоит копейки, а ты подарила мне незабываемый вечер, так что мы в расчете.

— Я позвоню твоему Косте и сама все узнаю.

— Не узнаешь, — заверил Стас. — Давай встретимся сегодня? — предложил он, глядя на меня с большой приязнью.

— Так мы еще не расставались.

— Ну и что? Мне пора в офис, если мы сейчас не договоримся о встрече, я не смогу совершать трудовой подвиг. Ну так что?

— Не знаю, у меня полно дел, — вздохнула я.

— У тебя? — удивился Стас. «Они что, сговорились?»

— У меня.

— Салон красоты, портниха? Я могу быть твоим личным шофером, ведь твоя машина в ремонте, так?

— Машина в ремонте, но я слышала, что иногда полезно ходить пешком.

— Не верь, это злостное запудривание мозгов. А еще мы должны купить тебе туфли, ты что, забыла?

— Слушай, чего ты ко мне прицепился? — насторожилась я. — Денег не берешь и болтаешь всякие глупости.

— А у тебя есть деньги? — удивился он.

— Нет. Но я возьму в долг. Съезжу к дяде Вите, он даст.

— Кто такой дядя Витя?

— Тебе-то что?

— Родственник?

— Нет, папин друг.

— Ага. Кстати, а чем твой Севка занимается?

— По-моему, ничем, — пожала я плечами.

— На что же он живет? Тачка у него недешевая.

— Откуда мне знать?

— Его что, мачеха содержит?

— Вовсе нет. Откуда у Ритки деньги?

— Как откуда? А твой папа?

— Что папа? — нахмурилась я.

— Ну... по-моему, твой папа был весьма состоятельным человеком.

— Ах, вот оно что, — удовлетворенно кивнула я, наконец-то сообразив, откуда у Стаса вдруг такой интерес ко мне. — Видишь ли, папа ничего нам не оставил, если не считать многочисленных квартир и машин. Папа был человеком старых убеждений, и у него были свои представления о наследстве. Папины машины мы продали, свои пока остались, а за счет квартир живем.

— Тогда тебе надо устроиться на работу. Ко мне.

— Ты же сам сказал, что меня никто не возьмет!

— Я сказал? — удивился Стас. — Должно быть, в

беспамятстве... Если мачеха на мели, на какие шиши живет Севка?

— Тебе-то что до этого?

— Просто интересно.

— Какие вы, однако, любопытные. Севка тоже про тебя выспрашивал и тоже интересовался, на что ты живешь.

— Да? Ну, это разумно, он должен знать, что отдает тебя в надежные руки.

— Думаю, это волнует его меньше всего.

— Тогда с какой стати он интересовался? — Хотя рот Стаса был раздвинут буквально до ушей, я была почти уверена: вопрос он задал неспроста.

— Откуда мне знать? — удивилась я, он попробовал улыбнуться еще шире, но не вышло, а я поднялась из-за стола. — Пока.

— Куда ты? — вроде бы испугался он, хватая меня за руку.

— Говорю тебе, у меня полно дел.

— Когда увидимся?

— Я позвоню.

— Когда позвонишь?

— Возможно, сегодня.

— Давай лучше я тебе позвоню. Так когда увидимся?

— Ты меня с ума сведешь, — покачала я головой, но тут зазвонил мой сотовый, и я полезла в сумку.

— Это я, — голос поначалу показался мне незнакомым, я нахмурилась и ответила:

— А это я.

— Ты чего меня искала? — недовольно пробубнили мне в ухо, а я сообразила, что звонит мне Кузин. С этой дурацкой машиной вчерашние события начисто вылетели у меня из головы, но тут я вспомнила о паспорте и заволновалась.

— Нам надо встретиться, срочно.

— Я срочно не могу, дел по горло. И вообще... что это ты вдруг обо мне вспомнила? — Такое лицемерие вызвало в моей душе возмущение.

— Ничего себе «вдруг», — рявкнула я. — Думаешь, я тебя не узнала? Гони паспорт. Мне новый ни за что не выдадут, и никакая справка из милиции не поможет.

— Какая милиция? Какая справка? — ахнул Славка.

— Обыкновенная. Справка нужна, чтобы тетка поверила, что это не я его потеряла, а вы у меня его стащили.

— Ты что, с ума сошла? Я стащил твой паспорт? На фига он мне?

Тут уж я рассвирепела по-настоящему.

— Значит так, не хочешь по-хорошему, как хочешь. Я сейчас наплюю на нашу былую дружбу и позвоню в милицию, пусть они с тобой разбираются.

— Да не брал я твой паспорт.

— Может, ты не нарочно, не спорю. Но паспорт был в сумке, а сумка осталась в машине, потому что этот псих, твой дружок, выпихнул меня без сумки. А когда менты захватили машину, сумки в ней не было, это я знаю доподлинно, потому что первой машину нашла я. Сумка мне без надобности, ее в троллейбусе разрезали, а паспорт верни немедленно. Как мне жить без паспорта, сам подумай?

— Нет у меня паспорта, — заорал он. — Нет. И отстань от меня.

— Хорошо, — ответила я зловеще, и он тут же пошел на попятный.

— Может, он у Юрки?

— Психа, что Рыжего убил, Юркой зовут? — обрадовалась я, хотя мне-то что до этого, Юра или Вова, какая разница? Впрочем, милиции это знать нелишне, так что если паспорт заныкают, я...

— Вот черт, — жалобно сказал Славка, должно быть, злясь на свою болтливость, и, едва не плача, продолжил: — Маня, ты ментам про меня не рассказала?

— Конечно, нет. Мы ведь за одной партой восемь лет сидели, как я могу... хотя, должна тебе сказать, убийство мне не нравится. Я знаю, у тебя проблемы, мне сосед рассказал, что ты бутылки собираешь... Это никуда не годится.Тебе стоило обратиться к друзьям, ко мне, например... однако это не повод бегать по городу с пистолетом и палить налево-направо.

— Да у меня и пистолета не было.

— Что ты врешь? — возмутилась я. — А то я не видела.

— Маня... вот что, давай встретимся, и я тебе все расскажу.

— Давай, — согласилась я.

— Тогда приезжай ко мне. Помнишь, где я живу?

— Конечно, помню, если я у тебя вчера была.

— Ах, ну да... в общем, я тебя жду, приезжай.

— Хорошо, — согласилась я, вздохнула и дала отбой.

— Куда это ты собралась? — хмуро глядя на меня, поинтересовался Стас. В пылу полемики я о нем забыла начисто, а теперь таращила глаза, силясь вспомнить, что успела наболтать. Вот уж воистину язык-то без костей.

— Я позвоню, — выжав из себя улыбку, заторопилась я. — Сегодня. Возможно, до обеда. Или даже раньше. А вечером увидимся, если захочешь.

— Не увиливай, — сурово покачал он головой, не выпуская моей руки.

— Я не увиливаю, я правда позвоню.

— Маня, — вздохнул Стас, — ты с кем говорила?

— С одноклассником.

— Кто тебя из машины выпихнул и зачем?

— С чего ты взял?

— Ты сама сказала.

— Я сказала?

— Ага. Еще про ментов, про паспорт. Ты куда собралась? К этому Славе?

— Я по делу. Честно. Очень важное дело, я тебе про него потом расскажу, а сейчас пойду, ладно? — Я и в самом деле попыталась уйти, но он держал меня крепко.

— Ты в своем уме? — зашипел он, косясь по сторонам, потому что кое-кто начал обращать на нас внимание.

— Конечно, — обиделась я. — С какой стати ты так со мной разговариваешь?

— Этот твой одноклассник... не он случайно вчера взял тебя в заложники?

— Нет, — испугалась я. — Зачем это Славке?

— А чего ты ему милицией грозила?

— Так... попугать хотела. Он мой паспорт заныкал, ты же слышал.

— Маня, вчера эти парни ограбили кафе и при этом застрелили человека, так?

— Ну... только это не Славка.

— А сегодня ты едешь к нему. Да ты хоть понимаешь... Не понимаешь, — внимательно глядя на меня, констатировал он. — Ты свидетель. Они же запросто могут тебя убить.

Признаться, я здорово перепугалась. Даже поговорку вспомнила: «Свидетели долго не живут». Однако боялась я недолго, как-то не верилось, что Кузин желает моей смерти. Я с сомнением взглянула на Стаса и заявила:

— Мы же одноклассники.

— Что ты болтаешь? — возмутился он, но руку мою

отпустил и перешел на трагический шепот: — Твой Славка человека убил.

— Это не он.

— Хорошо, его приятель. Допустим, что Славка вспомнит о вашем прекрасном детстве, а его дружок?

Я невольно поежилась, а потом загрустила.

— Что же делать? — спросила я с испугом, очень боясь, что Стас ответит: «Что, что, в милицию звонить». Хоть я и считала, что Славка заслуживает наказания, однако доносить на него не могла. У нас и в школе доносчиков не жаловали.

— Я поеду с тобой, — заявил Стас.

— Зачем? — удивилась я.

— Как зачем? — зашипел он в гневе. — Говорю, это опасно.

— Тем более, тебе-то с какой стати страдать? — Я и в самом деле не понимала, и теперь его поведение казалось мне подозрительным.

— Я не могу позволить тебе рисковать.

Я хотела спросить «почему?», но поняла, что разговор мы можем продолжать до бесконечности и толку от этого не будет никакого.

— Знаешь что, — задушевно предложила я, — не суйся в мои дела. Я же в твои не суюсь.

— Теперь это не только твое дело, — осадил он, — у меня есть сведения, которые могут заинтересовать милицию, и как честный гражданин...

— Так ты честный? — удивилась я. — Ладно, звони ментам.

Такого он, как видно, не ожидал и теперь таращился на меня в полном затмении.

— Хорошо, — сказал наконец он вяло, — я не могу этого сделать, потому что у тебя будут неприятности, а я этого не хочу. А отпускать тебя одну тем более. Это в самом деле опасно.

Если честно, слова об опасности все же произвели на меня впечатление. Я совершенно не знала, что делать, но когда Стас в очередной раз заявил, что ехать надо вместе, замотала головой, категорически отказываясь.

— Ни за что, Славке это не понравится. Он здорово разозлится, что я все тебе разболтала, и не отдаст мой паспорт.

— Славка его и так не отдаст. Давай так, — принял он соломоново решение, и я с ним в конце концов согласилась. — Поедем вместе, а к нему ты пойдешь одна. Если почувствуешь, что дело плохо, скажешь этим психам, что я жду тебя в машине.

— Чтобы они и тебя прихлопнули за компанию? — съязвила я.

— Это мы еще посмотрим, — фыркнул он, и я, как уже сказала, согласилась.

Стас расплатился, и мы покинули кафе. По дороге я пыталась решить, правильно я поступила или нет, но так ничего и не решила, может, потому, что времени на это не было, Стас ехал слишком быстро, а я быстро думать не умею. Однако одна дельная мысль все же пришла мне в голову.

— Не стоит заезжать к нему во двор, — сказала я, — лучше жди меня возле соседнего дома.

— Ерунда, — возразил Стас, — он же мою машину не знает.

— А если он меня в окно увидит?

— Хорошо, высажу тебя у соседнего дома, — поморщился он.

— Тогда тормози.

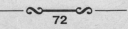

Через минуту я вошла в Славкин подъезд и позвонила в квартиру.

— Кто? — грозно спросили из-за двери, голос я опять не узнала, прислушалась и пискнула:

— Я.

Дверь тут же открылась, Славка схватил меня за руку и втянул в прихожую. Выглядел он так, что, по меткому народному выражению, «краше в гроб кладут». Волосы всклокоченные, глаза красные, точно с похмелья, губы дрожат, к тому же и его самого здорово потряхивало, будто в ознобе.

— Маня... — пробормотал он и совершенно неожиданно заключил меня в объятия.

Малость опешив, я стояла столбом, потом похлопала его по спине и пробубнила:

— Ну чего ты...

Он отлепился от меня, маетно вздохнул и заявил:

— Я тебе сейчас все объясню... то есть я сам ничего понять не могу и совершенно не знаю, что делать. Может, ты знаешь?

— Что я могу знать, если ты мне ничего не рассказываешь? — возмутилась я.

— Так сейчас расскажу. Ты проходи. Чаю хочешь? Черт, заварки нет, я и забыл...

— Не надо мне чаю, я паспорт хочу...

— Что ты пристала со своим паспортом? Меня, может, не сегодня-завтра в тюрьму посадят, а ты паспорт.

— Посадят, и за дело. И нечего на меня так смотреть. С какой стати ты решил грабить кафе? Как тебе такое в голову пришло, скажи на милость? Грабитель выискался... — Я так разошлась, что совершенно не обратила внимания на одну вещь: Славка стоял рядом и плакал. Даже всхлипывал. Совсем как в детстве, когда свалился с брусьев и подвернул ногу. Мальчишки принялись его дразнить, а мне Славку было жалко. Теперь вместо упитанного карапуза передо мной стоял взрослый дядя, но плакал он точно так же. Это произвело впечатление: паспорт показался мне сущей безделицей, а сердце сжалось так, что я сама заревела от сострадания к своему непутевому приятелю, а еще стало стыдно, точно это не он, а я кафе ограбила. — Давай рассказывай, — нахмурилась я и плюхнулась на диван. — И не расстраивайся раньше времени, что-нибудь придумаем.

— Чего тут придумаешь? — пожаловался он, но понемногу успокоился и начал рассказывать.

Сосед оказался прав: Славкина жизнь складывалась не очень удачно. И с работы его увольняли с завидной регулярностью, и бедность замучила. Вот от этой самой бедности он и решился на крайние меры.

Ограбить кафе ему предложил Юрка, и Славка согласился, как я подозреваю, в пьяном угаре. Познакомились они в пивнушке неделю назад, там же и составили план ограбления, то есть план составили позднее, если быть точной, позавчера. Ранее в пивнушке Славке дружка встречать не приходилось. Мой одноклассник по обыкновению проводил там свой досуг, грустил и вдруг обнаружил рядом с собой этого типа. Тип представился, предложил с пива перейти на водку, и вскоре Славка понял, что обрел друга (это не я так решила, а он, у меня-то было совершенно другое мнение на сей счет, но его никто не спрашивал). Друг тоже бедствовал и был сильно обижен на тех, кто, по его мнению, с жиру бесится. К данной категории граждан он относил банкиров, бизнесменов, олигархов всех мастей и со знанием дела заявил, что их добро самое время экспроприировать.

Идея нашла отклик в Славкиной душе, и он согласился экспроприировать немедленно, тем более что на

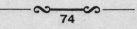

вторую бутылку дружкам не хватало, а выпить и, соответственно, поговорить по-человечески очень хотелось. В общем, ближе к ночи они твердо вознамерились присвоить чужую собственность, правда, на банк не замахивались, решили для начала опробовать кафе. В этом месте я с тоской взглянула на Славку, а он опять захлюпал носом.

— Ты идиот, — мрачно заявила я, и он согласно кивнул.

— Я знаю. Понимаешь, ведь не думал, что он всерьез, ну... поговорим, и все.

— Зато теперь думаешь.

— Теперь, конечно.

В общем, парни поклялись друг другу в дружбе, а еще в том, что «дело сделают». Не знаю, сколько они к тому моменту выпили, но денег точно где-то нашли, не с одной же бутылки их так понесло.

Чем закончился вечер, Славка вспомнить не мог, очнулся в своей квартире с головной болью, пустыми карманами и, как следствие, невозможностью похмелиться. Последнее обстоятельство его сильно расстроило, если верить его словам, он был близок к самоубийству. Я не верила, но на всякий случай кивнула.

В самый разгар душевных мук у него появился Юрка, и не с пустыми руками, а с бутылкой. Глотнув целительной жидкости, Славка кинулся в объятия нового друга с выражением признательности и клятвой в вечной дружбе. Дружок тут же напомнил о вчерашнем соглашении. Славка хоть и маялся с перепоя, но кое-какие мысли в голове имел и поначалу решил, что Юрка шутит. Но Юрка не шутил. К тому моменту у него был готов план ограбления. Выбрал он кафе «Мамины блины», потому что, по его словам, в кафе народу немного, так как зал небольшой. Зато идут сплошным потоком, из персонала — повар, посудомойка и официантка, так что особых хлопот не предвидится, а выручка должна быть приличной.

Славка выслушал все это и затосковал, потому что в роли грабителя себя не видел. Однако перед Юркой ему было совестно, в том смысле, что не хотелось нарушать данное слово и идти на попятный, и он решил вразумить товарища и задал первый наводящий вопрос. «Грабить положено с оружием, так где его взять?» Юрка тут же выложил на стол два пистолета, и Славка с перепугу попятился. Дружок схватил один из них, приставил к виску и вроде бы выстрелил, правда, выстрела не прозвучало.

— Ты что, спятил? — спросил позеленевший Славка, а Юрка засмеялся.

— Поверил? Поверил, — повторил он, весьма довольный собой. — И они поверят.

Тут выяснилось, что оба пистолета игрушечные и приобрел их Юрка сегодня на местном рынке, но, по словам Славки, от настоящих они ничем не отличались и как средство устрашения вполне годились. К пистолетам прибавились шапки-маски, и Славка почувствовал, что исчерпал все аргументы против, надо либо соглашаться, либо отказываться, но как откажешься, если вчера дал слово?

На столе появилась еще бутылка, и, выпив самую малость, Славка понял, что изменить слову для него ниже собственного достоинства, и согласно кивнул, после чего был коротко проинструктирован дружком, и через час они отправились грабить кафе.

Славка ждал на углу, Юрка подкатил на машине, которую позаимствовал неподалеку. Другую машину, тоже позаимствованную, оставили в подворотне и вскоре входили в кафе. Славка утверждал, что двигался на

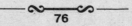

автопилоте и толком рассказать об этих моментах ничего не может. Лично я ему верю. Думаю, он отчаянно боялся, хоть и не решался в этом признаться. Однако, несмотря на страх, действовал Славка строго по сценарию, орал «всем на пол» и прочее, исправно размахивал пистолетом. Все вроде бы складывалось удачно, но тут... тут Рыжий наотрез отказался подчиниться. Конечно, Славку это здорово смутило, Рыжий производил впечатление весьма уверенного в себе типа, к тому же злобного, и Славка уже предвидел возможные неприятности, но того, что произошло, он не ожидал: Юрка выстрелил из игрушечного пистолета, а дядька взял да и умер. По крайней мере, об этом сказали в новостях.

— Может, врут? — вздохнул Славка, глядя на меня с надеждой и отчаянием. — Может, он того ?

— Чего «того»? — передразнила я.

— Ну... может, они нарочно пугают?

— Кого? Дядька на полу лежал, ты кровь видел?

— Видел, — кивнул он. — Может, это не кровь? Может, он притворился?

Я закатила глаза в крайнем возмущении.

— Зачем ему притворяться? — спросила я сурово.

— Ну, не знаю. Может, менты чего придумали?

От его «может» меня уже била нервная дрожь.

— Дядьку убили, — отрезала я.

— Из игрушечного пистолета? — не поверил Славка.

— Значит, пистолет игрушечным не был, — сделала я вывод.

— Да он его на рынке купил, — возмутился Славка. — По-твоему...

— Слушай, — перебила я, — дело обстоит так: дядька погиб. Это совершенно очевидно. Из игрушечного пистолета застрелить человека невозможно, следова-

тельно, у твоего Юрки был настоящий пистолет. Кстати, а где твоя игрушка?

— Я ее выбросил, — понизив голос, сообщил Славка.

— Зачем?

— Но это же вещественное доказательство.

— Так он игрушечный, — удивилась я.

— Ну и что? В общем, выбросил я его. Но он и вправду был игрушечный. Ты мне не веришь? — спросил он.

— Не знаю, — пожала я плечами. — Из игрушечного никого убить невозможно, а дядька погиб.

— А может, это ментовские штучки? — горячо зашептал Славка. — Какой-нибудь клюквы дядьке в рубашку запихнули, он упал, прикинулся мертвым, они его увезли...

— Зачем это ментам? — спросила я в крайнем недоумении.

— А вдруг он какой-то важный свидетель, и им нужно, чтобы все решили, что он мертвый? — Следовало признать, Славка подошел к проблеме с фантазией.

— Тогда тебе вовсе нечего бояться, — изрекла я, — потому что выходит, что дружок твой мент. Пусть гонит паспорт, не то я на весь город разболтаю, что убийство ненастоящее.

— Почему мент? — испугался Славка.

— Потому что по-другому не получается, — осчастливила его я. — Откуда ментам знать, что вы пойдете грабить кафе да еще в Рыжего выстрелите? Значит, обо всем заранее с твоим Юркой договорились. — Тут мне в голову пришла еще одна мысль, и я поспешила ее высказать: — А Рыжий вел себя подозрительно, точно нарочно нарывался.

Славка при этих моих словах рухнул на диван и по-

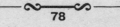

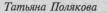
бледнел до состояния неспелого яблока, то есть стал ярко-зеленым, чем меня весьма растревожил.

— Это что же выходит? — вращая глазами в крайнем волнении, вслух размышлял он. — Менты с какими-то своими штучками, а мне в тюрьму?

— Выходит, — кивнула я, но тут же отчаянно замотала головой. — Зачем в тюрьму, если все не взаправду?

— Так кафе-то ограбили. Деньги поровну поделили. Вот у меня они здесь, в кармане... — Славка принялся судорожно выкладывать на стол мятые купюры.

— Подожди, — махнула я рукой, — мы еще даже не зпаем...

— Чего тут знать? — возмутился Славка. — Мне при любом раскладе в тюрьму. Либо за убийство и грабеж, либо только за грабеж. Маня, что делать?

На этот вопрос я ответить не могла и загрустила.

— Для начала не худо бы узнать, жив Рыжий или нет.

— Конечно, жив, — горячо зашептал друг детства. — Говорю, пистолет игрушечный. А менты? Помнишь? Подъехали, а потом взяли и скрылись. Ведь подозрительно?

— Менты обедать приезжали, дверь кафе оказалась заперта, они решили, что закрыто, и поехали себе дальше, а на нас просто не обратили внимания, хотя мы следом за ними из кафе вышли.

— Подозрительно, — стоял на своем Славка, а я пожала плечами. — Как бы узнать, жив он или нет? — кусая губы, заявил он.

— Чего проще, — вздохнула я, — дружка спроси. Он-то поди знает.

— Я спрашивал, — кивнул Славка.

— Ну и что он сказал?

— Сказал, что понять не может, как это пистолет

выстрелил. Никак он, говорит, выстрелить не мог, раз игрушечный. Перепугался очень.

— Кто?

— Юрка, конечно. Говорит, кто-то ему пистолет подменил. И на меня косится.

— Подожди, грабить вы поехали прямо с твоей квартиры?

— Да.

— Когда же могли подменить пистолет?

— Он же машины угонял.

— Без тебя?

— Без меня. Говорю, я на углу ждал.

— Выходит, он в это время с пистолетом и намудрил. Ты его сегодня видел?

— Юрку? Нет. Вчера в машине деньги поделили, и я к предкам на дачу рванул. А Юрке сказал, что домой. Хотел в деревне отсидеться, а душа болит... вот приехал... Неужто Юрка — мент?

— Да откуда мне знать? — возмутилась я. — Что ты ко мне пристал? И вообще, верни паспорт.

— Нет у меня твоего паспорта, — огрызнулся Славка.

— А где он?

— Наверное, у Юрки.

— Зачем ему мой паспорт?

— А мне он зачем?

— Нет, так не пойдет, — сурово нахмурилась я. — Паспорт был в сумке, сумка осталась в машине, но, когда машину обнаружили, сумки в ней не оказалось.

— Значит, сумку взял Юрка и, наверное, выкинул.

— Лучше бы ему этого не делать, — заметила я. — Мне нужен паспорт. Делай что хочешь, но паспорт верни. Не то я вас с твоим Юркой ментам сдам.

— Ничего себе подруга, — обиделся Славка. — Нет чтобы помочь, так она еще и шантажирует.

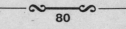

— Верни паспорт, — не реагируя на душевную муку, которая слышалась в голосе Славки, сказала я. — Если через три дня у меня не будет паспорта — иду к ментам, и разбирайтесь, как хотите. — С этими словами я направилась к двери, а Славка в отчаянии завопил:

— Мне-то что делать?

— Откуда я знаю? — окончательно рассвирепев, рявкнула я и поспешно покинула обитель скорби, злясь на себя за то, что нажила лишнюю головную боль, а своих проблем не решила.

Само собой, доносить на этого придурка я не могу, выходит, паспорта я лишилась. Стало так обидно, что я едва не заревела. Занятая своими переживаниями, я не сразу обратила внимание на парня, который поднимался по лестнице навстречу мне. Я бы вовсе не обратила на него внимания, если бы он, поравнявшись со мной, не замер на мгновение соляным столбом, выкатив глаза. Конечно, девушка я красивая и, как правило, произвожу впечатление, но парень выглядел так, точно повстречал в подъезде не красавицу, а медузу Горгону.

— Идиот, — в сердцах пробормотала я и опрометью кинулась из подъезда, заметив, что парень, перегнувшись через перила, смотрит мне вслед. — Форменный сумасшедший дом, — возмутилась я, выскочив на улицу, и зашагала к остановке, начисто забыв о своем спутнике.

Он напомнил о себе через пару минут. Я шла по улице, нервно размахивая руками, и тут услышала автомобильный сигнал, повернулась, увидела джип и только подумала «еще один чокнутый», как вспомнила: с этим чокнутым я как раз сюда и прибыла.

Он остановил машину, открыл дверь, а я устроилась на переднем сиденье и сказала:

— Привет.

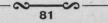

— Привет, — кивнул Стас, приглядываясь ко мне. — Как прошла встреча? Вернула паспорт?

— Нет, — покачала я головой. — Слушай, а можно узнать, этот дядька в самом деле мертвый или менты дурака валяют?

По выражению, которое моментально появилось на физиономии Стаса, я поняла, что сказала что-то не совсем... короче, стало ясно: придется растолковать свою мысль, и я с тяжелым вздохом поведала о своем разговоре со Славкой.

— Чушь, — презрительно фыркнул он, когда я закончила рассказ.

— Почему чушь?

— Потому. Ничего глупее я сроду не слышал. Игрушечный пистолет, который вдруг выстрелил. Да он сам себе не поверил, а уж рассчитывать, что найдется дурак и примет это за чистую монету...

— А если Юрка мент?

— Еще глупее. Зачем тогда ему твой Славка понадобился? Менты хоть и придурки, но не идиоты. Тут либо Юрка дурака валяет, либо Славка, либо оба вместе... Я думаю, тебе необходимо переехать ко мне, — совершенно неожиданно заявил он.

— Зачем? — растерялась я.

— Затем, что ты теперь для них ненужный свидетель. Неизвестно, что им взбредет в голову, а со мной ты будешь в безопасности.

— Ничего подобного, — возразила я. — Рядом с тобой я не чувствую себя в безопасности, скорее уж наоборот.

— Приставать не буду, — покаянно сказал он, а я резонно спросила:

— Тогда зачем я тебе?

— Ну... ты мне нравишься.

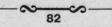

— Выходит, ты намерен приставать ко мне в будущем?

— Я рассчитываю, что ты влюбишься в меня и сама начнешь приставать ко мне, — ответил он. Его наглость произвела на меня впечатление.

— С какой стати мне в тебя влюбляться?

— Ну... я симпатичный парень, с чувством юмора и деньгами. Обычно девушки теряют голову при встрече со мной.

— У меня на всякую чепуху просто нет времени, — отрезала я и, к счастью, догадалась взглянуть в окно, мы как раз проезжали мимо папиной фирмы, которой в настоящее время руководил его друг. Я вспомнила, что не худо бы мне разжиться наличностью. — Останови, — попросила я Стаса, он остановил, но посмотрел на меня с сомнением.

— Куда ты? — спросил он не без суровости. Это меня, признаться, возмутило, и вопрос, и тон, которым он был задан.

— С какой стати мне перед тобой отчитываться? — спросила я и поторопилась покинуть машину.

— Приходится с грустью констатировать, что мое обаяние на тебя не действует, — пошел он на попятный.

— Хорошая мысль, — кивнула я.

Он попытался еще что-то сказать, но я поспешно хлопнула дверцей машины и направилась к офису.

Дядя Витя встретил меня с распростертыми объятиями и поцелуями, против них я не возражала, так как знала его с детства и считала едва ли не родственником, но деньги просить все же стыдилась и для начала решила разжалобить его, потому-то на вопрос «как дела» ответила:

— Не очень.

— А что такое? — насторожился он.

— Деньги свистнули, в заложницы взяли...

— Тебя?

— Конечно. Вчера сюжет по телику показывали... — Я рассказала об ограблении, в котором мне довелось принять участие, умолчав, правда, о роли в нем одноклассника.

— Ничего себе, — пробубнил дядя Витя и начал смотреть на меня чересчур пристально. — И тебя отпустили?

— Отпустили.

— Странно.

Такой комментарий меня насторожил.

— Почему? — спросила я.

— Что? — Он точно очнулся от глубокой задумчивости.

— По-вашему, меня должны были укокошить?

— Что ты болтаешь? — возмутился он. — Типун тебе на язык... Ты уверена, что грабителей интересовала выручка?

— А что еще их могло заинтересовать? — Тут я некстати вспомнила версию Славки, что все это дело рук ментов, и почувствовала, что иду по тонкому льду, то есть ничего в этой истории не понимаю.

— Как мама? — вдруг спросил дядя Витя. Признаться, вопрос удивил меня больше, чем его недавний комментарий.

— Наверное, хорошо, — пожала я плечами.

Дело в том, что, когда папа навсегда покинул нас, я позвонила маме, уверенная, что ей об этом событии следует знать одной из первых. Мама, выслушав меня,

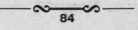

произнесла фразу: «Мне ничего не надо», — и скоренько со мной простилась. То, что мама ни в чем не нуждается, мне было известно доподлинно — она вышла замуж за нефтяного магната и о хлебе насущном могла не беспокоиться.

Дядя Витя о том разговоре знал, оттого его вопрос и показался мне странным. Чего ж мне маму по пустякам беспокоить, если смерть моего родителя на нее не произвела никакого впечатления.

— Может, тебе на некоторое время уехать к ней? — робко предложил дядя Витя. Я только плечами пожала.

— Она меня не приглашала.

— Она твоя мать, и если ты попросишь ее...

— Да зачем мне это? Если честно, маму я помню плохо и даже не знаю, о чем бы могла с ней поговорить.

— Ситуация, — пожевав губами, заметил дядя Витя. — Тебе просто необходимо уехать. На время.

— Вы думаете, эта история с ограблением будет иметь последствия? — перепугалась я.

Прежде чем ответить, дядя Витя размышлял минут пять. Я уже начала томиться, поерзала, пошмыгала носом и открыла было рот, чтобы повторить вопрос, но тут он наконец заговорил.

— Твой отец оставил деньги. Не мог не оставить.

— Ничего он мне не оставлял. Вы же знаете папу, он боялся конфискации, а его девизом всегда была фраза «после нас хоть потоп».

— Что ты мне про отца рассказываешь? — обиделся папин друг. — А то я не знаю. Не мог он все потратить. Не мог. Я тут прикинул... — Дядя Витя смутился, опять пожевал губами, но продолжил: — По самым скромным подсчетам, у него должно быть никак не меньше четырехсот тысяч баксов.

— Сколько? — едва не поперхнулась я.

— Ты же слышала, — понизил голос дядя Витя. — Не хотел тебе говорить, но обстоятельства...

— Какие обстоятельства?

— Ограбление. Что, если эти типы захватили тебя с одной целью: получить выкуп, а ограбление инсценировали...

— Курам на смех, они же меня сами из машины выпихнули. А потом, кто за меня деньги заплатит? У Ритки их нет, у меня тем более. Разве только вы... — Эта мысль не пришлась ему по душе, он непроизвольно поморщился. Стало ясно, если какому-то придурку в самом деле взбредет в голову похитить меня, на дядю Витю можно не рассчитывать. От этого стало грустно.

— Да-а... — сказал он, неизвестно что имея в виду. — Действительно чепуха получается. А вот по поводу Ритки... Откуда тебе знать, есть у нее деньги или нет?

— Так она живет на то, что за квартиры получает.

— Это ты так думаешь. А в действительности ей, возможно, очень хорошо известно, где деньги, и она лишь выжидает время. И этот тип, что околачивается у вас в доме, откуда он вообще взялся?

— Он Риткин любовник.

— Ясное дело, что не швейцар. Личность подозрительная, нигде не работает, а ездит на хорошей тачке, в казино ночи напролет торчит. Откуда деньги? Ты мне вместо дочери... — Теперь я в это не очень-то верила. — И мне больно видеть, как тебя грабят. Я бы на твоем месте к Ритке пригляделся, а еще лучше — выставил ее из дома. Раз отец ей ничего не оставил, так и ты не обязана...

— Дядя Витя, дайте пятьсот долларов, — вздохнула я, решив, что разговор ушел слишком далеко от той темы, которую я собиралась развить, заглянув сюда. — У меня сумку свистнули, а я обещала долг вернуть.

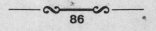

Он посмотрел на меня, вздохнул, но деньги дал. Я скоренько простилась и направилась к двери.

— Подумай о моих словах, — напутствовал он меня вслед.

«Хорошенькое дело, — злилась я, направляясь домой. — Выгнать Ритку... Куда она пойдет? У нее родня то ли в Нижнекамске, то ли в Красноярске. Что ей там делать? Слово «работа» вызывает у Ритки нервный шок, а нервы у нее и так слабые... — Тут мысли мои скакнули в другую сторону. — А не худо бы получить наследство в четыреста тысяч, нам бы с Риткой за глаза хватило». Я принялась мечтать, как славно бы мы зажили, имей эти деньги, но с мечтами пришлось расстаться: только с моей невезучестью и рассчитывать на наследство. Да и в то, что папа якобы что-то оставил, я не очень-то верила, не такой папа человек. А уж если бы оставил, я бы об этом знала, потому что только со мной папа говорил по душам, когда у него возникала к тому охота.

Не в обиду будет сказано родителю, покойный был страшным эгоистом и вряд ли всерьез беспокоился о том, что станет со мной после его смерти. Однако мысль о наследстве была приятной: а вдруг повезет, и оно ни с того ни с сего свалится на голову? Надо бы потолковать об этом с Риткой... В этот момент я как раз вошла в родной подъезд и услышала голос мачехи, орала она так, что стены дрожали.

Надо сказать, орать Ритка умела и вкладывала в это занятие всю душу. Судя по голосу, скандалили уже давно, потому что Ритка вот-вот должна была сорваться на визг. Я постояла на первом этаже, прикидывая, идти домой или подождать минут пятнадцать на улице. За это время она точно выдохнется.

Скандалили Ритка с Севкой не реже пяти раз в неделю, и поводом для того могло послужить самое не-

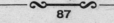

значительное событие. Подозреваю, что Ритке нравился сам процесс. С папой она тоже пыталась скандалить, но этот номер не проходил, папа тихо смывался и в отместку не возвращался дольше обычного. Однажды он даже пригрозил, что и вовсе не вернется, и Ритка только ворчала, а ворчание это вам не скандал, и удовольствия она не получала, так что теперь отрывалась на полную катушку. Севка, в отличие от папы, в скандалах участвовал охотно, и пару раз у них доходило до драки.

Не успела я решить, что мне делать, выметаться на улицу или ждать здесь, как хлопнула дверь нашей квартиры, и Севка скатился по лестнице, вопя во все горло:

— Идиотка, истеричка припадочная. — Притормозил возле меня и заявил: — Она совсем с ума сошла.

— Оба хороши, — дипломатично ответила я и не спеша стала подниматься по лестнице. Севка в досаде плюнул и покатил дальше, а я вошла в квартиру и, заглянув в кухню, убедилась, что Ритка со свирепым видом пьет валерьянку.

— Скотина, — с чувством заметила она, гневно сверкая глазами, валерьянка пока не действовала.

— Брось его, — внесла я разумное предложение.

— Тебе надо срочно выйти замуж, — обрадовала меня Ритка, — так больше продолжаться не может.

Наверное, соображала я в тот день не очень, да и мачеха нервничала, в общем, потребовалось уточнение:

— Что не может?

— Весь этот сумасшедший дом.

— Если ты имеешь в виду своего возлюбленного, то я понятия не имею, как ваши скандалы связаны с моим замужеством.

— Скандалы здесь совершенно ни при чем, то есть скандалы сами по себе, а ты сама по себе.

— Вот именно.

— Вот именно, — передразнила Ритка. — С тобой одни несчастья, я не могу видеть, как ты мучаешься, мало мне своих проблем... так никаких нервов не хватит. Я, можно сказать, живу на валерьянке.

— Замуж я не против, только вот за кого?

— А этот парень, что сегодня приезжал? Кто он? Надеюсь, не женат? Впрочем, это неважно.

— Как для кого, — флегматично пожала я плечами. Признаться, разговоры о замужестве мне изрядно надоели, никакого от них толку, если желающих связать со мной судьбу попросту нет.

— Кто-то обязан о нас заботиться, — изрекла Ритка, постепенно меняя окраску с багровой на ярко-розовую.

— Хорошая мысль.

— Мы не можем больше так существовать, именно существовать, жизнью это не назовешь. Я себе вторую неделю костюм не могу купить.

— Это ужасно.

— Ничего смешного. От Севки только нервы, а когда наш папа был жив, то обещал златые горы. Никому нельзя верить...

— По какому поводу скандалили? — проявила я живейший интерес, чтобы поддержать разговор. — Или так, без повода, из любви к искусству?

— Как ты можешь? — укорила меня Ритка. — Я попросила этого негодяя вынести мусор, и что ты думаешь он мне ответил?

— Представляю...

— Вот-вот, выгнать его к чертовой матери.

— Выгони, — согласилась я, и Ритка сразу загрустила.

Решив, что разговор можно считать законченным, я ушла в свою комнату, размышляя, чем себя занять. Не худо бы вернуть подруге долг, но машины у меня нет, а троллейбусов я теперь опасалась. От размышления меня отвлек телефонный звонок, звонила Ирина Золотнянская, которая снимала у нас одну из квартир. Ритка, возникнув в моей комнате, сунула мне в руку трубку и буркнула:

— Тебя. — Но осталась стоять, навострив уши.

— Маня, — голос Ирины звучал взволнованно, — у тебя неприятности?

— У меня полно неприятностей. Какие ты имеешь в виду?

— Только что приезжали двое типов, форменные сумасшедшие, я сама с ними едва не сошла с ума.

— Сочувствую.

— Они не ко мне, они к тебе приезжали.

— Зачем?

— Господи, ну откуда же мне знать? Явились и с порога: ты Смородина Мария Анатольевна? Я говорю: нет. А они: чего ты нам мозги пудришь? Я оглянуться не успела, а эти чокнутые уже в квартире. Еле от них избавилась, пришлось паспорт показать, что это не ты, а я. Представляешь?

Услышанное произвело на меня впечатление.

— Зачем я им понадобилась? — испугалась я. Тут надо пояснить, что прописана я была как раз в той квартире, что снимала Ирка, хотя ситуацию это, конечно, не прояснило, мало того, еще больше запутывало. — Ведь что-то они говорили?

— Да ничего толком. Нужна ты им, срочно. По важному делу. Какие у тебя дела с бандитами?

Тут я здорово перепугалась и жалобно пискнула:

— Они бандиты?

— Форменные. Рожи гнусные, словарный запас... Короче, я прошу оградить меня от всего этого.

— Ты им сказала, где я живу?

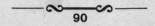

— Нет. Говорю, знать ничего не знаю. За деньгами сама приезжает, пятого числа каждого месяца. Вроде поверили. Но все равно я вся на нервах.

Я извинилась, гадая, кому могла понадобиться. Стас знает, где меня искать, троллейбусный вор вряд ли ищет меня с намереписм вернуть пятьсот баксов, остается только ограбление, но и тут не складывается, Славке-то искать меня ни к чему.

— Чепуха, — пробормотала я после длительных раздумий.

— Ничего себе чепуха, — взвилась Ритка. — Бандитов нам только и не хватало. Нет, надо срочно замуж...

Махнув рукой, я набрала номер Стаса.

— Тебе долг отдать? — спросила я ворчливо, услышав короткое «да».

— Маня? — чрезвычайно обрадовался он.

— Я про долг спрашиваю.

— Ты мне ничего не должна. За машину, я имею в виду. Но рана, которую ты нанесла моему сердцу...

— С сердцем лучше к врачу. Ладно, завтра денег у меня уже не будет. Не хочешь брать сегодня...

— Давай поужинаем вместе и будем считать, что мы в расчете. Как там Севка, ничего не заподозрил?

— Вроде нет...

— Вот и отлично. В котором часу за тобой заехать?

Сошлись на семи и простились. Ритка, прислушивающаяся к разговору, удовлетворенно кивнула и покинула комнату, а я вновь сосредоточилась на своих проблемах: жизнь по-прежнему не радовала. Мало мне потери паспорта и пятисот баксов, теперь еще какие-то бандиты. На что я им сдалась? Тут я вспомнила разговор с дядей Витей и впала в отчаяние. Что, если слухи о наследстве достигли бандитских ушей и эти идиоты решили, что четыреста тысяч долларов — реальность, и вознамерились получить их. Ох, мама дорогая... дядя Витя прав, надо сматываться. Дуракам не докажешь, что у меня за душой ни копейки. Я так расстроилась, что почувствовала настоятельную потребность прилечь, и прилегла, а вскоре и задремала, меня на нервной почве всегда тянет в сон.

Разбудил меня звук колокольчика, то есть я решила, что это колокольчик, но, проснувшись, ничего не услышала и начала размышлять: к чему бы это? В смысле как расценить этот звон: как предзнаменование счастья или предупреждение об очередных неприятностях? Хоть это был легкий перезвон, а не набат, я склонялась ко второму и загрустила. Вдруг до меня донеслось чье-то хихиканье, я поднялась и выглянула в холл. Хихикала Ритка, привалясь к стене и запрокинув голову, а Севка припадал к ее ногам, стоя на коленях и что-то бормоча, должно быть, приятное, если Ритка хихикает. В целом сцена выглядела довольно комично, но мне стало завидно. Хоть Севка придурок и вообще темная личность, но Ритку, должно быть, любит, иначе чего б ему тогда на коленках ползать?

Размышляя о чужом счастье, я вспомнила о Стасе, перевела взгляд на часы и принялась спешно собираться. Без трех минут семь он позвонил и сообщил, что ждет под моими окнами, это я и так знала, потому что видела, как его машина въезжала во двор. Ритка выглянула из своей комнаты, окинула меня взглядом с ног до головы и удовлетворенно кивнула, после чего напомнила:

— Тебе надо замуж. И еще: постарайся на себя ничего не опрокинуть.

Она торопливо поцеловала меня, и я покинула квартиру.

Стас при виде меня бросился навстречу.

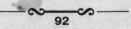

— Маня, ты красавица, — заявил он со знанием дела.

— Конечно, — не стала я спорить, — только мне от этого не легче.

— Что так?

— Никакого от этого толку.

— Ну, не скажи... вот мне, к примеру, нравится.

— Я хочу выйти замуж, — сообщила я, решив умерить его пыл, но он и глазом не моргнул.

— Предлагаю свое сердце. И руку. Но и это еще не все, к ним прилагается масса других достоинств, кое-какие можешь оценить прямо сегодня, не дожидаясь регистрации.

— Не стоит торопиться, — заверила я, и мы наконец сели в машину. — Мы могли бы заехать к моей подруге? — спросила я. Долг, как заноза, не давал мне покоя, и я хотела побыстрее вернуть его Светке, ведь денег можно лишиться в любой момент, так что...

— Конечно. Говори, где она живет.

Я объяснила и на всякий случай поинтересовалась:

— Насчет моего долга ты говорил серьезно?

— Странно брать деньги с любимой девушки.

— В тот миг, когда я покалечила машину, ты меня не знал.

— Зато теперь знаю. Зачем тебе понадобилось к подруге?

— Дядя Витя дал денег, надо вернуть Светке долг. Я еще вчера хотела, но их по дороге свистнули. А потом я и туфель лишилась. — Мысль об этом отдалась болью в сердце, и я тяжко вздохнула.

— О, черт, я же совсем забыл, — едва не подпрыгнул Стас, чем слегка напугал меня. — Мы же собирались в магазин.

— В ресторан, — поправила я.

— Это сегодня, а вчера я хотел купить тебе туфли. В конце концов это моя вина...

— Не выдумывай. Мне просто не повезло.

— Теперь с этим покончено, — заявил он очень серьезно, а я заинтересовалась:

— С чем?

— С невезением. Вчера тебе повезло по-крупному и на всю жизнь: ты встретила меня. Можешь считать себя счастливой.

— Это уж как получится, — не стала я торопиться.

Светка красила волосы, ужинала и смотрела телевизор. Она обожала делать пять дел одновременно и здорово поднаторела в этом, я ей слегка завидовала. Мы расцеловались, я вернула деньги и собралась уходить.

— С машиной все в порядке? — спросила она.

— Пока в ремонте.

— Ты на такси приехала?

— Знакомый привез.

— Да, а где он?

— В машине ждет.

Само собой Светка кинулась к окну, намереваясь взглянуть на машину, но смогла лицезреть и ее хозяина, который стоял, привалившись к капоту джипа.

Физиономия Светки слегка вытянулась, она взглянула на меня, потом на Стаса, потом опять на меня и спросила:

— Это твой знакомый?

— Конечно, — кивнула я, ничего хорошего не ожидая от судьбы.

— И давно вы познакомились?

— Вчера.

— Надеюсь, у тебя с ним ничего не было?

— С какой стати? — нахмурилась я.

— Отлично. Пожалуй, я тебя провожу.

— Как хочешь, — не стала я возражать, и мы вместе спустились к машине.

При виде Светки Стас легонько поперхнулся, но тут же расцвел улыбкой. Надо сказать, улыбаться он умел и делал это с удовольствием. Улыбка была ослепительной, а взгляд обещал райское блаженство. Правда, сейчас в его взгляде угадывалась легкая паника.

— Привет, — растянув губы в ответной улыбке, сказала Светка. Ее голос обещал отнюдь не блаженство, скорее долгую, мучительную кончину.

— О, Светик, — невероятно обрадовался Стас. — Не знал, что ты в этом доме живешь.

— Надо полагать. Иначе ты бы здесь ни в жизнь не появился. Помнится, в настоящий момент ты должен находиться где-то в жаркой Африке?

— В центральной ее части, — с готовностью кивнул он. — Командировку пришлось прервать из-за сильнейшего приступа малярии.

— Жениться обещал? — повернулась ко мне Светка, я молча кивнула. — Мне тоже, — сказала она со вздохом. — Этот гад по всем моим подругам прошелся. Ведь знала, что болтун и жуткий бабник, и все равно... Теперь вот ты.

— Я ему ни секундочки не верила, — удовлетворенно заметила я.

— Совершенно напрасно, — встрял Стас, но мы на него не обращали внимания.

— Пойдем чай пить, — предложила мне Светка. — Я тебе все про этого гада расскажу.

— Я сам могу рассказать про себя, — заверил Стас, но мы уже двигали к подъезду.

— Маня, — позвал он с намеком на отчаяние, — мы

же за туфлями хотели... — Отвечать я сочла ниже своего достоинства.

Через десять минут мы расположились в Светкиной кухне, и она обстоятельно поведала мне о Стасе, сделав один перерыв, когда понадобилось смыть краску с волос. Обилие сведений можно было свести к трем пунктам: парень он мутный, хотя денег куры не клюют, бабник страшный, и верить ему нельзя. Просто удивительно, что он не смог уложить меня в постель в первый же вечер, обычно ему это удается. Мне оставалось лишь радоваться, что я благополучно от него избавилась.

— Как удачно вы заехали, — приговаривала Светка, разливая чай.

Я согласно кивала, налегая на пирожные, и жалела об одном: прежде чем ехать к подруге, не худо было бы заскочить в магазин за туфлями. Был бы этому мерзавцу урок. Ну, ладно... с нашим-то везением только туфли и покупать.

За интересной беседой вечер прошел незаметно, и где-то в половине десятого я покинула подругу. Она предлагала вызвать такси, но я решила немного пройтись. Не успела я удалиться от ее дома на приличное расстояние, как вдруг стемнело, а потом громыхнуло и пошел такой ливень, что я, пока бежала до троллейбусной остановки, насквозь промокла. Такси исчезли, троллейбусы тоже, зонта у меня не было.

Я смотрела в темное небо, обхватив себя руками за плечи, и пыталась согреться. Тут рядом притормозил джип, и Стас, открыв дверь, заявил:

— Садись. — Я отвернулась, делая вид, что страдаю врожденной глухотой. — Кончай дурить, — вздохнул он, немного подождав, но ничего не дождавшись. — Ты же простудишься, — заметил он с таким видом, точно всерьез беспокоился о моем здоровье. — Не знаю, чего

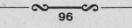

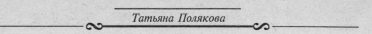
там наболтала твоя подружка... да садись ты в машину, так разговаривать невозможно.

Вот чего в подобных случаях не стоит делать, так это разговаривать, это я знала очень хорошо. Лучше молчать, тогда человеку надоест говорить в пустоту и он оставит тебя в покое.

Стас тяжко вздохнул и открыл свою дверь, должно быть, собираясь выйти. Конечно, в такой дождь это подвиг, но я его не оценила и бросилась к ближайшему дому.

— Я не собираюсь бегать за тобой под дождем, — крикнул он вслед, а я порадовалась, что он такой разумный парень.

Попасть в дом можно было лишь со двора, а мне срочно требовалось укрыться, на улице хлестал настоящий ливень. Подъездная дверь была старая, деревянная и без кодового замка, я вошла, отряхнулась, как кошка, а потом устроилась на подоконнике между первым и вторым этажами ждать, когда природе надоест буйствовать. Я болтала ногами и время от времени поглядывала в окно, не потому, что надеялась увидеть джип Стаса, просто надо было чем-то себя занять.

Подъехала машина, но вовсе не джип, кажется, «Хонда», остановилась возле подъезда, из машины никто не вышел, должно быть, пережидали непогоду. Потихоньку водный поток начал убывать, ливень перешел в дождь, а дождь в мелкий дождик. Правда, в любой момент могло ливануть с новой силой, грохотало ничуть не меньше, и молнии то и дело рвали небо на части.

Хлопнула дверь «Хонды», и кто-то торопливо вошел в подъезд. Молодой мужчина в ветровке поднимался по лестнице, я мельком взглянула на него, и его лицо показалось мне знакомым. Где-то я его видела. Должно быть, я смотрела на него слишком пристально, потому что он нахмурился и, проходя мимо, замедлил шаг. А я вспомнила, где его видела: в Славкином подъезде. Ну, конечно, мы столкнулись на лестнице, должно быть, парень пытается сейчас отгадать, почему моя физиономия кажется ему знакомой. Я на всякий случай улыбнулась, а он нахмурился еще больше, мне показалось это невежливым, и я отвернулась.

Парень поднялся на второй этаж, хлопнула дверь, и все стихло. Я решила, что пора мне выбираться отсюда, но дождь пошел с новой силой, и я обреченно вздохнула. Вот что значит невезение. За стеной работал телевизор, женский голос кому-то ворчливо выговаривал, я прислушалась, так, от нечего делать, потом почувствовала какое-то движение, резко повернулась и в трех шагах от себя обнаружила того же парня. Может, я просто не ожидала его появления, а может, лицо у него было слишком угрюмым, но я испугалась, сердце вдруг замерло, и я уже открыла рот, собираясь заорать.

Следующие события произошли одновременно: он шагнул ко мне, а внизу хлопнула подъездная дверь, парень, едва не задев меня локтем, развернулся, бормоча «черт, ключ забыл», а я почувствовала себя дура дурой, ведь еще мгновение, и в самом деле бы заорала. Да, последние события сказались-таки на моей психике. «Пойду домой, — решила я, — и плевать на дождь», но продолжила сидеть на подоконнике, а через несколько секунд начисто забыла и о парне, и о его машине, потому что очам моим предстал Стас.

— Привет, — привалившись к стене, изрек он и нахально улыбнулся. Я стала дрыгать ногами с удвоенной силой и тихонечко насвистывать. — Давай я тебя домой отвезу, — предложил он, убрал улыбку и теперь смотрел на меня с едва скрываемой болью. Наверное, я плохо выглядела или он очень страдал, но в его страдания я не верила, так что выходило первое, это было неприятно, и я сказала с досады:

— Катись отсюда.

Вместо того чтобы уйти, Стас подошел и взгромоздился рядом со мной на подоконник.

— На улице холодно, градусов четырнадцать, не больше. — Это ценное замечание я оставила без ответа, и он продолжил: — А на тебе легкое платье, к тому же ты промокла.

— У тебя что сегодня, вечер заботы о ближнем?

— Маня, — позвал он, — давай мириться?

— С какой стати, если я с тобой даже не ругалась?

— Ну... я хотел сказать... короче, все, что она тебе там наболтала, полная ерунда. Согласен, у нее есть повод на меня злиться и...

— Можешь не продолжать. Я два часа слушала рассказы о тебе, не такой уж ты интересный парень, чтобы потратить на это еще хоть пять минут.

— Значит, все-таки злишься.

— Нисколько, если тебя это утешит.

— Ладно, — поднялся он и взял меня за руку. — Домой я тебя все-таки отвезу, не то с тобой опять что-нибудь приключится. Можешь со мной не разговаривать, если это принципиально.

Я пожала плечами и отправилась за ним, в самом деле, глупо отказываться, когда дождю конца и края не видно.

Мы спустились вниз, Стас снял пиджак и, пока мы бежали до машины, держал его надо мной, но я и это не оценила. Джип стоял на углу, садясь в машину, я обратила внимание на номер «Хонды», номер как номер... на что он мне сдался?

В машине было тепло, Стас завел мотор, а я сквозь

поток дождя продолжала разглядывать «Хонду». Стас проследил мой взгляд и спросил:

— Знакомый?

— Нет. Я его в Славкином доме встретила.

— И что?

— Ничего, — пожала я плечами.

Мы выехали на проспект, и я уставилась в окно, но боковым зрением видела, что Стас то и дело посматривает на меня, однако молчит, и это меня порадовало. Машина замерла возле моего подъезда, я торопливо распахнула дверь, а он схватил меня за руку.

— Маня, честное слово, мне страшно жаль, что все так получилось.

— Да ничего, — вздохнула я, — мне всегда не везет. — Выдернула руку и вышла, но Стас зачем-то вышел следом, я уже стояла под козырьком, когда он вновь позвал:

— Маня...

Я обернулась и увидела, что он бежит навстречу. Должно быть, мне полагался утешительный приз: поцелуй на ночь. Но не тут-то было. Когда до подъезда оставалась пара шагов, Стас вдруг поскользнулся, не удержался на ногах и со всего маху хлопнулся на асфальт.

— Ой, блин, — сказал он весьма эмоционально, разом перестав быть похожим на романтического героя, а я злорадно засмеялась и поторопилась смыться. Ничего хорошего в том, что человек сидит в луже, я не видела, но, с моей точки зрения, он это заслужил.

Ритка в кухне гладила белье. Услышав, как хлопнула входная дверь, она выглянула с радостной улыбкой, но тут же физиономия ее приобрела несчастное выражение.

— Почему ты похожа на мокрую курицу?

— Потому что на улице дождь.

— А этот тип, он же был на машине?

— Точно.

— Только не говори, что вы поссорились, — простонала она.

— Мы поссорились, — оптимистично сообщила я.

— Если ты не выйдешь замуж в ближайшие два месяца, мы погибнем с голоду, — крикнула она мне вслед, а я, нимало не печалясь по этому поводу, постояла под горячим душем и завалилась спать.

Как ни неприятно это констатировать, снился мне Стас, причем во сне он мне нравился, и это лишь усугубило мои душевные муки, когда я проснулась. Муки были объяснимы: за окном темнота, будильник показывает 2.05, так что еще часов семь я могла бы спать, но рядом стояла Ритка и трясла меня за плечо.

— Просыпайся.

— Зачем? — отмахнулась я.

— Он спятил, — лаконично сообщила она. — Меня это пугает, так что просыпайся.

— Кто спятил? — равнодушно поинтересовалась я.

— Севка. Посмотри, что выделывает.

— Рита, ты сама с ума сошла. На что мне твой Севка?

— Нет, ты посмотри. Он же форменный псих. Я не хочу оставаться один на один с сумасшедшим.

Стало ясно: Ритка не отстанет, поэтому я поднялась, накинула халат и вслед за мачехой вышла из комнаты. Как только мы оказались в коридоре, она сделала мне знак молчать, и мы босиком, не производя практически никакого шума, направились в сторону папиного кабинета.

Признаться, мысль о том, что Севка забрался в кабинет покойного родителя, поначалу меня здорово возмутила. По негласному соглашению мы с Риткой старались туда не заходить, а уж тем более ничего не трогать. В те редкие моменты, когда папа возникал в нашей жизни, он предпочитал свой кабинет остальным комнатам нашей огромной и, следует признать, довольно неудобной квартиры. Так что если дух папы все еще присутствует среди живых, то наверняка в кабинете. Следовательно, кабинет надлежит оставить в покое, потому что вмешательство в свою жизнь папа никогда не приветствовал. Но увиденное вызвало у меня легкий шок, так что о праведном негодовании я мгновенно забыла. Севка в полосатой пижаме полз на коленях вдоль стены, светя себе фонариком, который держал в зубах. Дверь была чуть-чуть приоткрыта (видимо, ее открыла Ритка, обнаружила в кабинете Севку и пошла за мной), и в этой щели Севка то являлся нам, то вновь исчезал. Мы переглянулись, Ритка кивнула, точно с чем-то соглашаясь, и направилась к телефону, который стоял на тумбочке в прихожей.

— Ты чего? — подходя к ней, шепнула я.

— Вызываю «неотложку».

— Думаешь, он действительно спятил?

— Чего думать, ты же видела.

— А разговаривать с ним ты не пробовала?

— Да я до смерти перепугалась. Пошла в туалет и вдруг вижу свечение из папиного кабинета. Можешь себе представить мое состояние? Конечно, папа при жизни визитами нас не баловал, но вдруг соскучился? Натурально, нервы как струна, и я готовлюсь упасть в обморок, хотела заорать с перепугу, но, в конце концов, кабинет папин, и он имеет право... Ты как считаешь? Тогда я вернулась в спальню, чтобы разбудить Севку, он мужчина и должен знать, как вести себя в таких слу-

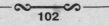

чаях, а Севки нет. И его постель холодная. Форменное свинство: единственный раз, когда я в нем остро нуждалась, его и то под рукой не оказалось. Я пошла его искать, где-то он должен был быть... везде темно, если не считать кабинета, выходит, он из дома сбежал. Я позвонила на сотовый, но он был выключен. Я просто голову потеряла от отчаяния, и тут открывается дверь, и этот чокнутый выглядывает из кабинета. Высунул голову и прислушивается. А глаза совершенно безумные. Меня чуть кондратий не хватил. Севка вернулся в кабинет, а я заглянула и вижу, как он с фонарем ползает. Вот что я тебе скажу, Маня, мужчина должен работать, и не только потому, что обязан содержать семью, мужчинам необходимо чем-то себя занять, иначе у них съезжает крыша. Они не в состоянии подолгу посвящать себя прекрасному: своей внешности, волосам, ногтям, их мозг устает от журналов и телевизора, они становятся психами, и ты сама можешь в этом убедиться.

Я не возражала, если б Севка покинул наш дом на карете «Скорой помощи», но кое-что в его поведении меня насторожило. К примеру, тот факт, что для сумасшествия Севка выбрал папин кабинет. Хотя какая психу разница, где сходить с ума?

— Подожди, — перехватила я Риткину руку и вернулась к кабинету. Она без особой охоты присоединилась ко мне, мы заглянули в щель и смогли убедиться, что Севка больше не ползает, он выдвигает ящики папиного стола и копошится в них. Что-то упало, Севка вздрогнул, мы отпрянули от двери, боясь, что он заметит нас, а он пробормотал «черт», только вышло невнятно, потому что тонкий, как карандаш, фонарик он по-прежнему держал во рту.

— Я не могу этого видеть, — хватаясь за сердце,

пискнула Ритка и тут же выдвинула свежую идею. — А может, он лунатик?

— Лунатики ходят по карнизам, а этот шарит в папином столе, — вздохнула я и повела Ритку в свою комнату. — Помнишь, после сообщения о папиной смерти у нас тут кто-то все вверх дном перевернул? — спросила я мачеху, устраиваясь на кровати.

— Конечно, помню. Только...

— Мы считали, это папа. — Ритка торопливо перекрестилась и полезла ко мне под одеяло. — Думаю, это вовсе не папа, — вздохнула я.

— Почему ты не дала мне позвонить? — захныкала она. — А вдруг он буйный? Я не имею права рисковать собой. Я еще не выполнила свой долг перед природой.

— Какой долг? — удивилась я и в досаде махнула рукой. — Не перебивай меня. Значит, так, думаю, Севка никакой не сумасшедший и не лунатик. Кстати, когда ты с ним познакомилась?

— Примерно за два месяца до смерти папы. Точно. Папа лежал в больнице, и там мы встретились с Севкой. Он навещал своего друга, тот что-то сломал, руку или ногу. Неделю мы встречались совершенно случайно, а потом... Ты не должна меня осуждать, я была совершенно несчастна, папа опасно болел и не желал лечиться. Из любви к нам он мог бы постараться пожить подольше, но папа всегда был эгоистом, не в обиду тебе будет сказано. И вот что из этого вышло.

— Все сходится, — кивнула я, поразмышляв еще немного. — Севка ищет наследство.

При слове «наследство» лицо Ритки вытянулось и приобрело страдальческое выражение.

— Что ты имеешь в виду? — с трудом справившись с собой, спросила она.

— Не хотела тебе говорить, чтобы зря не расстраивать, но дядя Витя считает, будто папа мог оставить что-то около трехсот тысяч баксов. — Я намеренно уменьшила сумму, но у Ритки глаза все равно загорелись нездоровым блеском. Под нашим окном стоит фонарь, и в его свете ее глаза сияли, как два сапфира, губы приоткрылись, и дышала она часто-часто, словом, налицо все признаки волнения.

— Триста тысяч долларов? — все же уточнила она перед тем, как лишиться чувств, и уж только после этого рухнула на подушку. Правда, обморок длился недолго. Ритка сначала открыла один глаз, потом второй и с робкой надеждой взглянула мне в лицо. — Ты шутишь? — спросила она жалобно.

— Если честно, дядя Витя назвал даже большую сумму.

— Нет, я с ума сойду, — простонала Ритка. — Такие деньги... А где они?

— Понятия не имею, — пожала я плечами. — Лично я сильно сомневаюсь, что они вообще существуют. Но кто-то мог вслед за дядей Витей решить, что они есть.

— Подожди, — нахмурилась Ритка. — Так этот гад в папином кабинете наши деньги ищет?

— Думаю, не зря же он там ползает. Может, надеется обнаружить тайник...

— А вдруг уже обнаружил? — Ритка вскочила с постели и бросилась к двери, я едва успела схватить ее за полу халата.

— Что ты собираешься делать? — спросила я сурово, но шепотом.

— Как что? Для начала обыскать этого мерзавца, не свистнул ли чего. А потом как следует допросить.

— Думаешь, у тебя получится?

— Еще как... да за триста тысяч баксов я могу... очень многое.

— Может, не стоит спешить? Вряд ли папа спрятал деньги в кабинете. Папа боялся конфискации, ты ведь знаешь, это его конек. Выходит, деньги там, где конфискацию не проводят.

— Боже мой, — хватаясь за сердце, зашептала Ритка, — я знаю, где они. Под яблоней. Точно. Папа собственными руками посадил яблоню. С какой стати ему сажать яблоню? К тому же она засохла. Папа еще очень сердился. Одевайся. Едем на дачу.

— Сейчас? — растерялась я.

— Конечно.

— А как же Севка?

— О черт, как он некстати. Про яблоню он не знает, выходит, до утра деньги в безопасности, а утром я найду способ избавиться от этого типа. Навсегда.

— Вот что, — начала я со вздохом. — Эти деньги лично у меня вызывают сомнение. Давай не делать резких движений до тех пор, пока не будем уверены в их существовании. Пусть Севка покопается в папином столе. Конечно, папу это бы возмутило, но особого вреда я в том не вижу. Присматривай за парнем, вдруг ему что-то известно о деньгах.

— Он будет искать деньги, а я за ним присматривать? И когда он их найдет... Я начну присматривать прямо сейчас. — Ритка кинулась к двери, правда, на цыпочках, но вдруг вернулась, заключила меня в жаркие объятия и расцеловала. — Маня, я этого не забуду. Ты настоящий друг. Можешь на меня рассчитывать. Ты никогда не жмотничала, и то, что ты не стала скрывать от меня наши общие ценности...

— Мы еще ничего не нашли, — напомнила я, пытаясь ослабить хватку Риткиных рук.

— Неважно, — замотала она головой. — Даже если мы ничего не найдем... я все равно тебе благодарна.

Приятно сознавать, что рядом есть родственная душа. А этот мерзавец... — Ритка пригрозила кулаком в пустоту. Совершенно неожиданно мне стало жаль Севку.

— Возможно, он просто не хотел раньше времени вселять в тебя надежду. А если бы что-то нашел, то непременно бы поделился.

— Как же, поделится, — хмыкнула Ритка, — никому верить нельзя. Ты, естественно, не в счет. Ладно, резких движений не делаю, но глаз с него не спущу. Не беспокойся, пока это зависит от меня, наши денежки в абсолютной безопасности.

Я согласно кивнула, а Ритка покинула комнату. Я некоторое время лежала с открытыми глазами, прислушиваясь, но в доме царила тишина. Я представила, как Севка ползает по папиному кабинету, а Ритка наблюдает за ним в щель, усмехнулась и свернулась калачиком. Все заняты делом, это хорошо, это правильно.

Ритка разбудила меня в восемь утра. Мало того что я планировала спать до девяти, вызывал удивление тот факт, что сама Ритка, большая любительница поспать, вскочила в такую рань.

— Маня, он уехал, — с ужасом сообщила она.

— Кто?

— Севка. Только что.

— Вы поссорились?

— Нет. Ты же сама сказала: без резких движений.

— Ну так в чем проблема?

— Маня, он сказал, что едет по делам. А какие такие дела у этого придурка? Сроду у него не было никаких дел. Вдруг он что-то нашел и теперь прямой наводкой двигает к нашим денежкам?

— Та-ак, — с тяжким вздохом заметила я, — кажется, у нас началась золотая лихорадка... — И очень пожалела, что вчера рассказала Ритке о предполагаемом наследстве. Теперь спокойной жизни не жди. — Он ведь и раньше уезжал, — резонно заметила я, на что Ритка ответила не менее резонно:

— Да, но тогда это не выглядело подозрительно. Маня, я хочу съездить на дачу, взглянуть на яблоню. Мне сегодня снились крупные купюры, я не помню, это к хорошему или плохому?

— Давай съездим, — пожала я плечами, — только, ради бога, не увлекайся. Если честно, я не верю, что папа нам что-то оставил, то есть если бы он оставил, то сказал бы нам об этом.

— Он скончался неожиданно для нас... и для себя. Когда он уезжал немного развеяться, то умирать совершенно не собирался, это же очевидно. А потом он не имел возможности сообщить. Папа не доверял телефонам. Ты меня слышишь?

— Конечно.

— Вид у тебя отсутствующий. Наш долг перед покойным отыскать эти деньги. Папа в гробу перевернется, если их найдет кто-то другой.

— Это уж точно, — не смогла не согласиться я, зная папин характер.

— Я приготовлю тебе завтрак, — заторопилась Ритка. — А ты пока собирайся.

Позавтракать мы успели, но с поездкой на дачу вышла заминка. Сначала Ритка позвонила возлюбленному на мобильный, Севка был занят важными делами (какими, не уточнил), но к обеду обещал вернуться.

— Аферист, — буркнула Ритка, бросив трубку. Не успела я с этим согласиться, как раздался телефонный звонок и мужской голос вежливо осведомился, может ли он поговорить со мной.

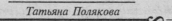

— Пожалуйста, — великодушно согласилась я.

— Я давний друг вашего отца, упокой господь его душу, долгое время отсутствовал, вернулся только вчера и узнал скорбную весть.

— Да, — придав голосу задушевности, согласилась я. — Это для нас невосполнимая потеря.

— Именно так, — заверили на том конце провода. — Манечка... вы позволите вас так называть? Я помню время, когда вы сидели на моих коленях, прелестный ребенок, папа ласково называл вас Манечкой... — Он тяжко вздохнул, а я шмыгнула носом, сразу почувствовав себя сиротой. Ритка, припав ухом к трубке с другой стороны, сжала мне руку и прошептала сквозь слезы:

— Крепись...

И я, окрепнув духом рядом с родным плечом, смогла ответить:

— Спасибо вам за добрые слова...

— Маня, — кашлянув, продолжил мужчина, — я бы хотел посетить могилу моего дорогого друга. Вы не могли бы уделить мне два часа своего времени?

— Конечно, — живо откликнулась я. — Я с удовольствием отвезу вас на кладбище, то есть я хотела сказать...

— Да-да, я понял. Извините, я так и не представился. Севрюгин Геннадий Петрович, можно просто дядя Гена.

— Очень приятно.

— Судя по всему, вы меня не помните, — заметил он с печалью.

— Извините, — не нашлась я что ответить, но он сделал весьма оптимистичное заключение:

— Я уверен, мы подружимся. Дочь моего любимого друга все равно что моя собственная дочь.

— Дядя Гена... — хмыкнула Ритка, когда я простилась с Севрюгиным. — Тебе не кажется его появление подозрительным?

— Мы собирались на дачу, — напомнила я.

Дача находилась в двадцати пяти километрах от города, в тихом живописном месте. Двухэтажный бревенчатый дом стоял на берегу пруда, окруженный высоким забором. Когда папина душа жаждала покоя и тишины, он отправлялся сюда. Но теперь покоем здесь не пахло.

Надо заметить, мы с Риткой интереса к даче не испытывали, будучи сугубо городскими жителями, и после папиной смерти сюда не заглядывали. Однако кто-то дачу вниманием не обошел. Это стало ясно, как только мы въехали в ворота. Симпатичная лужайка перед домом выглядела так, точно здесь проводились военные учения. Комья земли, воронки и нечто, подозрительно напоминающее траншеи. Мраморные плитки подняты и свалены возле дома. Кусты, вырванные из земли, приказали долго жить. Ритка, вдруг заголосив, кинулась за дом, где папа разбил сад, вскоре оттуда раздались душераздирающие стоны. С сомнением оглядев ландшафт, я отправилась в сад, где Ритка, стоя на коленях перед ямкой, лила горькие слезы. В двух шагах от нее лежал засохший прутик, когда-то бывший саженцем яблони. Увиденное в саду меня уже не удивляло — все выглядело точно так, как на лужайке перед домом.

— Нас ограбили, — подняв ко мне заплаканное лицо, сообщила Ритка. — Неужто Севка подлец?

— Тут работы для целой бригады и на неделю как минимум, — заметила я, еще раз оглядываясь.

— Но если не Севка, то кто? — перепугалась Ритка,

поспешно поднимаясь. Я дипломатично пожала плечами. — Ты думаешь, кто-то из совершенно чужих нам людей? Лучше бы это был Севка, за ним хоть проследить можно, а если мы даже не знаем этих мерзавцев... Нас ограбили, — закончила она горько. — Я почти уверена, папа спрятал деньги под яблоней, недаром она засохла.

— Пойдем-ка в дом, — предложила я, потому что стоять в саду среди земляных гор, канав и погибших растений представлялось мне довольно глупым.

Но дом тоже нас не порадовал. Дверь была заперта лишь на задвижку, замки сломаны, причем безжалостно. Мебель можно было смело выбросить, стеновые панели сняты, камин разобран, полы вскрыты.

— Что ты на это скажешь? — нахмурилась Ритка, оглядываясь.

— Повеселились на славу, — присвистнула я. — Вот придурки.

— Если что-то нашли, не такие уж и придурки, — заметила мачеха.

— Придурки, — сказала я убежденно. — Папа ничего не стал бы прятать в стенах, каминах и стульях. И в земле бы тоже не стал. Так что старались они напрасно.

— Так где папа их спрятал, по-твоему? — с надеждой спросила Ритка.

— Там, где при конфискации их не найдут.

— А где не ищут? — не поняла она.

Я только пожала плечами.

— Вызывай ментов, дача застрахована, нам должны за этот погром деньги.

— Деньги нам нужны, — согласно закивала Ритка, набирая номер.

Оставив мачеху разбираться с милицией, я на маршрутке вернулась в город, наконец-то забрала свою машину и поехала домой, размышляя, следует ли позвонить Севрюгину или отложить звонок на завтра.

Хотя время близилось к обеду, Севки дома не оказалось, что меня вовсе не огорчило. Я включила чайник, и тут в дверь позвонили. Распахнув ее после третьего звонка, я обнаружила на пороге двух здоровяков такой колоритной внешности, что при взгляде на них зубы сводило. Папа, будучи жив, неустанно повторял: «Прежде чем открыть дверь, смотри в глазок». Не пошла мне на пользу родительская наука, о чем я скоренько пожалела.

Итак, два типа стояли на моем пороге. Первый был широк, серьезен, со шрамом на лбу, венчиком светлых волос и руками-кувалдами, которые сцепил внизу живота. Ноги на ширине плеч, брюки свободного покроя, рубашка навыпуск. На любое предложение, которое могло поступить от типа подобной комплекции, хотелось радостно ответить: «Конечно, с удовольствием».

Второй был чуть выше и значительно шире, шрам имел место на щеке в районе левого глаза, отчего глаз казался хитро прищуренным. Раз взглянув на парня, хотелось скончаться быстро и безболезненно, не дожидаясь каких-либо предложений.

Я таращилась на них, питая слабую надежду, что еще не все потеряно, к примеру, они просто ошиблись квартирой, но тот, что пошире, открыл рот, и мое извечное невезение вступило в законную силу, потому что парень спросил:

— Смородина Мария Анатольевна здесь живет?

— Здесь, — с готовностью кивнула я, потому что ничего другого мне не оставалось. Оба сделали слабую попытку улыбнуться: первый раздвинул губы, став похожим на акулу, второй выпятил нижнюю челюсть, прищурил сразу оба глаза и вновь спросил:

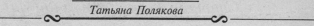

— Она дома? — Кстати, голос звучал с намеком на задушевность, как он сам себе ее представлял.

— Дома, — вздохнула я и попробовала схитрить: — А зачем она вам?

Парни с недоумением переглянулись, после чего второй уклончиво ответил:

— Это мы ей объясним.

— Объясняйте, — обреченно вздохнула я, парни вновь переглянулись, и мы некоторое время молчали, пялясь друг на друга. Я не выдержала первой. — Заходите, — сказала я. Они вошли и вновь уставились на меня.

— Слушаю вас. — Подумала и добавила: — Мария Анатольевна — это я.

Парни тут же нахмурились, вглядываясь в мою физиономию, точно пытаясь в ней рассмотреть что-то глубоко спрятанное.

— Вроде похожа, — заметил один другому, тот кивнул, но с сомнением. — Паспорт покажите.

— Нет у меня паспорта, — ответила я с печалью. — Свистнули. Вместе с сумкой. Меня на днях в заложницы взяли, и я лишилась ценностей.

— Вот об этом мы и хотели поговорить, — невероятно обрадовался тот, что пошире.

— Так вы из милиции? — догадалась я.

— Ну... — промычал он уклончиво. — В общем, мы из охраны заведения.

Я только моргнула, но уточнять не рискнула.

— Проходите на кухню, я вас напою чаем.

Они прошли и сели, но от чая отказались наотрез.

— Расскажите, как дело было, — предложил парень с прищуром.

— А вас как зовут? — не осталась я в долгу. Не больно-то мне было это интересно, но глупо вести беседу, не зная, как обратиться к людям. Опять же к тому моменту я немного успокоилась и решила, что кричать «караул» рано, вдруг все как-нибудь обойдется.

— Вася, — на мгновение запнувшись, ответил парень с прищуром. — Это меня. А его Вадим.

Вадим удовлетворенно кивнул, а я выдала свою коронную улыбку, лично я называю ее ослепительной, а Ритка идиотской, но о вкусах, как известно, не спорят. Парням улыбка понравилась, и я решила закрепить успех.

— Меня можно звать Маней, так привычнее.

— Ага, — кивнул Вася, поставил локти на стол и задушевно попросил: — Маня, расскажи, что там за пальба была.

— В блинной? Ужас там был неописуемый. — И я поведала о своих переживаниях максимально правдиво, умолчав об однокласснике, резонно рассудив, что Васе с Вадимом знать о нем ни к чему.

Слушали они внимательно и вроде бы даже сочувствовали, хотя тут с уверенностью не скажешь, раз физиономии по отсутствию эмоций могли соревноваться с кирпичом, но время от времени согласно кивали, и это было уже хорошо.

Когда рассказ подошел к концу, мне задали совершенно нелепый, с моей точки зрения, вопрос:

— Так что было сначала? Пацаны сперва шмальнули, а потом грабить стали или наоборот?

— Конечно, наоборот, — удивилась я. — Зачем им просто так шмалять? Дядька не хотел отдавать деньги, они и разозлились. — Я вновь пересказала данный эпизод, стараясь не увлекаться и ничего не придумывать.

— Слышь, Маня, — спросил Вадим, — а может, они

того — дядю в расход, а всю эту бодягу со стрельбой для отвода глаз?

— Дядька сам напросился, — нахмурилась я, — лег бы на пол вместе со всеми, глядишь, остался бы жив.

— А куда тебя эти психи повезли? — задали они мне очередной вопрос, и я на него правдиво ответила. — Значит, масок они не снимали и ты их лиц не видела?

— Нет. Если б увидела, они бы меня тоже убили, это же азбука.

— Чего? — насторожился Вася.

— Ну, грабители стараются не оставлять свидетелей, а тут еще убийство. Свидетель им точно ни к чему, так что мне здорово повезло.

— Слышь-ка, может, чего запомнила? Татуировку на руке, голос... может, кто из них шепелявил?

— Да нет, вроде ничего такого. Если честно, я здорово перепугалась, мне не до татуировок было.

— А голос узнаешь, если мы к тебе этих придурков приволокем?

— Ну... попробовать, конечно, можно, — чтобы их не разочаровывать, ответила я, — только вы их сюда не волоките, у меня мачеха нервная, вряд ли ей это понравится. Она грабителей до смерти боится, с утра до вечера талдычит: «Запирай дверь на цепочку, запирай дверь на цепочку».

— Оно конечно, — сказал Вася, а Вадим согласно кивнул. — Короче, вот тебе телефон, если вдруг что вспомнишь, и вообще...

— Я вам тоже свой мобильный запишу, — обрадовалась я такому счастью, сообразив, что они уходят.

Мы обменялись номерами телефонов и дружно потопали к двери. Не успела я коснуться рукой замка, как дверь сама собой открылась и появился Севка. Взглянул на меня без особой охоты, буркнул что-то, отдаленно похожее на «привет», взгляд его переместился на гостей, и друг моей мачехи изменился в лице, то есть перемены были настолько разительны, что на них обратила внимание не только я, но и гости. Они нахмурились и притормозили, а Севка, слегка заикаясь, сказал:

— Что за дела?

— Не понял? — изрек Вася.

И правильно, я тоже не поняла, а хотелось бы...

Севка между тем приободрился, причем до такой степени, что перестал заикаться.

— Какого черта вы притащились? — спросил он с возмущением. — У меня есть трое суток, и я хочу, чтобы на это время меня оставили в покое.

— Хорошо, мужик, — кивнул Вадим, — ты, главное, не волнуйся.

— Вот и катитесь отсюда, — совершенно ошалел Севка от собственной смелости. Я, признаться, его даже зауважала.

— Как скажешь, — согласился Вася, и гости покинули нашу квартиру.

Лишь только за ними закрылась дверь, Севка схватился за голову, потом за сердце, потом простонал, дважды повторил «о боже» и лишь после этого обратил на меня внимание.

Не то чтобы я его очень жаждала, но такое Севкино поведение вызвало у меня определенный интерес, и я спросила:

— Что-нибудь случилось?

— У меня? — перепугался Севка. — У меня ничего.

— Ты выглядишь немного нервным.

— Тебе-то что? Эти типы... они давно здесь?

— С полчаса.

— Ждали меня?

— По-моему, нет.

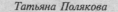

— Что же они тогда здесь делали? — разозлился Севка.

— Разговаривали.

— С тобой?

— Естественно, со мной, раз здесь только я и они.

— О чем им с тобой разговаривать?

— Нет, это даже странно, — возмутилась я. — По-твоему, со мной и поговорить не о чем?

— Маня, о чем они тебя выспрашивали, обо мне? — Севка перешел на ласковый полушепот.

— Вовсе нет, о дядьке, которого убили в кафе, когда я была заложницей.

Сообщение произвело на Севку прямо-таки неизгладимое впечатление.

— Эти типы о нем выспрашивали? Зачем?

— Откуда мне знать? Они из охраны заведения. Так, по крайней мере, они мне сказали.

— О, черт, — взвыл Севка. Его реакция меня слегка удивила, потому что было неясно, какое Севке до всего этого дело.

В итоге пришлось пересказать ему беседу, которая состоялась у меня с гостями. Слушал он внимательно, потом некоторое время пребывал в задумчивости, после чего спросил:

— Ты ключи от гаража кому-нибудь давала?

— Никому. С какой стати мне кому-то давать ключи от гаража?

— Вспомни, может, кто-то о чем-то тебя просил, может, ты за запаской приезжала?

— Ну... может быть.

— С кем приезжала? — насторожился он.

— Когда? — резонно уточнила я.

Все-таки Севка чокнутый, ни с того ни с сего пошел красными пятнами и как заорет:

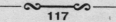

— Идиотка, твою мать. Кто был в гараже?

— Да пошел ты... — ответила я и стала разогревать обед. На какое-то время Севка исчез из поля моего зрения, а когда появился вновь, выглядел почти спокойным, только слегка дергалась щека.

— Маня, у меня из машины пропала ценная вещь. Она мне необходима. Я хочу знать, кто был в нашем гараже?

— А что пропало? — нахмурилась я.

— Неважно, — отмахнулся он. — За последние два дня был в гараже кто-нибудь из посторонних?

Я всецело сосредоточилась на выборе программы для микроволновки, чтобы выиграть время. Если бы Севка не обозвал меня идиоткой, я бы, скорее всего, призналась, что брала его машину, потому что по природе своей была девушкой правдивой, но идиотка — это вам не растяпа и даже не «кара господня», идиотка, как ни крути, звучит очень даже обидно, потому с признанием я не торопилась.

— Твоя ценная вещь из гаража пропала или из машины?

— Из машины, — подумав, ответил он.

— Так с чего ты взял, что ее в гараже свистнули? Может, на улице?

— Ничего подобного. Я пригнал машину, поставил в гараж и не пользовался ею, а сегодня, когда вещь понадобилась, ее в машине не оказалось.

— Какой дурак оставляет в машине ценности? — покачала я головой, это ему в отместку за идиотку.

— Забыл, с кем не бывает.

— Поищи получше, может, под сиденье закатилась?

— Она не может закатиться под сиденье.

— Кто она?

— О, черт, — пробормотал Севка, вновь покрываясь

пятнами, так что мне стало нестерпимо интересно, что ж у него свистнули. — Где твоя машина? — вдруг спросил он.

— Под окном стоит.

— Ах, да... Ритка мою машину случайно не брала?

— У нее своя есть.

— Как будто я не знаю...

— Чего ты пристал? — возмутилась я. — Скажи, что пропало, пойдем поищем вместе.

Предложение его совершенно не вдохновило, он исчез с кухни, а через полчаса пролаял из глубин квартиры:

— Где Ритка?

— На даче? Нас ограбили.

— Что? — Севка вновь появился в кухне, я как раз доедала свой обед.

— Точнее сказать, ободрали все стены, выкопали кусты, папину яблоню тоже выкопали.

— Черт... — Севка был потрясен, плюхнулся в кресло и уставился на меня. — Кому это понадобилось?

— Хулиганы, — пожала я плечами.

— Зачем хулиганам яблони? Слушай, — кашлянув, перешел он на доверительный тон, — говорят, твой отец был богатым человеком?

— Вряд ли. При папином образе жизни трудно скопить какую-либо приличную сумму денег. В любом случае папа не стал бы прятать их на даче, в квартире или гараже.

— Почему? — внезапно воодушевился Севка.

— Потому что там их могут найти. Папа больше всего на свете ненавидел слово «конфискация».

— Да, да, да, — закивал Севка. — А ведь точно... Выходит, рыли напрасно.

— И ты с фонарем больше не ползай, — вздохнула

я. — Ты Ритку пугаешь, она думает, это папа, а нервы у нее слабые.

Севка хотел что-то сказать, но поспешно удалился, не открывая рта. В целом я была собой довольна: надеюсь, у Севки пропадет охота наносить ущерб стенам в нашей квартире, нам ведь здесь жить, а на ремонт денег нет. Теперь и неожиданное джентльменство Стаса стало вполне объяснимо: когда машину ремонтировали, из нее что-то свистнули. Севка говорит, ценное, хотя мог и соврать. Но скорее всего действительно ценное, оттого-то Стас денег с меня и не взял да еще очень волновался, как бы Севка не узнал, что я брала его машину. Совершенно нет у людей совести... Интересно, что там было?

Тут я вспомнила, как Костя сказал по телефону что-то вроде «ты должен это видеть», и Стас помчался к нему. Точно, они и свистнули. Может, позвонить Стасу и потребовать эту ценность назад?

При мысли о звонке я скривилась, совершенно нет никакого желания общаться с этим типом. Однако Севку было жалко, вдруг вещь действительно ценная?

Пока я решала, что делать, вернулась Ритка. Выглядела она совершенно измученной и попыталась рассказать об эпопее с ментами, но Севка все испортил, он выскочил из комнаты и заорал:

— Ты брала мою машину?

— На кой черт она мне? — в сердцах ответила Ритка.

— У него ценную вещь свистнули, — сообщила я доверительно.

— Интересно, какую? — усмехнулась она. — Насколько мне известно, у него лишь одна вещь, представляющая ценность, и то весьма сомнительную, особенно в последнее время.

— О, господи, — закатил глаза Севка. — Кто про что, а тебе лишь бы...

— Точно, я и не отрицаю. В моем возрасте это необходимая составляющая здорового образа жизни. Я тебе журнал показывала, там так и написано...

— Тебе очень нужно обсуждать это сейчас? — взмолился Севка.

— Ты сам заговорил об этом.

— У меня в машине была вещь. Для вас она не представляет ценности, а для меня представляет.

— Очень интересно, — хмыкнула Ритка, — что ж это за вещь такая?

— Не имеет значения, — отрезал Севка. — Я хочу знать, кто-нибудь из вас...

— Постой, — перебила Ритка, — сдается мне, ты тут нам вкручиваешь. Вещь большая или величиной с булавочную головку?

— Примерно полкило, — быстро ответил Севка.

— И где эти полкило лежали? Ты ж поехал тачку мыть и меня с собой взял. Так?

— Ну... — темнея лицом, согласился Севка.

— Салон мыли, так? Никаких вещей там не было, только сумка моя, но она не в счет. Ты попросил в багажнике пропылесосить, так?

— Так. — Голос Севки звучал еле слышно.

— Твоя ценность там была?

— Нет.

— Хорошо. Мы вдвоем вернулись в гараж, тачку заперли, ключи от машины у тебя. Так где ты оставил свою вещь?

Севка попытался что-то сказать, пошевелил губами, резко развернулся и исчез в своей комнате.

— Лишь бы к чему придраться, — глядя ему вслед,

заметила Ритка. — Ценная вещь... лотерейный билет прошлогоднего тиража. Врет, как сивый мерин.

— Может, правда, что лежало? — вступилась я за Севку.

— Куда ж тогда делось? Говорю, тачку мыли вместе, и никаких «полкило» я там не помню. Слушай, а что можно в килограммах мерить? Ведь не деньги же?

— Нет. Деньги измеряют пачками, — продемонстрировала я эрудицию.

— Сумасшедший дом, — помолчав немного, прокомментировала происходящее Ритка и тоже удалилась, а я задумалась. Если Ритка так уверена, может, в машине действительно ничего не было, и Стас к воровству непричастен?

Я прикидывала и так и эдак, но ни к какому выводу не пришла. Мысль о Стасе незаметно меня покинула, и явилась мысль о недавних гостях, а от них плавно перешла к паспорту. Славка до сих пор не позвонил и не сообщил, что там с моим многострадальным документом. Опять же не худо бы ему знать об этих типах, я имею в виду сегодняшних гостей, и как-то определиться с чистосердечным признанием.

Я скоренько собралась и поехала к Славке, но дома его не оказалось, сколько я ни давила на кнопку звонка, все без толку. В крайней досаде я чертыхнулась, хотела оставить ему записку, но не нашлось клочка бумаги, а обращаться к соседям не хотелось. Я вернулась в машину, где и застал меня звонок на мобильный.

— Маня? — медовым голосом поинтересовался Севрюгин, лучший друг моего покойного отца, если верить его словам. — Как у вас со временем? Не могли бы мы съездить на кладбище? Сейчас?

Такая тоска по усопшему вызывала уважение, и я решила пойти человеку навстречу.

— Хорошо. Где встретимся?

— Знаете ресторан «Шансон», это на Гвардейской. Жду вас с нетерпением.

Геннадий Петрович отключился, а я пожала плечами в недоумении, если мы собирались на кладбище, зачем нам в ресторан? Или он хочет помянуть папу? Решив не ломать голову, я позвонила Ритке.

— Папин друг по фамилии Севрюгин жаждет поехать на кладбище, навестить могилу.

— Ты с ним поедешь?

— Конечно.

— Тогда, может, и мне? Если честно, я скучаю без папы, хотелось бы убедиться, что он где-то есть, ну, ты понимаешь... — Если честно, то не очень-то я понимала, но возражать не стала.

Мы договорились встретиться возле ресторана, и я отправилась на Гвардейскую, по дороге размышляя о словах Ритки, и в самом деле вдруг начала что-то понимать.

Еще сворачивая с проспекта, я заметила машину мачехи, приткнувшуюся рядом с навороченным «Мерседесом», возле которого стоял бритый детина и так зорко поглядывал по сторонам, что появлялось желание проскочить мимо, забыв про ресторан. Однако от этой мысли пришлось отказаться. Ритка выбралась из своего «БМВ», и я затормозила.

— Где они? — спросила Ритка, подходя ближе.

— Наверное, в ресторане, — ответила я, и мы пошли в ресторан.

Стоило нам оказаться в небольшом холле, как откуда-то сбоку выпорхнул молодой человек и спросил с поклоном:

— Вы Мария Анатольевна?

— Она, — ткнула в меня пальцем Ритка, потому что обращался он к ней.

— Прошу вас сюда.

Мы свернули в коридор, который закончился дверью, молодой человек распахнул ее, и мы вошли в маленький зальчик, в котором стояли три стола. За одним сидели двое мужчин, один высокий и худой, второй здоровяк с широким лицом и туманным взглядом.

— Здрасьте, — неуверенно начала я. — Я — Маня, вы, то есть кто-то из вас, мне звонил, — добавила я, прикидывая, у кого из этих типов я сидела на коленях.

— А я Геннадий Петрович, — густым басом сообщил здоровяк. Если честно, я растерялась, его внешность совершенно не соответствовала образу папиного друга, который у меня успел сложиться после телефонного разговора с ним, да и голос был попросту не его.

— Прошу к столу, — медово предложил длинный, и я поняла, что беседовала с ним, такой голос ни с каким другим не спутаешь. — Как приятно видеть дочь нашего дорогого друга, — продолжил петь длинный, а я спросила:

— Вы тоже папин друг?

— Да-да, — энергично закивал он, а здоровяк нахмурился, то ли соглашаясь с данным утверждением, то ли нет, и вдруг заявил:

— Это мой адвокат, Матюшин Богдан Семенович.

Богдан Семенович раскланялся, и оба они уставились на Ритку.

— Вдова, — сказала она скромно. — Рада, что вы нас посетили, — добавила она немного невпопад, потому что разволновалась. Ритка всегда волновалась, стоило ей вспомнить моего родителя, а при посторонних ей просто удержу не было, вот и сейчас она промокнула

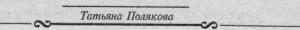

глаза платочком и закончила: — Мой дорогой покойный муж очень много о вас рассказывал.

— Что рассказывал? — насторожился здоровяк. Вопрос поставил Ритку в тупик. Уверена, о Севрюгине она услышала сегодня впервые, папа был не любителем поговорить, а друзей у него сроду не было, если не считать дяди Вити, с которым они долгие годы работали бок о бок и которого папа неизменно называл аферистом и жуликом. Но данное обстоятельство Ритку не смутило, она смогла с честью выйти из положения.

— Много хорошего, — ответила она лаконично. Здоровяк подумал и согласно кивнул.

— Позвольте выразить соболезнования, — принялся журчать Богдан Семенович, ухватил Ритку за руку и легонько сжал ее.

— Благодарю. В эту трудную минуту, когда мы остались без горячо любимого папы и супруга и буквально без средств к существованию, забота его друзей для нас особенно ценна.

Оба папиных друга переглянулись, а я ухватила Севрюгина за руку, встряхнула ее и сказала:

— Я вас вспомнила, вы мне лошадку подарили на день рождения. Я ее до сих пор храню.

— Лошадку? — обалдел он и тут же добавил: — Да-да, конечно, лошадку.

Что тут скажешь, форменный жулик. Мы сели за стол, и Богдан Семенович принялся нас угощать.

— Расскажите о постигшем нас несчастье, — попросил он, когда мы помянули папу. — Как скончался наш друг? Долгая продолжительная болезнь?

— Нет, — скорбно покачала головой вдова. — Сгорел. Можно сказать, мгновенно. — И с чувством поведала о папиной кончине.

Севрюгин внимательно слушал. Маленькие, глубоко посаженные глазки слегка посверкивали, недоверчиво и сердито.

— В закрытом гробу хоронили? — спросил он весьма заинтересованно. — Выходит, никакой гарантии, что он там?

Богдан Семенович робко кашлянул, а Севрюгин насупился. Ритка чуть приоткрыла рот и так посидела с минуту, после чего в глубинах ее сознания вызрел вопрос:

— Вы думаете, нам кого-то подсунули? О господи... то-то мне так тревожно. И папа дважды являлся, вроде как не в себе, и ругал меня на чем свет стоит. А за что, спрашивается? Похороны были на высшем уровне, венки и прочая атрибутика стильная, на мне костюм за полторы тысячи баксов, специально заказывала, папа должен быть доволен... Конечно, если эти жулики положили то, что у них под рукой оказалось, тогда папино возмущение понятно: на кого попало такие деньги выкинули. Папа не одобрял пустые траты... Но если нам подсунули чужого, то где же папа? Лежит неприбранный и злится на меня... Маня, мы срочно должны решить этот вопрос, — повернулась она ко мне и наконец-то заткнулась.

— Папа прибыл из-за границы, — напомнила я, — там у них порядок, и если в бумаге стоит папино имя, значит, его и положили.

— Чего ж он тогда ругался? — усомнилась Ритка.

— Может, ему твои стильные венки не понравились. Или костюм. Папа был консервативен, а у тебя вырез до самого пупка.

Тут Богдан Семенович кашлянул, и мы разом обратили к нему свои взоры.

— Э-э... вы упомянули, что наш дорогой друг оставил вас без средств. Как прикажете это понимать?

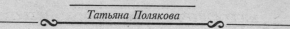

— Буквально, — вздохнула Ритка и принялась долго и подробно расписывать наши лишения.

Севрюгин слушал, нервно шевеля руками. Выглядели они, его руки, к слову сказать, забавно. Короткие, широкие ладони, сплошь покрытые татуировкой. Здесь были гирлянды каких-то экзотических растений, имя Гена, кинжал, еще буквы, которые никак не складывались в слова, и как апофеоз — череп с костями на безымянном пальце. Что-то подсказывало мне, что Геннадий Петрович прошел суровую жизненную школу.

Ручки Богдана Семеновича, напротив, были тонки, белы и костлявы, а глазки постоянно слезились. Сначала я думала, что он так убивается по нашему папе, потом поняла — это какая-то болезнь, вроде конъюнктивита.

Ритка, закончив рассказ о нашей бедности, схватила папиных друзей за руки и поинтересовалась:

— А вы женаты? — Взгляд ее метнулся от Севрюгина к Богдану и вновь вернулся к Севрюгину. Тот крякнул и попытался выдернуть руку, но не тут-то было, Ритка держала ее насмерть.

— Я вдовец, — сообщил Богдан Семенович, — имею на иждивении троих детей, престарелую мать и сестру-инвалида.

Ритка сразу выпустила его руку.

— Я не женат, — с трудом выговорил Севрюгин, и Ритка вцепилась в его ладонь обеими руками.

— Вам надо жениться, — твердо заявила она. — Только в браке мужчина может ощущать себя полноценным человеком. Без женской заботы, внимания, без ласки, наконец, мужчина чахнет... Что-то мне ваш цвет лица не нравится. Вас печень не беспокоит? Надо показаться врачу, но главное — диета. Правильное питание — основа здоровья.

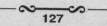

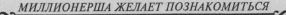

— Я прекрасно себя чувствую, — рассердился Севрюгин.

— Вот и мой дорогой супруг говорил точно так же, — не без язвительности заметила Ритка, — а теперь мы собрались к нему на кладбище.

— Да, кстати, нам пора ехать, — напомнила я. Мужчины с готовностью поднялись, Богдан расплатился за угощение, мы вышли на улицу в сопровождении молодого человека, который дежурил возле двери, и тут выяснилось, что «Мерседес» возле ресторана севрюгинский. Меня это не удивило, но на Ритку произвело впечатление.

— Это ваш? — спросила она нервно. — «Шестисотый»? Салон кожаный, кондиционер... — Она скороговоркой перечисляла все достоинства машины, а Севрюгин согласно кивал. Во взгляде его сначала появилось удивление, затем потрясение, а закончилось все восхищением.

— Вы хорошо в этом разбираетесь, — заметил он, когда Ритка наконец умолкла.

— Я мечтала о такой машине всю жизнь. Но теперь, когда тело моего супруга покоится в земле... — Она смахнула слезу и полезла в «БМВ», а я побрела к своей машине.

Кладбище в этот час было пустынным, тишина давила на уши и настраивала на меланхоличный лад. Мы разом загрустили, даже Севрюгин, хотя до этого он выглядел весьма оптимистично. Мы подошли к папиной могиле и молча постояли минуты две. Все это время Севрюгин шарил взглядом по холмику земли, точно пытался что-то разглядеть. Стильные венки успели завянуть и теперь казались жалкими, деревянная табличка сообщала, что здесь покоится Смородин Анатолий Вениаминович. Богдан присел на корточки и стал ее изучать, наконец он покачал головой, вроде бы оставшись недовольным.

— Что скажешь? — спросил Севрюгин, Богдан пожал плечами. Ритка расценила жест по-своему и затрещала:

— Пусть вас не удивляет такое положение дел, до сорокового дня памятник ставить не положено. Конечно, мы сейчас очень нуждаемся, но наш дорогой покойный не останется без монумента, даже если придется собрать все свои вдовьи копейки...

— О каких копейках речь, уважаемая? — не выдержал Боня. — Неужели он ничего не оставил?

— Две тысячи баксов, которые мы давно проели, — с готовностью сообщила Ритка. — Похороны за счет фирмы, Виктор не поскупился, надо отдать ему должное, хотя особой пользы я от него в будущем не вижу — жена, трое детей, все совершенно бесперспективно.

— Н-да, — изрек Севрюгин, исподлобья глядя на Ритку, надо сказать, в ту минуту она была чудо как хороша: румянец во всю щеку, глаза горят, в позе некое томление... Богдан скромно потупился, а Севрюгин от такого накала страстей благоразумно отступил назад. Теперь между ним и Риткой была могила, и он почувствовал себя в относительной безопасности, а Ритка тяжко вздохнула.

Мы еще немного постояли и побрели к машинам. Я торопливо простилась с папиными друзьями, решив, что с кладбища провожатый им ни к чему, и отправилась в город, собравшись еще раз навестить Славку, но потом передумала и вернулась домой.

— Где Ритка? — спросил возлюбленный мачехи, выглянув из кухни.

— На кладбище.

— Она там насовсем?

— Ну и юмор, — возмутилась я.

Тут и Ритка пожаловала и с порога спросила:

— Как ты думаешь, они нам помогут?

— Папины деньги искать? — хмыкнула я.

— А они есть? — влез Севка.

— Может, и есть, да не про твою честь, — ответила мачеха, что послужило началом очередного скандала.

Я закрылась в ванной и включила воду на полную мощность, в ванной меня и застал звонок (мобильный я взяла с собой). Звонил Стас, его голос звучал покаянно.

— Ты мне сегодня снилась, — с места в карьер заявил он.

— Это к дождю.

— Нет, серьезно. Во сне ты мне все простила. Похоже, я тебе даже нравился.

— Фантастика.

— Давай поужинаем сегодня?

— Мы вчера поужинали. Ты, кстати, как себя чувствуешь?

— Нормально, — удивился он.

— Невезучесть заразна, — наставительно изрекла я, — так что держись от меня подальше. — И с чувством выполненного долга отключила телефон.

Настойчивость Стаса наводила на размышления. Я вспомнила обвинения Севки и вновь принялась гадать: свистнул Стас ценности из машины или нет? Скорее всего, нет. Если что-то свистнул, логичнее не высовываться, а этот проявляет изрядную настойчивость. Впрочем, может, хитрит?

Так и не придя к определенному выводу, я покинула ванную. В квартире стояла тишина, Ритки не было видно, Севка в кухне пил валерьянку, стоял ко мне спиной и шептал:

— Точно он, больше некому, вот паскуда.

— Ты с кем разговариваешь? — подала я голос.

Севка вздрогнул и повернулся.

— Ты...

— Конечно, я. С кем разговариваешь, спрашиваю?

— Так, рассуждаю вслух.

— Реальные глюки, — посочувствовала я. — Валерьянка здесь не поможет.

— Ох... — простонал Севка, хватаясь за голову, и убежал. А мне стало скучно.

Ночь выдалась неспокойной: Севка то и дело бегал в кухню. Если вечер он начал с валерьянки, то к ночи в ход пошел корвалол, который Ритка покупала для себя, но никогда им не пользовалась.

Севка таял на глазах, вздыхал, охал и руки с сердца уже не убирал. Ритка его не сопровождала, что было странным, так как дама она душевная и страсть как любит ухаживать за больными, даже за мной. Выйдя ночью в туалет, Севку на кухне я не обнаружила, зато увидела свет в папином кабинете.

— Ведь просили по ночам не шастать, — в гневе покачала я головой и распахнула дверь. Однако на этот раз в кабинете орудовала Ритка. Правда, фонарик в зубах не держала, потому что на столе горела лампа, но ящики перетряхивала основательно. — Чего не спишь? — проявила я интерес. Ритка вздрогнула, потом вздохнула и сказала:

— Страшно подумать, что они где-то лежат, а мы даже не знаем...

— Ага, — кивнула я, — продолжай поиски.

— Ты могла бы мне помочь, — обиделась Ритка.

«Все точно спятили с этим наследством, — не удостоив ее ответом, думала я, возвращаясь в свою комнату. — Дядя Витя прав, лучше бы мне куда-нибудь уехать».

Утром я окончательно укрепилась в своем мнении, потому что началось оно с телефонного звонка, очень для меня неприятного. Звонили из милиции. Я, честно говоря, испугалась, потому что совесть моя нечиста, ведь правды я им так и не рассказала, а для человека с нечистой совестью беседы с милицией обременительны. Однако все оказалось даже хуже.

— Вы Смородина Мария Анатольевна? — вроде бы усомнился мужчина, который представился, но я с перепугу ни фамилии, ни тем более имени и отчества не запомнила. — А прописаны где? — Я назвала адрес. — Но вы там не живете.

— Нет, — покаянно ответила я, прикидывая, является ли это нарушением закона или ничего, обойдется.

— А где вы живете?

— В папиной квартире.

— Квартира по месту прописки свободна?

«Налоги, — сообразила я и затосковала. — Может, кто из соседей настучал? Ну надо же». Однако власти врать не решилась и со вздохом ответила:

— Там квартирантка живет. А в чем, собственно, дело?

— Вам необходимо приехать в отделение. Дело серьезное, жду вас через час. — И без дальнейших объяснений простился.

Чертыхаясь и жалуясь на жизнь, я скоренько собралась и вышла из подъезда, хотела ехать на своей машине, но в конце концов решила воспользоваться такси.

Мне и в доброе время не очень-то везло, а в таком волнении все столбы будут моими.

Выйдя на проспект, я не успела взмахнуть рукой, как в опасной близости возник джип, плавно притормозил, и я увидела Стаса. Он улыбался так оптимистично, словно совсем недавно не оказался в луже.

— Доброе утро, — сообщил он.

— Как для кого, — ответила я.

— Что опять случилось? — сделав сочувственную мину, задал он вопрос.

— Пока не знаю. В милицию вызвали.

— По поводу ограбления?

— Наверное. Других дел с милицией у меня нет. А ты куда собрался?

— К тебе. По телефону ты общаться не желаешь, думаю, может, при личной встрече...

— Зачем нам общаться? От денег ты отказался, так что повод увидеться у нас отпал.

— Тогда я подумаю насчет денег, — заявил он, а я презрительно хмыкнула и тут здраво рассудила, что глупо ловить такси, когда Стас на машине.

— Ты не смог бы меня подвезти? — осведомилась я.

— Да для меня это счастье, — заверил он и лишился последнего доверия. Ясное дело, парень страшный врун, от таких стоит держаться подальше.

Однако в машину я села и назвала адрес. Стас сначала кивнул, а потом нахмурился.

— Но это другой район. Зачем тебе в отделение?

— Говорю, вызвали. Про квартиру спрашивали.

— Про какую?

— Я живу в одной квартире, а прописана в другой. Зачем-то им квартира понадобилась... — морщась от душевной муки, заметила я, приходилось признать, последнее время не везет мне даже как-то по-особенному.

— Так, может, взглянем на нее? — предложил Стас.

— На квартиру?

— Конечно. Хоть будешь знать, в чем дело.

— Ирина должна быть дома, — взглянув на часы, сказала я и добавила: — Это квартирантка.

— Тем более, — кивнул Стас, и мы поехали на квартиру.

Я была готова к чему угодно, но только не к тому, что ожидало меня в действительности. Мы свернули во двор, и очам моим предстало совершенно фантастическое зрелище. Окна моей квартиры зияли черными дырами, да и весь дом являл собой жалкое зрелище. Особого ума не надо, чтобы понять: совсем недавно здесь бушевал пожар.

— Господи, — простонала я, не в силах видеть результат очередного фатального невезения.

— Твоя? — нахмурившись, спросил Стас.

— Ты еще сомневаешься?

— Наверное, квартирантка утюг забыла выключить, а может, проводку замкнуло, такое бывает, — утешил он и остановил джип возле подъезда рядом с милицейским «газиком».

В трех шагах от двери стояла группа граждан, человек семь-восемь, в основном пенсионеры. Я здесь появлялась редко, вряд ли кто из соседей знал меня в лицо, потому визит мой ажиотажа не вызвал. Я влетела на третий этаж, Стас едва успевал за мной. Входная дверь валялась в прихожей среди золы и мусора. Квартира так выгорела, что на стенах не осталось даже штукатурки, взор радовали потемневшие кирпичи.

— Квартира застрахована? — предусмотрительно поддерживая меня за локоть, спросил Стас.

— Ага, — вяло отозвалась я и плаксиво сморщилась. — Что ж это такое...

Тут из недр квартиры возник мужчина в милицейской форме и сурово спросил:

— Вам чего здесь надо?

— Мы хозяева квартиры, — повысил голос Стас. — То есть вот хозяйка...

— Хозяйка? — вроде бы не поверил мужчина. — Так хозяйку в морг увезли...

Если бы Стас все еще не держал меня под руку, я бы рухнула на грязный пол, точнее, на бетонную плиту, а так я лишь обмякла в его руках, закатила глазки и некоторое время пребывала в прострации. Вызвали «Скорую» (вызвал, конечно, Стас, хотя проявлять рвение его никто не просил), сердобольные соседи приютили меня и рассказали о событиях этой ночи, которых и сами толком не знали.

В результате в милицию я прибыла гораздо позже назначенного мне срока. Меня слегка пошатывало, в голове стоял полный туман, оттого Стас вызвался идти со мной. Следователь за опоздание выговаривать не стал, налил воды и просил не волноваться.

— Вы хорошо знали вашу квартирантку? — поинтересовался он, когда я выпила сразу два стакана и затихла. Мысль об Ирке повергла меня в ужас, и я едва вторично не упала в обморок, но, испугавшись «Скорой» с их уколами и прочими процедурами, взяла себя в руки и даже смогла ответить:

— Нет, конечно. Она была квартиранткой, а не подругой.

— Как долго она снимала у вас квартиру?

— Полгода. Может, чуть больше.

— Жила одна?

— Считалось, что одна, но я за ней не следила.

— А чем она занималась?

— Училась в колледже.

— Работала?

— По-моему, нет.

— Интересно. Студентка колледжа снимает квартиру... дорогое удовольствие. На что же она жила?

— Не знаю. Кажется, она из Тюмени, родители — нефтяники, наверное, помогали.

— А ее друзей вы не знали?

— Я Ирину видела пятого числа каждого месяца, когда она привозила деньги. Обычно встречались в кафе. Она всегда была одна.

— Значит, никого не знаете? — проницательно глядя на меня, повторил вопрос следователь, а Стас хмуро поинтересовался:

— А какое, собственно, это имеет отношение к пожару?

— Вы, молодой человек... — очень строго заговорил хозяин кабинета, но Стас весьма невежливо его прервал:

— Я без пяти минут муж, и меня всё это близко касается, — соврал он, глазом не моргнув. Я лишь покачала головой, поражаясь чужому нахальству. Следователь откашлялся, глядя на него с сомнением, но все же ответил:

— Есть основание предполагать, что в квартире было заложено взрывное устройство.

Лицо у Стаса вытянулось, а глаза приобрели форму круга, должно быть, я выглядела не лучше, потому что следователь сразу же предложил:

— Может, еще воды?

— Нет, — замотала я головой в отчаянии, думая, что же такое творится в мире.

— Взрывное устройство? — не поверил Стас.

— Да. В результате погиб человек, поэтому в интересах следствия вы обязаны сообщить все, что вам известно о Золотнянской Ирине Николаевне. Друзья, знакомые, образ жизни... нам важно все. Просто так бомбы в квартиры не подкладывают, должна быть веская причина.

— Я постараюсь, — заверила я, — все, что знаю...

Мне дали лист бумаги и ручку, а я попыталась выудить из своего сознания сведения, касаемые Ирины. Для начала прогнала Стаса, он мешал мне сосредоточиться, следователь ушел сам, и за время его отсутствия я успела заполнить лист неровным почерком (почерк у меня вообще-то хороший, просто я очнь волновалась), не зная, принесут ли хоть какую-то пользу мои воспоминания.

Следователь, водрузив на нос очки, бегло просмотрел написанное, потом уставился на меня, словно что-то прикидывая. Стало ясно: воспоминания не помогут, и мужчина на меня злится. Я вздохнула, точно стыдясь, хотя знала, вины моей в том нет: не болтали мы с Ириной по душам и виделись только по необходимости.

— Соседи сообщили, что накануне у нее были молодые люди, очень похожие на бандитов. Но искали не вашу квартирантку, а вас. Вам что-нибудь об этом известно?

— Это, наверное, Вася с Вадимом, — сообразила я. — Ира мне звонила, сказала, что мною интересуются, а потом они явились ко мне.

— Ваши друзья?

— Как вам сказать... Вообще-то я их вчера первый раз в жизни видела. Они из-за ограбления пришли, потому что работают в охране заведения. Так они сказали.

— Что? — вытянул шею мужчина.

— Вы про ограбление слышали? — порекомендовав

себе запастись терпением, спросила я. — Кафе «Мамины блины», там еще стрельба была, мужчину убили. А меня взяли в заложницы. — Лицо следователя претерпело значительные изменения, он немного похлопал глазами, а я, сообразив, что человек мало что понял из моего рассказа и скорее всего еще больше запутался, подробно поведала о недавних событиях.

— И Вася с Вадимом приходили, чтобы узнать об ограблении? — очень заинтересовался следователь. — А они не показались вам на кого-то похожими? Не было смутного чувства, что вы их уже встречали?

— У меня все чувства смутные, но их я точно видела в первый раз, таких не забудешь. В них на двоих веса триста килограммов и четыре метра роста.

— А грабители рослые были?

— Как вам сказать... один повыше, другой пониже... Вы думаете, — дошло до меня наконец, — что Вася с Вадимом «Блины» грабили? Что вы, это не они.

— Почему вы так уверены?

— Потому что знаю, — отрезала я.

Следователь добавил во взгляд проницательности и покачал головой:

— Сдается мне, Мария Анатольевна, вы что-то скрываете. Подумайте хорошенько. Два человека погибли, это вам не шутки.

— Ничего я не скрываю, — густо покраснев, ответила я, злясь на свой организм за такую реакцию на собственное вранье. — Меня битых два часа выспрашивали, и я все честно рассказала. Зачем мне что-то скрывать, сами подумайте?

— Конечно, — кивнул он, вроде бы соглашаясь. — Смотрите, что у нас получается. Вы свидетель ограбления, ваша сумка с паспортом остается у похитителей, в паспорте, естественно, указана прописка. Вася с Вади-

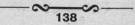

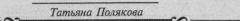
мом появляются сначала по месту прописки и уж только потом у вас. Соображаете?

— Не очень, — нахмурилась я, пытаясь отгадать, куда он клонит.

— Что, если бомбу тоже подложили по месту вашей прописки? И убить хотели вовсе не Золотнянскую, а вас? — закончил он вкрадчиво, а я жалобно попросила:

— Налейте воды.

О Славке в милиции я ничего не рассказала, ну не могла я рассказать, и все. Но разозлилась на него страшно. Вдруг он разболтал Юре о моем визите, и тот решил отделаться от меня? С него станется, он же пристрелил дядьку, а аппетит, как известно, приходит во время еды.

Точно, все так и есть, оттого-то Славка от меня и прячется. Возмущенная до глубины души, я покинула отделение и в очередной раз, забыв про Стаса, хотела поймать такси. Но Стас про меня не забыл и подъехал вовремя.

— Ну, что? — спросил сочувственно.

— Отпустили, — пожала я плечами, прикидывая, что же мне теперь делать. Перво-наперво избавиться от Стаса. — Отвези меня домой, — попросила я, — голова раскалывается от их вопросов.

— Как твой паспорт? — спросил Стас не к месту. Я в досаде поморщилась.

— Никак.

— А одноклассник?

— Слушай, отвяжись от меня.

— Не могу. Как же моя гражданская совесть? Если откажешься со мной поужинать, я ментам настучу.

— На меня? — ахнула я.

— На одноклассника твоего.

— Негодяй, — с возмущением заявила я и даже собралась выпрыгивать на ходу, но, на счастье, мы как раз въезжали в родной двор, и негодяй тормозил у подъезда.

Он что-то попытался сказать, но я опрометью бросилась от него, досадуя на судьбу.

Дома не было ни Ритки, ни Севки. В другое время я бы порадовалась, что могу отдохнуть в тишине, а сейчас едва не заревела с досады: не с кем поделиться безутешным горем. Я подумала об Ирине и поежилась. Взрыв прогремел в 23.35. Если верить соседям, Ира вернулась в двенадцатом часу (ее заметил сосед, вышедший погулять с собакой), и буквально через несколько минут... Следователь прав: просто так людей не взрывают. Конечно, есть вероятность, что взрыв произошел сам по себе, газ или что-нибудь (что еще, я понятия не имела, но что-то должно быть, надо новости послушать, там что ни день, то взрывы), однако следователь склонялся к мысли о взрывном устройстве, то есть, говоря попросту, о бомбе.

Ирину я знала плохо, возможно, имелись в ее биографии какие-то страницы, которые и привели девчонку к ранней гибели, но как-то в это не верилось. Девчонка она простая, без амбиций и склонностям к авантюрам. Жила в свое удовольствие, иногда заглядывала в колледж, чтоб не выгнали, мечтала выйти замуж за культуриста и не спешила возвращаться в Сибирь. За такое не убивают.

Неужто Ирина действительно стала случайной жертвой, а убить хотели меня? От этой мысли мне стало худо, да так, что я решила звонить в милицию и каяться, но в последний момент передумала. Придется дать еще один шанс Славке. Если не пойдет сдаваться, значит, я его собственными руками сдам. Два убийства — это вам не шутки, правильно следователь говорит.

Пылая гневом, я кинулась к своей машине и поехала к однокласснику, на этот раз я предусмотрительно запаслась бумагой и авторучкой. Только я свернула возле универмага, как увидела Севку, точнее, его машину. Она плавно тормозила возле театральной тумбы. Севка мне в тот момент был совершенно не интересен, и я бы проехала мимо, не удостоив его лишним взглядом, но тут от тумбы отделился парень и поспешно сел к Севке в «Ауди», а я притормозила, крайне заинтригованная. Парень показался мне знакомым. Это его я видела в доме Славки, а потом в подъезде, пережидая дождь. Странное совпадение, этот тип точно преследует меня... Впрочем, он мог бы с моим утверждением и не согласиться — еще вопрос, кто кого преследует. Чтобы проверить, не ошиблась ли, я свернула в переулок и пешком прошла к театру, укрылась за тумбой, настроившись на терпеливое ожидание. Минут через десять дверь «Ауди» распахнулась, и показался Севкин приятель. Теперь сомнения меня оставили, это точно он, тот самый парень. Вопрос, на кой он мне сдался? Ну встречались раньше, ну знаком с ним Севка, мне-то что?

Досадуя на свое глупейшее любопытство, я едва ли не бегом припустилась к своей машине и могла еще раз убедиться, что судьба что-то имеет в виду, потому что вновь увидела парня. Он торопливо шел впереди меня, свернул в тот же переулок, огляделся и сел в знакомую «Хонду» белого цвета, я скользнула в подворотню, не желая попадаться ему на глаза.

Воспользовавшись проходным двором, «Хонда» оказалась на проспекте, и я, помедлив, последовала за ней, хотя не могла понять, зачем мне это нужно.

Впереди был светофор, и я заметила Севкину машину, «Хонда» скромно пристроилась в соседнем ряду. От

Севки ее отделяло машины четыре. Я подъехала, когда вспыхнул желтый, и мы в том же порядке двинули дальше. Вскоре стало ясно: Севка возвращается домой. Интерес у меня сразу пошел на убыль: стоило из-за этого лететь через весь город сломя голову. Севка встретился с приятелем, и теперь оба едут к нам. На ближайшем светофоре я развернулась, злясь на себя за потерянное время.

Возле Славкиного подъезда сидела здоровенная кавказская овчарка и лениво зевала. Оглядевшись в поисках хозяина и никого не обнаружив, я вышла из машины, пес заинтересованно повернулся, а я не спеша захлопнула дверь и позвала:

— Простите, чья это собачка?

— Не бойтесь, — пискнул кто-то рядом, я вздрогнула от неожиданности, но тут из-за ближайших кустов появилась девчушка лет шести с котенком на руках и заверила: — Он не кусается. Он даже с котами дружит.

Пес, точно в подтверждение ее слов, лег, вытянул лапы и перестал обращать на меня внимание, а я вошла в подъезд и направилась к Славкиной двери. На звонок он не реагировал. Не поверите, как это меня разозлило. Я злобно грохнула кулаком по двери, и она самым неожиданным образом открылась. С легким скрипом.

Я вытянула шею и заглянула в прихожую. Свет не горел, и, кроме зеркала напротив, ничего не удалось рассмотреть. Я сделала шаг, подумала и сделала второй, после чего громко позвала:

— Слава. — Тишина. Надо сказать, тишина была такая, что оторопь брала. А сердце принялось скакать в груди как мячик. — Славка, — перешла я на шепот, тут послышался легкий скрип, я охнула, резко повернулась и увидела, что входная дверь закрылась. — Господи, — пробормотала я, держась за сердце, и сделала еще несколько шагов. Если честно, теперь входная дверь почему-то пугала меня больше пустой квартиры, а то, что квартира пустая, стало ясно через полминуты.

Я робко заглянула в кухню, затем в комнату, а потом, набравшись отваги, прошла по коридору и открыла дверь в спальню. Так и есть: в квартире ни души. Чего ж тогда входная дверь открыта? Довольно странно. Объяснение может быть лишь одно: одноклассник столь поспешно покинул родное жилище, что не потрудился запереть дверь. Интересно, что его заставило так торопиться?

Должно быть, Славка испугался, что я донесу на него. Что же мне теперь делать-то? В милицию идти и каяться? Вряд ли меня там погладят по головке, ведь из-за моего молчания преступникам удалось избежать правосудия...

— Ну, это еще бабушка надвое сказала, — с возмущением пробормотала я сквозь зубы. На Славку я здорово злилась и готова была к великим свершениям, но не знала, к каким, и оттого злилась еще больше.

Оглядев комнату гневным взглядом, я заспешила к двери, сообразив, что если кто-то застанет меня здесь, придется объяснять, что мне понадобилось в квартире, хозяева которой отсутствуют. «Надо бы вызвать милицию, — подумала я, — анонимно. А то квартиру ограбят...»

Я уже была в прихожей, когда обратила внимание на звук: где-то капала вода. По крайней мере, это очень походило на тихий перестук капель, точно кто-то забыл плотно закрыть кран. Совсем рядом была дверь ванной, зачем я ее распахнула, ума не приложу, шла бы себе дальше. Но я ее распахнула, свет в ванной не горел, но здесь имелось небольшое окно, выходящее в кухню. Света было недостаточно, чтобы все рассмотреть как следует, но довольно для того, чтобы увидеть: в ванной висел человек. Распахнув дверь и сделав шаг, я едва не уткнулась в тело и даже не сразу поняла, что это, вскрикнула от неожиданности, подняла голову, и вот тогда... Я хотела заорать. Так поступил бы на моем месте любой нормальный человек. Я уже открыла рот, но тут чья-то рука легла мне на плечо, а вторая рука стиснула мне нижнюю часть лица, так что рот пришлось прикрыть, ноги у меня подкосились, голова запрокинулась, и я приготовилась принять мученическую кончину, потому что ничего другого не оставалось, но смутно знакомый голос прошептал мне на ухо:

— Тихо. Я сейчас отпущу тебя, только не надо кричать.

Рука на моем лице ослабла, а потом и вовсе убралась восвояси, однако за плечи меня все еще держали, а теперь подхватили под локоть, весьма кстати, на ногах я устояла только благодаря этому. Я медленно повернула голову и заявила со злостью:

— Я тебя убью.

— За что? — возмутился Стас. Рядом стоял, конечно, он и выглядел так, точно считал себя моим спасителем.

— Я чуть не умерла от страха.

— Если бы ты закричала, то подняла бы по тревоге весь подъезд.

— Конечно, — согласилась я. — И это очень разумно в такой ситуации. — Я невольно повернула голову и вновь уперлась взглядом в висящее передо мной тело. Сразу же захотелось упасть в обморок.

— Не скажи, — покачал головой Стас, а я насторожилась.

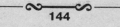

— Объясни, что ты имеешь в виду? — потребовала я.

— Не худо бы разобраться, что происходит. Этот тип твой одноклассник?

Признаться, до того момента я не затрудняла себя мыслями на этот счет, все мои силы ушли на то, чтобы не свихнуться от ужаса. Теперь предположение Стаса вызвало у меня шок.

— Это Славка? — перешла я на шепот и покрепче вцепилась в руку своего ненадежного друга.

— Откуда мне знать, раз я его ни разу не видел? — возмутился он.

— Да, конечно, — вынуждена была согласиться я.

— Маня, я сейчас включу свет, а ты взгляни на него и скажи, это он или не он.

— Я не хочу, — пятясь к двери, пробормотала я. — Давай вызовем милицию.

— Они все равно заставят смотреть. Соберись с силами, это всего на секундочку. Ну, давай, постарайся.

Он щелкнул выключателем, а я подняла голову и издала сдавленный вопль. Сдавленный, потому что Стас вновь стиснул мне рот ладонью и, приткнув к стене, попридержал меня так некоторое время, пока не выровнялось дыхание.

— Порядок? — спросил он, я утвердительно кивнула, и он ослабил хватку. — Это он? — Я опять кивнула.

Конечно, это Славка, но узнать его было нелегко. Однако если с лицом, то есть с его опознанием, были проблемы, так как выглядело оно просто ужасно, то в целом я была уверена. Он даже одет был точно так же, как в нашу последнюю встречу. Да и лицо... это, без сомнения, его лицо, с вытаращенными глазами, вывалившимся языком и темными пятнами.

— Какой ужас, — простонала я.

— Маня, теперь тебе надо немного посидеть в кресле. Вот здесь. Пока я осмотрю квартиру.

Я молча кивнула и оказалась в кресле, а Стас произвел быстрый осмотр помещения. Когда осмотр подошел к концу, я только-только начала приходить в себя и задалась вопросом: зачем все это Стасу, тот же осмотр, к примеру?

Об этом я и спросила его, лишь только мы оказались на улице, точнее в машине Стаса. Тут я вспомнила про свою машину, но мы уже тронулись с места.

— Что происходит? — возмутилась я. — Мы должны вызвать милицию. И моя машина...

— Милицию вызовем, — кивнул Стас, — только для начала уберемся подальше отсюда. Твою машину перегонят к дому, не переживай.

— Хорошенькое дело, — возмутилась я. Стас притормозил (к тому моменту мы уже довольно далеко отъехали от дома Славки), повернулся ко мне и сказал:

— Первое правило: не делать резких движений, пока не ясно, что к чему... так, успокойся, посмотри на меня и ответь на несколько вопросов. В ванной висит Славка?

— Конечно, Славка. — Я не выдержала и заревела. Стас протянул мне платок, я собралась с силами и спросила: — Он повесился? Это ужасно. Он был так напуган... Это я во всем виновата, не стоило мне грозить ему милицией. Я просто хотела паспорт вернуть, он напрасно думал, что я его выдам, я бы не смогла...

— Боюсь, убийца в этом сомневался.

Я посидела с открытым ртом, прежде чем спросила:
— Убийца?

— Конечно, я не судебно-медицинская экспертиза, но почти уверен: от парня избавились и инсценировали самоубийство.

— Кто избавился?

— Логично предположить,что его сообщник. В шифоньере я нашел твою сумку, без паспорта. — Я тяжко вздохнула. — И пистолет. Кстати, настоящий. Уверен, из него и застрелили того типа в кафе. Соображаешь?

— То есть нервный убил Славку и свалил ограбление на него?

— Менты знают, что грабителей двое, но как теперь найти его напарника, если Славка мертв?

— Боже мой... — прошептала я. — Конечно, ты прав. Славка наверняка рассказал о моем визите, и тот его убил. Чудовищно...

— Маня, — глядя на меня как-то чересчур пристально, сказал Стас, — я хочу, чтобы некоторое время ты пожила у меня.

— Вот еще, — ответила я презрительно, поражаясь чужому коварству.

— Маня, это очень серьезно. У него твой паспорт.

Тут я почувствовала себя весьма неуютно.

— Что ты хочешь сказать?

— Слушай внимательно: совершено ограбление, при этом погиб человек. Грабители в панике, а тут выясняется, что ты знакома с одним из них и узнала его. Возможно, Славка рассказал об этом своему дружку, и тот решил от него избавиться. И избавился. Какой его следующий шаг, если следовать законам логики?

Я громко клацнула зубами, оглядываясь по сторонам с заметным беспокойством.

— Он убьет меня?

— Конечно. Он ведь не знает, что успел разболтать тебе Славка.

— Да Славка сам ничего не знал. Познакомились в пивнушке, он даже понятия не имел, где живет этот Юра.

— Что, если Юра решит не рисковать? Не забудь, сегодня ночью произошел взрыв в квартире, где ты прописана.

Если б я была в состоянии испугаться еще больше, то, конечно бы, испугалась, но сил на это у меня уже не было.

— Немедленно в милицию, — прошептала я и зачем-то полезла из машины, Стас схватил меня за руку, а я продолжила: — Они обязаны меня защитить.

— Лично я в этом здорово сомневаюсь, — утешил он. — Ты скрыла от следствия, что знакома с грабителем, это им точно не понравится. Теперь Славка мертв, и ниточка, ведущая к его дружку, оборвана. И все это благодаря тебе. Это не я так думаю, — нахмурился он, заметив мой взгляд, — это они так решат. Боюсь, их фантазия может разыграться, и они вполне способны заявить, что ты один из участников ограбления.

— Прекрати, — попросила я, боясь, что не вынесу всего этого.

— Я просто хотел, чтобы ты поняла...

— Я поняла. И что дальше? Что мне теперь делать?

— Переезжать ко мне. У меня ты будешь в безопасности. А тем временем менты, возможно, найдут убийцу.

— Черта с два кого они найдут, — ответила я.

— Иногда им везет. Надо только набраться терпения.

— И сколько это будет продолжаться? Сколько мне жить у тебя?

— По мне хоть всю жизнь.

— И что в этом смешного? — сурово оборвала его я.

— Так я и не смеюсь.

— А с какой стати тебе лезть во все это? — продолжила я. — Что у тебя за интерес?

— У меня не интерес, а внезапно вспыхнувшее чув-

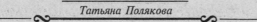

ство. Я плохо сплю, практически ничего не ем и постоянно тяготею к месту твоего проживания. Это очень неудобно в силу разных причин. Я надеюсь, если мы будем жить под одной крышей, сон наладится, аппетит нормализуется, и я смогу вернуться к полноценному существованию.

— Зато аппетит пропадет у меня. Лучше иметь дело с милицией, чем с бабником вроде тебя.

— Это клевета, — горячо ответил он. — Подлые слухи, которые распускают недруги. Я абсолютно моногамен. Сама сможешь убедиться, если переедешь ко мне.

— Да с какой стати? Просто сумасшедший дом какой-то... — раздраженно покачала я головой.

— Маня, — поморщился он, — есть еще одно обстоятельство, о котором я не хотел говорить, но, видя твое упрямство... Тот тип в кафе, которого убили... Видишь ли, он довольно известная личность в определенных кругах.

— В каких кругах?

— Преступных. По какой-то причине он выбрал это кафе. По крайней мере, обедал там каждый день в одно и то же время. Думаю, его дружки очень хотели бы знать, кто лишил его жизни.

— Да-а, — прошептала я, вспомнив некстати Васю с Вадимом. Мама моя, если в милиции могут решить, что я связана с грабителями, потому и Славку не выдала, то и этим ничего не стоит прийти к тому же выводу, только, в отличие от милиционеров, они не ограничатся вопросами, а могут перейти к допросу с пристрастием. Чем это для меня закончится, остается лишь гадать. Вот это я попала... Теперь в милицию никак нельзя: то, что знают в милиции, легко могут узнать и бандиты, а у них руки длинные, это даже дети знают, те, конечно, что телик смотрят. Тут в голову пришла еще одна мысль, и остатки моего оптимизма приказали долго жить, заодно и я едва не скончалась вместе с этими остатками, правда, успела произнести: — Когда Славку обнаружат менты и по пистолету и сумке поймут, что он участвовал в ограблении...

— Довольно быстро выйдут на тебя, — продолжил Стас, сопроводив свое ценное замечание кивком. — Поэтому я прихватил вещественные доказательства из квартиры. Пусть ломают голову, кому понадобилось убивать безобидного алкаша. Заодно и убийце не худо поволноваться, если он узнает, что вещественные доказательства исчезли... Ну, как я тебе в образе сыщика?

— Ты ненормальный.

— Здрасьте, я стараюсь изо всех сил...

— Ты следил за мной, — нахмурилась я. — Ведь следил? Как еще ты мог оказаться в Славкиной квартире?

— Я тебя охранял, между прочим, потому что ты мне дорога. Кругом враги, которые знают тебя в лицо, а мы их нет. Надеюсь, теперь я тебя убедил. Переезжай ко мне.

— Ничего подобного, ты мне кажешься ужасно подозрительным. Конечно, насчет врагов с неизвестными мне лицами ты прав. Как раз твое лицо вызывает очень большие опасения. Возможно, именно оно скрывалось под маской.

— Ни фига себе, — вытаращил глаза Стас. — Получил за свою доброту.

— Держись от меня подальше, — рыкнула я и полезла из машины.

— Послушай, чокнутая, — воззвал он, но я уже не слушала и устремилась к троллейбусной остановке неподалеку.

Мне повезло, я успела запрыгнуть в троллейбус и вздохнула с облегчением, но оно продлилось недолго,

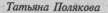

троллейбус свернул и стало ясно, что маршрут мне не подходит. Мне сделалось обидно, почему я должна ехать в троллейбусе в неизвестном направлении, в то время как моя машина... я глухо простонала, сомневаясь, смогу ли когда-нибудь увидеть ее. Тут, как всегда, отключили электричество, троллейбус замер в длинной шеренге таких же невезучих, а я побрела пешком в сторону своего дома, решив больше не пользоваться общественным транспортом. Когда не спеша шагаешь, лучше думается, а подумать было над чем.

В родном дворе я оказалась где-то через час и первым делом увидела свою машину, подбежала к ней с радостно бьющимся сердцем и обнаружила на стекле под «дворниками» записку: «Ключи у меня. Позвони. Целую. Твой Стас».

— Иезуит, — возмутилась я и передразнила: — Целую, твой Стас.

«Конечно, твой и еще двух десятков таких же дур. Нет уж, целуй кого-нибудь другого», — злобно подумала я, вошла в подъезд и поднялась на второй этаж. Здесь меня ждал сюрприз. Не успела я достать ключи из сумки, как увидела, что дверь не заперта. Более того, она была слегка приоткрыта.

— Чудеса, — сказала я вслух. Ритка до смерти боялась, что нас ограбят, и за дверью тщательно следила. Севка порядок тоже уважал. Чего ж тогда дверь открыта?

Тут я не некстати вспомнила о ночном взрыве, предупреждении Стаса и испуганно попятилась. В сумке зазвонил мобильный, я подпрыгнула и схватилась рукой за сердце, после чего ответила.

— Это я, — порадовал Стас. — Ты дома? Машину видела?

— Видела, — подумала и добавила: — Спасибо. — Слышать человеческий голос было приятно, и я не торопилась отделаться от Стаса.

— У тебя тяжелый характер, — заявил он, — к тебе невозможно приспособиться.

— Бабникам нет места в моей жизни.

— Говорю, это клевета. Злостные наговоры, а все потому, что твоя подруга влюбилась в меня как кошка, а я не разделял ее страсти, потому что предчувствовал — в скором времени появишься ты. И ты появилась, а я порадовался, что я такой проницательный парень.

— Ага, — буркнула я, потянула дверь и осторожно вошла в холл. Все это требовало от меня огромных энергетических затрат, и Стаса я вовсе не слушала, не до него было, пусть себе трещит на здоровье, так спокойнее.

— Ты чем занимаешься? — вдруг спросил он.

— Ничем, иду по своей квартире.

— Да? Дышишь как-то странно, точно мешок волокешь.

— У меня была открыта дверь. Это меня тревожит, и дышу я так от волнения.

— Что? — рявкнул он мне в ухо. — В квартире кто-нибудь есть?

— Откуда мне знать? Я стою в холле, холл у нас большой, и я ничего, кроме него, не вижу.

— А позвонить в дверь ты не догадалась?

— Нет.

— А позвать мачеху?

— Ритка, — заголосила я. В ответ ни звука. — По-моему, тут ни души, — заметила я с печалью.

— Дальше ни шагу, — заорал Стас, — я сейчас приеду. Набери на трубке 02 и в случае чего звони. — Он отключился, я замерла соляным столбом, постояла так некоторое время, а потом начала злиться. Ну вызову я милицию, и что? Скажу, что у меня дверь была открыта, а Ритка с Севкой отсутствуют. «А если рванет?» — испуганно подумала я, но все же заглянула в кухню.

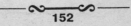

Первое, что я увидела: разбитую чашку, она валялась в нескольких шагах от меня, любимая Риткина чашка, синяя с желтыми треугольниками. Перевернутое блюдце лежало на стуле, на столе опрокинутый чайник, заварка растеклась по мраморной столешнице, а на плитке пола образовалась лужица.

— Опять скандалили, — сделала я неутешительный вывод, но вздохнула с облегчением.

Ритка в сердцах покинула квартиру, и Севка тоже, должно быть, из вредности, не заперев дверь. Взгляд мой внезапно остановился на ярком цветовом пятне: на рыжей плитке пола выделялась красная тапка, красная в мелкую зеленую клетку. И тапка валялась не просто так, она была на ноге, подозреваю, Севкиной, раз это папина тапка и Севка ее давно облюбовал. Выходило, что сам Севка зачем-то улегся за барной стойкой, из-за которой и торчит нога. Он что, там спрятался? Нет, это форменный сумасшедший дом. Пора разъезжаться.

Я решительно направилась к стойке, заглянула за нее и почувствовала, что с меня хватит. На сегодня, вне всякого сомнения, потому что это даже с моим невезением никуда не годится.

Севка лежал лицом вниз, вытянув перед собой руки, затылок его был похож на треснувший арбуз, кровь разлилась вокруг головы, точно Севка устроился в клюквенном сиропе.

— Мама моя, — сказала я с отчаянием и грохнулась на пол.

Я категорически не хотела открывать глаза, но пришлось, потому что Стас бил меня по щекам весьма невежливо, да к тому же больно.

— Маня... Маня, посмотри на меня, — звал он жалобно, но по щекам продолжал колошматить. Пришлось очнуться.

— Он здесь? — спросила я, по-прежнему не открывая глаз.

— Здесь, — ответил Стас со вздохом.

— Мертвый?

— Ты ведь никогда не испытывала к нему родственных чувств. Верно?

— Это не я его, — поторопилась заверить я.

— Конечно, не ты, я сказал в том смысле, что особо горевать тебе не из-за чего.

— С ума сошел? — возмутилась я. — Человека убили.

— Ты, главное, береги нервы. Убили и убили, чего теперь...

— Как-то странно ты рассуждаешь.

— Я беспокоюсь за твое душевное здоровье. Два трупа с интервалом в полтора часа слишком даже для моих нервов, а ты такая хрупкая... Не смотри туда, смотри на меня.

— Ты милицию вызвал?

— Пока нет.

— Почему?

— Потому что не знал, что произошло.

— А теперь знаешь? — съязвила я.

— Парень лежит здесь довольно давно, кровь уже запеклась. Выходит, убить его ты никак не могла, значит, улики уничтожать не надо, и можно смело звонить в милицию. — С этими словами он набрал 02, стал изъясняться с дежурным, и тут раздался топот, и милиция, как по волшебству, возникла в нашей кухне, вызвав у меня прилив гордости за родные органы. Прибыли они в рекордно короткие сроки, не иначе как на ракете. Но гордость тут же сменилась другими чувствами, потому что дюжий дядька заорал:

— Руки за голову, быстро.

Двое прибывших с ним тоже заорали, а я только покачала головой, уже догадываясь, что нас ожидает.

— Я звонил в милицию, — добросовестно держа руки над головой, заявил Стас. — Ваш дежурный все еще нас слышит. Сделайте что-нибудь! — рявкнул он в трубку. — Эти психи тычут в нас оружием, еще пристрелят, чего доброго.

Что мог сделать дежурный, для меня было не ясно, как, должно быть, и для него, однако вопль имел положительный результат, злобный дядька выхватил у Стаса из рук телефон, гаркнул:

— Да... — После чего страсти пошли на убыль, ему что-то сказали, он что-то ответил, посмотрел на нас, потом махнул рукой, буркнул: — Хорошо. — И вернул телефон Стасу. — Рассказывайте, — предложил он без всякого к тому желания.

И Стас начал изложение, а я залпом выпила два стакана воды, после чего присоединилась к нему, я имею в виду свой рассказ.

К моменту, когда мы закончили, в квартире появились еще люди, в основном мужчины, по виду очень деятельные. Приехала также женщина, наклонилась к Севке, произнесла мудреную фразу и отбыла восвояси. А нас вновь начали расспрашивать. Мне достался молодой человек лет двадцати восьми — высокий, худой и ослепительно рыжий. Веснушки сияли на его физиономии, а шевелюра рождала ассоциации с костром в ночи.

Я подробно рассказала ему о том, как приехала, как обнаружила незапертую дверь, как позвонил Стас и как я увидела Севку. К моему удивлению, я его интересовала мало, спрашивал он в основном о Ритке. Как долго они были знакомы с убитым, дружно ли жили, ссорились, и если да, то доходило ли у них до драки. Через двадцать минут я почувствовала беспокойство, а еще через полчаса настоящую панику. Не зря они Риткой интересовались. Самое плачевное, помочь ей я ничем не могла. Соврать, что жили они с Севкой душа в душу, и то не могла, от их воплей у соседей стены дрожали.

Меня оставили в покое, разрешив посидеть в гостиной, но стало даже хуже, потому что внимания на меня они не обращали, говорили откровенно, а то, что я узнала, меня совсем не порадовало.

В 14.15 соседка услышала дикие вопли из нашей квартиры. Время она помнит точно, потому что смотрела телевизор, фильм только-только начался. Кричали минут пятнадцать, она сделала звук погромче, потом все стихло, но стоило ей убавить громкость, как вновь заорали. Сколько это продолжалось, сказать не может, со звуком она больше не экспериментировала и, только когда фильм закончился, выключила телевизор и смогла констатировать, что у соседей затишье.

Она вышла во двор с собакой, не успела отойти от подъезда, как оттуда выскочила Ритка с «совершенно безумным выражением лица», как заявила Нина Филипповна (так звали соседку). Само собой, милиционеры сообщить мне об этом не потрудились, но собака в подъезде только у нее, так что догадаться нетрудно.

Нина Филипповна поздоровалась с Риткой, но та не ответила, судя по всему, даже не слышала, что к ней обращаются, бросилась к машине, а в руках у Ритки, по словам соседки, была дубина, причем окровавленная. Как следует она ее не рассмотрела, дубину то есть, однако предполагает, что это дубина, а на ней кровь. Ритка забросила ее в машину, села за руль и на бешеной скорости покинула двор.

Соседка погуляла с собакой и, возвращаясь к себе на третий этаж, обратила внимание, что наша дверь прикрыта неплотно. Это обстоятельство Нину Филип-повну насторожило, но, решив, что чужая дверь ее не касается, она ушла к себе. В милицию она не звонила и делать этого не собиралась. Кто вызвал милицию, судя по всему, оставалось загадкой.

Показания других соседей не были столь красноре-чивы, но тоже не в пользу Ритки. Скандалили часто и не раз слышали, как Ритка грозилась сожителя убить. Буквально на днях. Должно быть, от слов перешла к делу.

— Ясно, — кивнул мужчина лет пятидесяти с благо-родной сединой, которому все это докладывал один из сотрудников. — Женщину надо найти, как бы она сго-ряча еще чего не сотворила. — Тут взгляд его обратился ко мне, и он полез с вопросами. — Как по-вашему, куда она могла поехать?

— Не знаю, — покачала я головой, — только Ритка его не убивала. Скандалить они, конечно, скандалили. Иногда даже дрались, но это все ерунда, понимаете? С ка-кой стати ей его убивать?

— Бывает, — пожал он плечами. — Шваркнет чем-нибудь в сердцах... На прошлой неделе жена мужа заре-зала, тут, неподалеку. Девять ножевых ран, говорит, ничего плохого не хотела.

— Вы что, с ума сошли? — возмутилась я, забыв, с кем имею дело. Мужчина обиделся и отошел, а я мяла в руках носовой платок и думала о Ритке.

Неужто она вправду Севку убила, что называется, в сердцах? Может, Севка напал на след денег, оставлен-ных папой, а Ритка здорово обиделась? Она, конечно, самозабвенно любила деньги, но убить человека... Как-то в это не верилось. Я бы и не поверила, но одно сму-щало: показания соседки, по словам которой Ритка вы-скочила из подъезда с дубиной в руках (что за дубина такая, черт возьми?) и сбежала. Этому должно быть объяснение...

Если б я могла найти Ритку, все бы наверняка встало на свои места, но найти ее, сидя в квартире в окружении милицейских чинов возможным не представлялось, и я заревела от тоски и досады.

Рядом материализовался Стас, присел передо мной на корточки и сказал самую большую глупость на сегодняшний день:

— Не переживай.

— Тебе легко говорить, — обиделась я.

— Вовсе нет. Я тебе изо всех сил сочувствую. Надо сматываться отсюда, не то это дурно скажется на твоем здоровье.

— Ритку жалко, — вздохнула я.

— Не стоило ей бить его по башке дубиной, — заметил он, а я разозлилась:

— Не повторяй глупости.

— Хорошо, не буду, — легко согласился он.

Через двадцать минут он вновь появился в поле моего зрения и сообщил, что мы можем уехать.

— Куда? — растерялась я.

— Ко мне. У тебя что, есть другое место?

Это показалось мне возмутительным, и я ответила:

— Конечно, есть. Я могу поехать к Светке.

— Две женщины в квартире ночью, когда вокруг сплошные трупы...

— Прекрати, — невольно поежилась я.

— Вот-вот. Поехали, а то как бы эти типы не передумали.

Разумеется, я согласилась.

Мы покинули квартиру, машина Стаса стояла возле подъезда, причем запереть ее он не потрудился, так спешил спасти меня. Это неожиданно вызвало в моей душе теплые чувства, и я взглянула на него под другим углом. Стас на мгновение показался весьма привлекательным молодым человеком, но я напомнила себе, что он бабник, и теплые чувства исчезли.

Стас помог мне сесть в кабину и вообще всячески демонстрировал свою заботу, но моего настроения это не улучшило. В один день обнаружить два трупа, лишиться квартиры вместе с квартиранткой, а теперь еще и Ритки... Я вновь зашмыгала носом, а Стас принялся утешать меня.

Оказавшись у него дома, я приняла горячий душ, выпила чаю с лимоном, пять таблеток валерьянки и отправилась спать. Стас устроил меня в гостевой спальне, которая имелась в его квартире, а сам расположился по соседству, в гостиной, и просил в случае чего не стесняясь будить его.

Какой случай он имел в виду, осталось неясным, уснула я практически мгновенно, это свойство моего организма: когда меня здорово нервируют, меня так и тянет в сон.

Одним словом, я благополучно уснула, но спала недолго. Разбудил меня сотовый. Я подняла голову с подушки, увидела светящийся в темноте экран, схватила трубку и буркнула:

— Да.

— Маня, — робко позвала Ритка. Сон с меня точно ветром сдуло, я села в постели и зашептала:

— Это ты?

— Конечно, я. Маня, ты уже знаешь?

— Про Севку?

— Угу. — Ритка как-то булькнула, а я сообразила, что это сдавленные рыдания. — Они решили, что это я его убила?

— Милиция?

— Милиция. Они так решили?

— По-моему, да, — не рискнула соврать я.

— Так я и думала, — вздохнула Ритка. — Только я его не убивала. Ты мне веришь?

— Верю. Зачем тебе его убивать?

— Совершенно незачем. Если хочешь знать, я его даже любила, по-своему, и уж точно не стала бы его колошматить бейсбольной битой.

Только тут я сообразила, что за дубину имела в виду соседка. Ну, конечно, бейсбольная бита. Папа приволок ее в дом года два назад, и она стояла в кладовке. Папа боялся грабителей и предпочитал иметь под рукой что-то тяжелое, так, по крайней мере, он не раз говорил.

— Конечно, ты бы не стала этого делать, — постаралась я утешить Ритку. — Зачем ты вообще взяла ее из кладовки?

— Я тебе все расскажу, только ты приезжай, потому что одной очень страшно, и я совершенно не знаю, что мне делать.

— Ты где? — понизила я голос до легкого шелеста.

— А ты никому не скажешь?

— С ума я сошла, что ли?

— Я на свалке.

— О господи, — только и могла вымолвить я.

— А куда мне деться? Я ментов боюсь. Они же чокнутые, непременно скажут, что я его убила. Я не могу находиться в тюрьме, у меня клаустрофобия, я даже дверь в ванной всегда держу открытой. Но на свалке я тоже не могу.

— Не волнуйся, — чрезвычайно разволновавшись, попросила я. — Сейчас приеду, и мы что-нибудь придумаем. Говори, где эта свалка?

— Возле кирпичного завода. Там еще стена из красного кирпича, а в глубине какие-то вагончики, вот я

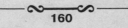

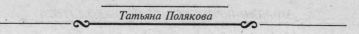

стою за ними. Но утром меня здесь непременно найдут, а машину бросить я не могу, куда я без машины?

— Жди меня, постараюсь быть через полчаса, — сказала я, прикидывая, где находится кирпичный завод. Оказалось, у черта на куличках. Конечно, оптимизма это мне не прибавило, с другой стороны, вряд ли Ритку обнаружат там случайные прохожие по причине полного отсутствия таковых.

Я выскользнула из постели, торопливо оделась и лишь тогда вспомнила, что нахожусь не у себя дома, а, так сказать, в гостях. Я приоткрыла дверь и робко выглянула. Стас спал на диване, на столике горела лампа, освещая его умиротворенное лицо. Я постояла немного, созерцая эту картину, и на цыпочках пробралась в холл. Входная дверь была закрыта на цепочку и замок, я порадовалась, что замок английский и легко захлопнется, так что квартира не останется незапертой. Не хватало только, чтобы Стаса ограбили.

Благополучно покинув жилище, я оказалась на улице, добежала до угла дома, перевела дух и лишь тогда подумала о главном: как мне добраться до этого самого кирпичного завода. Расположен он на окраине, за рекой, попасть туда, насколько мне известно, можно лишь на семнадцатом автобусе, а еще на маршрутке, но и от тех и от других сейчас толку мало, ночью ни автобусы, ни маршрутки не ходят. Остается такси. Как я объясню водителю свое желание оказаться в два часа ночи на свалке? Моя машина стоит возле нашего дома, куда я вполне способна добраться, но ключи у Стаса.

— Что же делать-то? — пробормотала я. Тут из-за угла появилось такси с зеленым огоньком, а я махнула рукой. — К речному вокзалу, — буркнула я, открыв дверь, водитель выразил удивление легким поднятием бровей, но этим и ограничился.

Оказавшись возле речного вокзала, я дождалась, когда машина отъедет, и спустилась к мосту. Темень здесь была страшная, а в голову сразу же полезли мысли о маньяках, насильниках и даже людоедах. Очень захотелось вернуться, пока не поздно, но ноги сами несли меня к кирпичному заводу, где было еще темнее и страшнее.

Я попыталась утешить себя тем, что нормальному маньяку здесь просто нечего делать, жертву будешь поджидать неделю, не меньше, раз нет дураков бродить в этом месте по ночам. Маньяки должны обретаться возле вокзалов и прочих людных мест, так что я практически ничем не рискую.

Собственная логика меня успокоила, но тут сзади послышалось подозрительное шуршание, я резко повернулась, вцепившись в сумку до ломоты в пальцах, но ничего не увидела, то есть совершенно ничего, по причине тумана, который поднимался от реки. Окружающий мир был погружен в него, точно в молоко. Звук исчез, я постояла, прислушиваясь, и робко продолжила путь, звук тут же возобновился.

Не помня себя от страха, я бросилась бежать и малость притормозила, лишь увидев перед собой стену из красного кирпича. Справа виднелся огромный лист фанеры, освещенный фонарем, на котором было написано: «Свалка». Я пошла уже гораздо спокойнее вдоль стены, потому что где-то неподалеку была Ритка, к тому же на машине.

Стена закончилась совершенно неожиданно, передо мной зиял пролом в стене. Точнее, ранее здесь были ворота, одна створка висела до сих пор, покореженная, ржавая, и жутко поскрипывала на петле. Я заглянула в пролом и увидела вагончики, припустилась к ним что есть духу, не выдержала и крикнула:

— Ритка!

Мне никто не ответил, я преодолела оставшиеся сто метров, свернула за ближайший вагончик и увидела Риткин «БМВ», точнее, я решила, что это Риткина машина, раз никакой другой обнаружить здесь не предполагала. Машина темной массой возникла в нескольких шагах впереди.

— Ритка, — вновь позвала я. Тишина.

Машина выглядела угрожающе, конечно, не сама машина, а ее явная необитаемость. Ничего хорошего более не ожидая от судьбы, я пританцовывала рядом, не в состоянии ни на что решиться. Зажмурилась, схватилась за дверную ручку и дернула на себя. Ритка сидела в водительском кресле, запрокинув голову. Заорали мы одновременно, а потом невероятно обрадовались. Если честно, первой моей мыслью было, что передо мной очередной труп, вот я и заголосила, а Ритка попросту уснула, да так крепко, что меня не слышала до последнего, оттого мое появление и вызвало дикие вопли.

— Ритка, — обрадовалась я и заревела от счастья. — Живая...

— Маня... — Ритка, конечно, тоже заревела. Мы обнялись, расцеловались и ненадолго затихли. Потом мачеха передвинулась на соседнее сиденье, давая мне место, я захлопнула дверь, и мы дружно вздохнули.

— Рассказывай, — попросила я. Ритка шмыгнула носом, жалобно посмотрела на меня и начала:

— Мы с ним разругались. Вот, посмотри. — Она перегнулась к заднему сиденью, достала сумку и извлекла оттуда нечто, поначалу принятое мною за записную книжку. Оказалось, это паспорт, по крайней мере так значилось на обложке.

— Это что? — спросила я.

— Паспорт. Папин.

Так и есть, на титульном листе значилось папино имя. Наличие у папы еще одного документа у меня удивления не вызвало. Как известно, он боялся конфискации, ну и всего прочего, что ее обычно сопровождает, а человеком был запасливым. Я вертела в руках паспорт, Ритка заглядывала мне в глаза, точно ожидая вынесения вердикта. Я пожала плечами и наконец спросила:

— Ну и что?

— Как что? Зачем-то Севка его свистнул?

— Папин паспорт?

— Ну. Из-за этого и разгорелся весь сыр-бор. Я вернулась из парикмахерской и застала Севку в кабинете, но вида не подала. Смотрю, он в свою комнату — шасть и что-то прячет. Дождалась, когда он уйдет в ванную, и решила проверить, а у него в тайнике, в шкафчике, папин паспорт. Я, конечно, разволновалась, потому что дураку ясно, это он не просто так, а для чего-то. А для чего? Естественно, для наследства. Живет в моем доме, нашем, я хотела сказать, да еще норовит ограбить. Я так прямо и спросила: «Зачем тебе паспорт?», а он как заорет: «У тебя крыша едет, зачем мне какой-то паспорт, ты сама его и подсунула». Я отвечаю, не какой-то, а папин, и это в корне все меняет, я не потерплю аферистов в нашем доме... В общем, слово за слово, и мы поскандалили. Если честно, сильнее обычного.

— Только не говори, что ты огрела его бейсбольной битой, — испугалась я.

— Они о ней знают? — схватив меня за руку, спросила Ритка в крайнем волнении.

— Знают.

— Так я и думала. А откуда они о ней знают?

— Соседка тебя видела, она с собакой гуляла. Ты

выскочила из подъезда с дубиной в руках, это она так бейсбольную биту назвала.

— А она к тому моменту долго с собакой гуляла?

— Только вышла.

— Черт... не везет. Маня, ты должна мне помочь. Мне в тюрьму никак нельзя. Ты слышишь?

— Слышу. — Я с горечью кивнула, прикидывая, могла Ритка сгоряча огреть Севку битой из-за папиного паспорта? Если, к примеру, решила, что паспорт укажет путь к сокровищам? — Может, ты мне расскажешь, как оно все было? — робко осведомилась я.

— А я что делаю? Как я уже сказала, мы здорово поскандалили, и я огрела Севку чайником. Чайником, — выразительно повторила она, наблюдая за моей реакцией. — Он же пластмассовый и был без воды, то есть совсем легкий. Я огрела его чайником, потому что Севка не хотел сознаваться, а чайник оказался под рукой. Севка заорал, что убьет меня, и глаза у него были совершенно безумные, мог и взаправду убить. По крайней мере, я поверила и на всякий случай сбежала. Выскочила из квартиры, он мне вдогонку что-то орет, а я бегу, сама не знаю куда, и только в парке, что возле цирка, до меня вдруг дошло: а с какой такой стати я должна бежать из собственного дома? И я вернулась. Прихожу, входная дверь заперта, Севки нет, то есть это я так решила, заглянула в кухню, никого, и убрать за собой... за нами не потрудился. Зову, молчит, ну, думаю, сбежал. Решила кофе выпить, а Севка... лежит за барной стойкой и голова... Господи, — поежилась Ритка. — У меня в мозгах все перемешалось. Конечно, чайником я его огрела, но по лбу. И чайником никак человека не убьешь. А тут эта бита, вся в крови. Я ее схватила и бросилась из дома.

— Зачем? — подождав немного и вместе с Риткой послушав тишину, спросила я.

— Говорю, в голове у меня все перемешалось, — сказала она с отчаянием. — Очень я испугалась, просто до смерти. Запрыгнула в машину и помчалась куда глаза глядят, а когда немного успокоилась, поняла, что сделала глупость. Теперь никто ни за что не поверит, что не я его убила.

— Зачем ты взяла биту? — вновь спросила я. Ритка пожала плечами.

— Сама не знаю. В мозгах замкнуло. Испугалась я очень.

— И потащила ее с собой?

— Ага.

— Где она сейчас?

— Тут неподалеку зарыта. Хочешь на нее взглянуть?

— С ума я сошла, что ли?

— Маня, что теперь делать? Скоро утро, придется отсюда выбираться, а я боюсь. Меня ведь арестуют?

— Я в законах не сильна, — ответила я правду.

— Папа всегда говорил, ментам только попадись на крючок, всю душу вытрясут.

— Папа говорил не душу, а деньги, — поправила я.

— У меня денег нет, — вздохнула Ритка. — Ты мне поможешь? — Вышло это у нее очень жалостливо.

— Конечно, — растрогалась я. — Только не знаю как.

— Я бы посоветовал отправиться в милицию, — вдруг услышали мы совсем рядом. Ритка во время нашей беседы закурила и открыла со своей стороны окно, в этом окне появилась физиономия Стаса, и мы с Риткой в два голоса выругались:

— Черт... — После чего Ритка посмотрела на меня с печалью, а я принялась оправдываться:

— Я понятия не имела... честно. Когда я уходила, он спал. Должно быть, притворялся.

Стас между тем устроился на заднем сиденье, хлопнул дверью и заявил:

— Ваша история настолько дурацкая, что вполне может оказаться правдивой.

— Она правдивая. От первого слова до последнего.

— Значит, вам стоит отправиться к следователю и надеяться, что правосудие восторжествует.

— А если нет? — усомнилась я. — Если не восторжествует?

— Такое, к сожалению, тоже бывает. Но всегда надо надеяться на лучшее.

— Посмотрела бы я, как бы ты надеялся, окажись на моем месте, — не очень вежливо заметила Ритка. — Ментам лишь бы кого упечь за решетку. Больно надо им разбираться.

— Значит, предпочитаете уйти в подполье? — усмехнулся Стас. — Ну-ну...

— Я не могу в подполье, — испугалась Ритка, — у меня клаустрофобия.

— Это было сказано в переносном смысле. Надеюсь, вы что-нибудь слышали о героях-подпольщиках?

— Я не хочу иметь с ними ничего общего. И в тюрьму не хочу. Маня, ты должна мне помочь.

— Между прочим, — глядя на меня, напомнил Стас, — в Уголовном кодексе есть статья за укрывательство преступников и дачу заведомо ложных показаний.

— Рита вовсе не преступница, — возразила я, — и не тебе пугать меня Уголовным кодексом. Сам совсем недавно уничтожал улики, а теперь строишь из себя правдолюбца.

— Я не мог позволить любимой девушке...

— А я не могу позволить Ритке сесть в тюрьму, —

отрезала я, и в машине на минуту воцарилось молчание.

— Ясно, — наконец изрек Стас. Что ему там ясно, уточнять я не стала. Ритка повернулась к нему и зло спросила:

— Откуда ты взялся, скажи на милость?

— Сейчас или вообще?

— Что это он болтает о любимой девушке? — насторожилась мачеха, обращаясь ко мне.

— Это у него юмор такой, на самом деле он бабник, и доверять ему может лишь сумасшедшая.

— Ну вот, — всплеснул руками Стас, — одна ненормальная наболтала по злобе всяких глупостей, а я теперь...

— Выходит, влюблен? — перебила его Ритка. — В Маню?

— Конечно, в Маню. В кого мне еще влюбляться?

— Тогда докажи.

— Что? — растерялся Стас.

— Свою любовь, естественно. Помоги в трудную минуту. И вообще, придумай что-нибудь, чтоб спасти меня от тюрьмы.

— Мадам, я влюблен в вашу падчерицу, а отнюдь не в вас...

— Это не имеет значения, — поддержала я Ритку. — Мы близкие люди и...

— Ясно, — кивнул он, но теперь в его голосе была печаль. Данное утверждение можно расценить как угодно: ясно, что мы близкие люди, что ждем от него помощи, вариантов множество, но мы с Риткой не сговариваясь выбрали вот какой: «ясно, что помогу», и с надеждой уставились на Стаса. Он был смущен. Поерзал немного, отводя глаза, повздыхал, косясь на нас, и наконец изрек: — Хорошо. Одно условие: слушать меня самым внимательным образом и делать все, что скажу. Ну, как?

— Согласны, — кивнули мы, я даже с избытком энтузиазма, радуясь, что теперь вся ответственность ложится на него, а не на меня, и вздохнула с облегчением.

— Что будем делать? — тут же спросила Ритка, не дав ему опомниться.

— К следователю ты не хочешь? — хмуро уточнил он, переходя на «ты». Должно быть, решил, что свалившееся несчастье дает ему на это право. Впрочем, Ритка не возражала и быстро ответила:

— Не хочу. И лучше меня не волнуй, я тюрьмы боюсь. Так что придумывай что-нибудь другое.

— Для начала надо поскорее убраться отсюда. Спрятать твою машину и тебя, конечно, тоже.

— Куда спрятать? — заволновалась Ритка. Подозреваю, ей мерещились подвалы, глубокие норы и канализационные колодцы. Впрочем, еще вопрос, что бы мне мерещилось, окажись я на ее месте.

— Значит, так, едешь за мной. Нет, — внезапно передумал он, — так не пойдет. Маня, поедешь на моем джипе, — сказал он с тоской и отчаянием. Такому парню, как он, доверить любимую машину женщине — это, я вам скажу, подвиг. Я внезапно прониклась к нему уважением и даже подумала: может, не все он врет, может, кое-какие чувства в нем все же присутствуют? — А мы с Ритой поедем на ее тачке, я сяду за руль, а она спрячется между сидений, это на всякий случай, вдруг на ментов нарвемся.

Мы переглянулись. Ритка, ни слова не говоря, перебралась на заднее сиденье, а я потрусила к джипу — он стоял с той стороны вагончиков. Стас пошел проводить меня, отдал ключи, сказал, чтобы я соблюдала дистанцию, увидев ментов, не суетилась, а спокойно останавливалась, переговоры он берет на себя. Главное, выглядеть оптимистично, чтобы им в голову не могло прийти, что мы чего-то боимся. Я выслушала инструктаж, согласно кивая в самых ответственных местах

— Ну, давай, — вздохнул он и добавил: — Береги себя. — После чего обнял меня и запечатлел на моих губах поцелуй, отстранился, еще раз вздохнул и пошел, не оборачиваясь, а я почувствовала на своих щеках слезы, вытерла их и устроилась за рулем.

В тот момент я склонна была доверять Стасу и вовсе не доверяла Светке с ее утверждением, что он бабник, еще тот ходок и прочее, прочее... Женщинам свойственно все преувеличивать, а отвергнутые женщины попросту фурии, соврать им ничего не стоит, это каждый знает...

Я услышала шум работающего двигателя, а вскоре увидела «БМВ», который как раз выезжал из-за вагончиков. Стас махнул мне рукой, объезжая джип, и я пристроилась следом.

До моста я ехала совершенно спокойно, больше думая о Стасе, чем о возложенной на меня миссии. На этом участке пути было по-прежнему темно, безлюдно, и ни одному гаишнику в трезвом уме не пришло бы в голову сюда забраться. Когда миновали мост, ситуация изменилась. Появились фонари, потом машины, не скажу, что движение было оживленным, и все же... так что и гаишники вполне могли объявиться, а уж как они любят тормозить по ночам машины, не мне вам рассказывать.

Однако опасения мои оказались напрасны, никто нас не остановил, и через тридцать минут мы тормозили возле кооперативных гаражей на улице Глинки. Открыв ворота, Стас загнал «БМВ» в гараж, огляделся, точно заправский разведчик, и скомандовал:

— Быстро в машину.

Мы устроилась с Риткой на заднем сиденье джипа, а он за рулем. В лице его читалось удовлетворение. Думаю, он был приятно удивлен, что машину я вернула в целости и сохранности.

На предельной скорости мы покинули данное место. Задавать вопросы Ритка остереглась, а я очень скоро сообразила, что едем мы на квартиру Стаса, по крайней мере двигаемся в том направлении. И точно, впереди показался его дом, и Стас через несколько секунд плавно затормозил у подъезда, а еще через минуту мы входили в его квартиру.

— Стас, ты богатый человек? — оглядываясь, спросила Ритка.

— А что? — насторожился он.

— Ничего. Просто интересуюсь.

— Я бы советовал сосредоточить интересы на поиске убийцы. — Мы с Риткой в недоумении переглянулись, а потом уставились на Стаса. — В чем дело? — поднял он брови. — Я что, непонятно выразился?

— Убийцы? — пролепетала Ритка.

— Ведь Севку ты не убивала? — очень серьезно спросил он.

— Нет, — отчаянно замотала она головой.

— Но кто-то его убил, так? Значит, нам необходимо найти убийцу и сдать милиции. Программа максимум ясна?

— Конечно, — согласилась я, — только как же мы его найдем? Искать убийц должны сыщики...

— Придется нам на некоторое время ими стать. Возражения есть? Естественно, одновременно с возражениями я жду дельных предложений.

Мы с Риткой вновь переглянулись. Так как предложений ни у меня, ни у нее не было, то и возражать мы не рискнули.

Утром мы встали ближе к одиннадцати и за завтраком устроили военный совет.

— Рите из дома выходить нельзя, значит, основная работа ложится на наши с тобой плечи, — глубокомысленно изрек Стас.

— А что делать мне? — на всякий случай спросила Ритка.

— Можешь затеять генеральную уборку. — Ритка сразу же поджала губы. — Домработницу отправлю в отпуск, так что ты будешь по хозяйству.

— Но... — Ритка сделала слабую попытку отстоять свои права, но Стас ее немедленно пресек:

— Возможно, тебе придется прятаться в гараже.

— С какой стати? — перепугалась она.

— Боюсь, нам всем предстоит терпеть некоторые неудобства, — вздохнул он. — Рита, ты готовить умеешь?

— Ну...

— Правда, умеешь?

— Умею. Это Маня ничего не умеет, а я хорошая хозяйка.

— Будем надеяться, что так оно и есть, — не очень-то поверил Стас. — Значит, ты по хозяйству, а мы с Маней займемся убийцей. Для начала постарайся вспомнить малейшие подробности того рокового дня.

— Чего? — испугалась Ритка.

— Еще раз расскажи о вашей ссоре с Севкой.

— Так я...

— Я тебя в гараж отправлю, — рассвирепел Стас, и Ритка с большой неохотой повторила свой рассказ. Далее Стас задал огромное количество вопросов.

Вскоре мне стало ясно, чего он добивается: пытается вычислить временной промежуток, в который убили Севку. Получилось следующее: примерно в 14.15 Севка

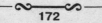

с Риткой начали скандалить, ушло на это минут двадцать, следовательно, в 14.35 Ритка покинула квартиру. Соседка видела ее в 15.30, если не путает, конечно. Ритка пробыла в квартире минут двадцать, обнаружила труп, страшно перепугалась и рванула со всех ног, прихватив бейсбольную биту. Если все так, значит, Севка погиб в получасовом промежутке, где-то между 14.35 и 15.05. За полчаса кто-то проник в квартиру, убил Севку и благополучно смылся. Осталась сущая ерунда: узнать, кто он такой. К вопросу Стас подошел ответственно.

— Просто так людей не убивают, должна быть причина. На ограбление не похоже, раз ничего не пропало. Ничего не пропало? - нахмурился он, глядя на нас.

— Не знаю, — пожала плечами Ритка и тоже уставилась на меня.

— Мебель, посуда и картины на месте, — отрапортовала я. — Меня милиция этими вопросами замучила.

— Терпи. Значит, исходим из того, что это не ограбление. Чем ваш Севка занимался?

Я ответила на этот вопрос пожатием плеч, а Ритка выразила недоумение:

— Ничем.

— Что, вообще ничем?

— Похоже, что так. Когда мы познакомились, врал, что работает в фирме «Белый парус», я даже к нему туда приезжала. Кабинет у него шикарный, табличка на двери, коммерческий директор...

— С чего же ты тогда решила, что он врал?

— Я его все про работу выспрашивала, потому что уж очень много времени он уделял личной жизни, и это было подозрительно. У настоящих бизнесменов времени всегда не хватает, вот взять хоть нашего папу, у него его вовсе не было. А тут: клуб, сауна, теннис, бассейн... Это нормально?

— Да, обширная программа, — кивнул Стас.

— Я забеспокоилась. Не люблю, когда мне вручивают. Ну, я нашла частного детектива.

— Что? — ахнули мы.

— Наняла сыщика, — повторила Ритка, — и он мне за триста баксов все выяснил.

— Чего ж ты молчала? — разволновался Стас. Я повода волноваться не видела, но на всякий случай нахмурилась.

— А кто меня спросил?

— О, черт... где отчеты?

— Какие? — забеспокоилась Ритка.

— Те, что ты получила от сыщика?

— Какие отчеты? Он мне позвонил и сказал, что Севка нигде не работает. Он этот... прожигатель жизни. Точно так и сказал.

— Отлично, — хихикнул Стас. — Ценная информация за триста баксов. Чтобы успешно прожигать жизнь, бабки нужны, так откуда они у Севки?

— Я к этому и веду, — спокойно заметила Ритка. — Если прожигаешь, значит, есть что. Хотелось бы знать, сколько у него там, чтоб не лопухнуться.

— Чего? — слегка растерялся Стас.

— Того самого, бабок то есть, — удивилась Ритка. — Ну, я Севку за жабры, так говорю и так, в «Парусе» ты не работаешь, ты там раз в месяц появляешься и то непонятно по какой надобности.

— А он что?

— Начал каяться. У тебя, говорит, муж известный человек, не хотелось в грязь лицом и все такое...

— Ну? — поторопил Стас.

— Говорю ему, а бабки откуда? А Севка мне про эти... инвестиции. Он хозяину «Белого паруса» в свое время денег дал на развитие и сейчас получает свой за-

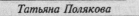

конный процент. Деньги, говорит, небольшие, но жить можно. Вот и все.

— Должны быть какие-то бумаги, — заметил Стас. Не знаю, почему его этот «Белый парус» заинтересовал. А по-моему, и так все ясно.

— Бумаг в доме нет, — покачала Ритка головой. — Я искала. Хотела поточнее знать... ну, какой конкретно процент. Если и были бумаги, он их хранил в надежном месте.

— Не понимаю, зачем нам какие-то бумаги, — осмелилась подать голос я. — Не из-за бумаг же Севку убили?

— Есть такие бумаги, из-за которых вполне могут убить, — порадовал Стас. — Значит, Севка был состоятельным человеком.

— Деньги у него водились, но много денег никогда не бывает, это ж и дураку известно.

— Ладно, с «Белым парусом» разберемся, сыщика твоего навестим, надеюсь, ты помнишь, где его офис?

— Помню. Зачем тебе сыщик?

— Может, пока он за Севкой следил, заметил что-то интересное? Должен быть повод для убийства. Ты Севкиных друзей знаешь? — вновь обратился он к Ритке.

— Никаких друзей у него не было, — уверенно заявила она. — По крайней мере, я о них не слышала.

— А где Севка раньше жил?

— На Мичурина квартиру снимал. Квартира так себе. Когда наш папа умер, он к нам напросился, вроде для того, чтобы побыть со мной рядом в трудную минуту, но я потом проверила, квартиру он освободил. В общем, решил сэкономить.

— Занятно, — покачал головой Стас. — Ни работы, ни квартиры, но деньги водятся. Зато друзья отсутствуют. А родственники есть? — с надеждой спросил он.

— О родственниках точно не слышала.

— А может, есть родственники? — влезла я. — Ведь откуда-то он взялся?

— Проверим, — кивнул Стас, а Ритка хмыкнула:

— Не родственники же его убили.

— Может, он наследство получил, — пожал плечами Стас, — за что и схлопотал по голове.

Данное замечание произвело на Ритку впечатление, она вдруг задумалась и загрустила, тревожно поглядывая на Стаса. Конечно, я ее понимала: окажись Стас прав, перенести такое нелегко. Мало того, что Ритка лишилась любовника, если выяснится, что на момент кончины он был миллионером, это, вне всякого сомнения, сведет ее в могилу. Я ей искренне сочувствовала, однако оказалась не права: не те мысли ее одолевали. Лишь только мы остались одни (Стас пошел переодеваться), Ритка схватила меня за руку и взволнованно зашептала:

— Он нашел папины деньги.

— Кто? — растерялась я.

— Севка, естественно. Он их нашел, и его за это убили. Соображаешь?

— Подожди, — нахмурилась я. — Во-первых, вилами на воде, что нашел, во-вторых, если допустить, что все-таки нашел, совершенно невероятно, что он кому-то рассказал об этом.

— А если его выследили? На папино наследство охотников много... Севрюгин, — взвизгнула она. — Точно, это он Севку убил и деньги увел.

— Подожди, — отмахнулась я. — Севрюгин о Севке знать не знал. Если мы начнем кидаться из стороны в сторону, толку от этого не будет.

— А я тебе говорю, это Севрюгин. Рожа бандитская и на папину могилу смотрел с вожделением.

— Что ты болтаешь? — возмутилась я.

— Ну, не знаю, однако чувствую, тут не обошлось без наших денег. Севка их искал, может, и проболтался кому. А человек этот, решив подстраховаться, устроил за Севкой слежку и в самый подходящий момент раз и... зачем-то Севке понадобился папин паспорт. Маня, нас ограбили, — со слезой закончила она. Я только вздохнула.

— У тебя сейчас не о том голова должна болеть. Ты б лучше кого из Севкиных друзей вспомнила.

— Нужны мне были его друзья...

— Слушай, ты Севку никогда не видела с таким рослым парнем: темные волосы, лицо лошадиное, глаза, кажется, карие, губы узкие, неприятный такой тип.

— Нет, — ответила Ритка. — Я его вообще ни с кем не видела. В общественных местах он меня с друзьями не знакомил, а в доме я бы никого не потерпела. Не хватало только, чтобы нас ограбили. А почему ты спросила об этом парне?

— Видела сго с Севкой.

— И что?

— Ничего. — Я нахмурилась и вдруг неожиданно для себя позвала: — Стас...

Ритка схватила меня за руку.

— Ты что, с ума сошла?

— В каком смысле?

— Не вздумай рассказать этому прохвосту о папином наследстве. Без штанов оставит, это ж ясно, стоит лишь взглянуть на его физиономию.

Ответить я не успела, потому что в комнате появился Стас.

— Я видела Севку с одним парнем, — торопливо заговорила я, — как раз вчера. Они встретились, а затем поехали к нам каждый на своей машине.

— Почему ты думаешь, что к вам? — насторожился Стас.

— Я их немного проводила. Не до квартиры, до поворота на Мыльную. Но ясно было, Севка домой едет, а этот сзади пристроился.

— Хочешь сказать, следил за Севкой?

— Нет, — подумав, ответила я. — Скорее ехал следом.

— Подожди, они встретились и поехали в сторону вашего дома, так? Но парень держался чуть сзади... Вдруг он все-таки за Севкой следил?

— Ну, не знаю, — не стала я настаивать. — Хотя непохоже, что следил. Просто ехал сзади.

— В котором часу это было?

Я поразмыслила и с уверенностью ответила:

— Где-то после часа. В 13.10 скорее всего.

— А Ритка появилась в квартире...

— Примерно в половине второго. Севка рылся в папином кабинете, меня это возмутило. Дальше вы знаете.

— Что получается? Парень проводил Севку до дома, возможно, даже был в квартире...

— А возможно, им было просто по пути, — поняв, что имею дело с натурами увлекающимися, перебила я, — оттого и ехали в одну сторону. До дома я их не провожала.

— В любом случае с парнем не худо бы встретиться. Номер машины не запомнила?

— Я его записала, — кивнула я, — на дяди-Витиной визитке. Она в кошельке.

Вместо того, чтобы порадоваться, Стас неожиданно нахмурился.

— А зачем ты его записала?

— На всякий случай.

— Стоп. Ты увидела Севку с этим парнем, решила

немного их проводить и даже записала номер тачки. Почему?

— Этого парня я видела раньше, — пояснила я. — Когда тебе без конца попадается на глаза один и тот же тип, поневоле будешь обращать на него внимание. И вдруг я вижу его с Севкой...

— А где ты видела его раньше?

— В доме, где жил Славка, потом в подъезде, помнишь, когда шел дождь?

Стас минуту размышлял, затем сказал, пожимая плечами:

— Пожалуй, совпадений что-то многовато.

— Что ты имеешь в виду? — насторожилась я.

— Ты видишь его в Славкином доме, затем, как будто случайно, встречаешь его в подъезде.

— По-твоему, он за мной следил? — наконец-то дошло до меня.

— Оба раза он входил в подъезд после тебя?

— Да.

— Тогда похоже, что следил. По крайней мере, такая вероятность существует.

— Но зачем кому-то следить за мной?

— Понятия не имею, — пожал плечами Стас. — Логично предположить, что это связано с ограблением блинной.

— Что еще за Славка? — нахмурилась Ритка.

— Одноклассник.

— И что я должна понять? — возмутилась она. Пришлось рассказать ей о роли Славки в ограблении. — И его убили? — вытаращила она глаза. — Что делается. Его убили, Севку убили, и оба раза по соседству пасся этот тип.

— Подожди, не фантазируй, — осадил ее Стас. — Скажи на милость, какая может быть связь между Севкой и этим Славкой, который себе на прокорм бутылки собирает? Лично я склоняюсь к мысли, что парень следил за Маней. И нанял его для этого дела, возможно, сам Севка. Вот они и встречались, скажем, для отчета или чтобы деньги передать.

— Зачем Севке следить за Маней? — забеспокоилась Ритка, беспомощно глядя на меня. Ответить на этот вопрос не представлялось возможным без того, чтобы не посвящать Стаса в историю о наследстве. Котелок у Ритки варил не хуже моего, оттого она досадливо сплюнула и сказала: — С него станется.

— Вы знаете причину? — подозрительно спросил Стас.

— Чего? — попробовала юлить Ритка, а я пожала плечами.

— Это твоя версия, а не наша. Просто так за человеком не следят, значит, причина должна у Севки быть. Давай попробуем найти этого парня и все узнаем.

— Попробуем, — кивнул Стас и дал мне на сборы двадцать минут, так у него душа горела во всем разобраться. Согласитесь, выглядело это весьма подозрительно, если учесть, что бизнесмены народ занятой. Конечно, можно предположить, что он влюбился в меня до потери рассудка, так что и о деньгах забыл, но как-то я в это не верила.

В общем, загадок хоть отбавляй, но сама я понятия не имела, как проводить расследование, а Ритке помочь была обязана. В результате я решила глаз не спускать со Стаса и ни одному его слову не верить.

Нашим планам сию минуту начать расследование не суждено было осуществиться. В дверь позвонили, Стас пошел открывать, вернулся в гостиную на цыпочках и замахал руками, призывая Ритку исчезнуть. Та позеленела с перепугу и быстро покинула гостиную, направившись в спальню, и для верности забралась в шкаф. Стас вернулся в холл, а через полминуты появился в сопровождении двух мужчин, с которыми я имела счастье познакомиться накануне. Излишне говорить, что оба принадлежали к правоохранительным органам.

— Добрый день, Мария Анатольевна, — приветствовали они меня. — Пытались до вас дозвониться, безрезультатно.

— У меня деньги кончились, — порадовала их я.

— И дома вы со вчерашнего дня не появлялись.

— По-вашему, разумно ночевать в квартире, где только-только труп нашли?

— А где вы ночевали?

— Здесь, — пожала я плечами. — Стас мой друг, и вполне естественно...

— Да-да, конечно. Друзья, как известно, познаются в беде. Мы надеялись застать вас на работе, — повернулся к Стасу следователь. Звали его Артем Петрович, и он мне еще вчера не понравился, вредный какой-то.

— Мария Анатольевна неважно себя чувствует, — ответил Стас. — Вы правильно заметили, друзья познаются в беде, оттого я в это трудное время рядом с Маней, а не в офисе.

— Да-да, — опять закивал Артем Петрович, при этом улыбался он так ядовито, что я испугалась: неужто разнюхал про Ритку? — Ваша мачеха вам случайно не звонила? — резко сменил он тему, но я была начеку.

— У меня мобильный отключен, я же вам сказала. А дома я со вчерашнего вечера не была.

— Возможно, она звонила сюда?

— С какой стати? Они со Стасом даже не знакомы. Ни фамилии, ни номера его телефона у Риты нет.

— Собственно, я спросил так, на всякий случай, а

разыскивали мы вас по другой причине. Очень бы не хотелось вас огорчать, но, как говорится...

— Кого опять убили? — брякнула я.

— На этот раз обошлось без убийства, — сообщил Артем Петрович, его приятель скроил скорбную мину, а он продолжил: — Но... осквернили могилу вашего отца.

— Что значит «осквернили»? — испугалась я.

— Какие-то сумасшедшие ночью разрыли могилу и вывезли гроб.

— Кому мог понадобиться гроб? — возмутилась я. — Второй раз его не используешь...

— Мы того же мнения, но факт остается фактом.

— Сумасшедший дом, — прошептала я, рухнув в кресло.

— Мне очень жаль, Мария Анатольевна, но вам придется поехать с нами.

— Конечно, — кивнула я, соглашаясь, и выпила валерьянки.

Стас категорически заявил, что поедет со мной, потому что в такой ситуации мне просто необходима поддержка. Артем Петрович с кислой миной согласился, и мы отправились в отделение, где потратили битых два часа впустую на составление никому не нужных бумаг, отвечая на глупейшие вопросы, а между тем мой несчастный папа... При мысли о папе я разрыдалась и долго не могла успокоиться. В результате количество вопросов сократилось, и я смогла выбраться из кабинета Артема Петровича несколько ранее, чем он планировал.

Не успели мы оказаться в машине, как на смену одному вопрошающему мгновенно объявился другой.

— Кому мог понадобиться твой отец? — спросил Стас.

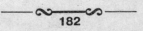

— Это риторический вопрос или ты рассчитываешь, что я на него отвечу?

— Может, есть какие догадки? — нашелся он.

— Ни одной. По-моему, только законченный псих будет красть гроб с кладбища.

— Это уж точно... А что там за история с твоим папой?

— Какая еще история? — насторожилась я.

— Он вроде бы погиб вдали от родины.

— Ну и что? Разве это объясняет, почему какие-то придурки стырили гроб?

— Нет, конечно. Просто вполне естественное любопытство.

— Что же дальше-то будет? — вздохнула я. — Ритка, теперь папа... Как думаешь, менты его найдут?

— Гроб? Для начала бы не худо понять, зачем он кому-то понадобился.

Если честно, я догадывалась, кому могла прийти в голову дикая идея вырыть папин гроб. Скорее всего, его дорогой друг просто не в состоянии поверить, что внезапно осиротел, и хотел убедиться, действительно ли папа покинул этот бренный мир. Знать бы, с чего это такая любовь. Ясно, что человек, способный стянуть гроб с кладбища, способен почти на все, следовательно, нас ждут суровые испытания.

— Нет, я с ума сойду, — пожаловалась я неизвестно кому и опять всплакнула.

— Куда едем? — минут через пять спросил Стас, все это время он гладил меня по плечу и уговаривал не убиваться.

— Хорошо тебе болтать, — огрызнулась я. — А если бы твоего папу украли с кладбища?

На это возразить было нечего, оттого Стас резко сменил тему и спросил:

— Куда едем?

— К тебе, — ответила я, — Ритка там от беспокойства с ума сходит.

Ритка в самом деле сходила с ума, бегала по огромному холлу, заламывая руки, время от времени замирая перед стеной, с остервенением стучалась в нее лбом. Такое зрелище кого хочешь вгонит в столбняк, а у меня и без того нервы были на пределе, и я подумала: «Может взять да и смыться куда-нибудь? На время? Пока нервные клетки не восстановятся». Но тут же мне стало стыдно: как же я брошу Ритку? Между прочим, ей намного, чем мне, хуже: мало того что все вокруг точно с ума посходили, так ее еще в убийстве обвиняют. Ритка отлепилась от стены и со вздохом сообщила:

— Я нервничаю.

— Вижу, — кивнула я.

— Почему вы уехали, ничего мне не сказав? Я сидела в шкафу целых два часа, прежде чем рискнула выйти, а вас и след простыл.

— Приезжала милиция, — вздохнула я.

— Зачем? — руки ее взметнулись к груди, лицо побледнело.

— Крепись, Рита. Сегодня ночью какие-то психи откопали папин гроб и куда-то его уволокли.

— Это Севрюгин, — прошептала Ритка, стиснув руки, точнее, стиснула она левую грудь, подняла очи к потолку и постояла так с полминуты. — Вот сукин сын, — заметила она в сердцах, — не зря он могилой интересовался. Что делается... Сначала нас пустили по миру, а теперь украли папу. Куда мы понесем свою скорбь и...

— Э-э... — робко вклинился Стас, но Ритка его не слушала.

— Рука чудовища лишила нас последнего утешения, — продолжила она. Ее лицо обрело изумительный

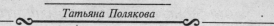

персиковый цвет, которого Ритка добивалась с таким усердием, а глаза метали молнии.

— Рука чудовища — это верно подмечено, — согласился Стас, когда Ритка успокоилась. Сдается мне, вдову не очень-то удивило святотатство.

— С чего ты взял? — насторожилась Ритка. — Хотя чему удивляться? В этом сумасшедшем мире можно ожидать чего угодно. Разве нет?

— Ладно, — пожал плечами Стас. — Надеюсь когда-нибудь удостоиться вашего доверия. Хочу напомнить, время неумолимо ускоряет свой бег, а мы как были в начале пути, так там и пребываем. В связи с этим возникает вопрос: мы займемся следствием или вам понадобится пара дней, чтобы унять свое горе?

— Папу необходимо отыскать, — глядя на меня, сказала Ритка.

— Я разделяю вашу скорбь, но для начала мне хотелось бы разобраться с убийством. Вы не находите, что это очень важно?

— Конечно, нахожу, — кивнула Ритка. — Но когда я думаю о папе... вы должны его найти.

— Я должен? — вытаращил глаза Стас.

— Ты же вызвался помогать? — возмутилась она.

— Конечно, однако речи о том, чтобы искать вашего почившего папу, все-таки не было. Давайте что-нибудь оставим милиции, должно же у них быть занятие на досуге.

— Я лишусь последнего здоровья, — подвела итог Ритка и повалилась в кресло. — А ты что думаешь? — обратилась она ко мне.

— Что я могу думать? Хочется, конечно, чтобы папа возвратился на свое место и обрел покой.

— Вот-вот, — оживилась она. — Что ты намерена предпринять?

— Думаю, Севрюгин в ближайшее время объявится, если это его работа. А что-то подсказывает мне — так оно и есть. Искать этого афериста затруднительно, коли мы толком ничего о нем не знаем, кроме сомнительного утверждения, что он старый папин друг. Значит, остается ждать.

— Хорошо, — подумав немного, кивнула Ритка, а Стас спросил:

— Могу ли я узнать, кто такой Севрюгин?

— Ты же слышал, папин друг.

— А с какой целью он похитил вашего покойного родителя?

— Спроси у него при случае. Наверное, хотел убедиться, что папа мертв.

— А папа мертв? — невинно поинтересовался Стас.

Мы с Риткой переглянулись, и мачеха с достоинством ответила:

— Такими вопросами не шутят, молодой человек.

— Прошу прощения, — расшаркался он и повернулся ко мне: — Мы едем или вы предадитесь печали?

— Едем, — поспешно согласилась я и, только оказавшись в машине, спросила: — А куда? У тебя что, есть план?

— Откуда бы ему взяться? — обиделся Стас. — Предлагаю для начала посетить фирму «Белый парус», раз Севка там трудился или вкладывал туда свои денежки. Может, удастся что-то нащупать...

— Не очень-то в это верится, — усомнилась я. — При чем здесь какая-то фирма?

— В основном при том, что ее хозяин — мой приятель. Думаю, он не откажет нам в услуге. Я ему позвонил, пока ты общалась с ментами, он ждет нас в кафе «Элвис». Заодно перекусим.

Кафе выглядело весьма респектабельно, а молодой мужчина, ожидавший нас, солидно. Дорогой костюм, галстук в полоску и золотые запонки. Последнее, с моей точки зрения, было явным перебором, но в целом смотрелось неплохо. Завидя нас, мужчина поднялся и, с интересом глядя на меня, протянул Стасу руку.

— Головкин Иван Сергеевич, — представил его Стас. — А это Маня. С ее мачехой случилась большая беда... Впрочем, я тебе рассказывал. Очень рассчитываю на твою помощь.

— Не уверен, что смогу помочь, но постараюсь, — сообщил Иван Сергеевич. Мы устроились за столом и сделали заказ. Мужчины некоторое время болтали о делах, к нашему появлению здесь никакого отношения не имеющих, и только когда я начала беспокойно ерзать, соизволили перейти к главному.

— Фамилия Лукин тебе знакома? — спросил Стас. — Лукин Всеволод Николаевич.

— В общем, да, — с усмешкой ответил Головкин.

— Его подруга утверждает, что он работал у тебя.

— Ты сказал, его убили? — уточнил Иван Сергеевич. — Я правильно понял?

— Правильно. Его убили в Маниной квартире и обвиняют в этом сс мачеху, по совместительству его подружку. Мы в этом очень сомневаемся и...

— И занимаетесь ерундой, — вновь с усмешкой заметил Иван Сергеевич. — Стас, ты же умный человек и обязан понимать, что убийства должны расследовать менты. — Тут он перевел взгляд на меня, затем обернулся к Стасу и кивнул. — Ну хорошо. Само собой, все, что я скажу здесь, здесь и останется.

— Само собой, — оживился Стас, а Головкин продолжил:

— Значит, так. Лукин числился в нашем штате то ли

менеджером, то ли кем-то еще. И деньги получал. Часть по ведомости, а часть в конверте. Каждый месяц. Сам я с ним ни разу не встречался и фамилии, честно говоря, не знал. Только после твоего звонка проявил интерес.

— Так он работал у вас или нет? — нахмурилась я. Мужчины переглянулись и с сожалением уставились на меня.

— Конечно, нет, — улыбнулся Иван Сергеевич. Надо признать, улыбка у него была шикарная, а зубы наверняка вставные, настоящие так не выглядят. К несчастью, в этом мире очень многое вызывает сомнение, как, к примеру, эта улыбка или слова Ивана Сергеевича.

— За что же он получал деньги? — рассердилась я.

— Вы, должно быть, далеки от бизнеса, — продолжая ласково улыбаться, заметил Иван Сергеевич.

— Я вообще-то экономист, правда, сейчас не работаю.

— Вам повезло. А я работаю. Часов по пятнадцать в сутки.

— Сочувствую, только при чем здесь Севка? — нахмурилась я. Мужчины вновь переглянулись.

— Кто его к тебе устроил? — спросил Стас. Головкин пожал плечами.

— Павлик, конечно.

— Выходит, он из их команды?

— Необязательно. К примеру, просто чей-то друг или приятель. Если у тебя есть связи...

— Найдем, — кивнул Стас.

— Я действительно ничего о нем не знаю, — заключил Иван Сергеевич и приналег на еду. Стас последовал его примеру, ничего другого не оставалось и мне.

— Если я вас правильно поняла, — минут через десять не выдержала я, — Севка у вас только числился. Но Рита говорит, что посещала его в вашем офисе, у

Севки был собственный кабинет с табличкой «коммерческий директор».

На лице Ивана Сергеевича появилось изумленное выражение.

— Коммерческий директор? — переспросил он.

— Да.

— Чепуха какая-то, — пожал он плечами. — А это не могло быть шуткой?

— Чьей шуткой? — начала я злиться.

— Знаете что, поговорите с моим замом. Он как раз имел дело с этим Лукиным, я его предупрежу.

С Головкиным мы простились возле кафе, он отправился совершать свой трудовой подвиг, а я наконец обрела возможность сурово заметить:

— Ничего не понимаю.

— Неудивительно, — серьезно кивнул Стас.

— В каком смысле? — насторожилась я.

— А ты в каком смысле сказала?

— Кончится это тем, что я, как Ритка, начну биться головой о стену. Севка у него работал или нет?

— Ты же слышала, он получал деньги.

— За что?

— За место под солнцем.

Я немного пошевелила мозгами и наконец-то начала соображать.

— Никаких денег Севка в бизнес Головкина не вкладывал?

— Конечно, нет.

— Но деньги получал?

— Не для себя.

— Головкин платил за «крышу»?

— Я восхищен твоей сообразительностью.

— Но если эти деньги Севка просто передавал другому лицу, то на что же он тогда жил? Не думаю, что он был Рокфеллер, но «Ауди» чего-то стоит, и в тратах он себя не урезал.

— Откуда деньги, мы и попытаемся узнать.

— Ты хочешь встретиться с Павликом? — догадалась я.

— С кем? — удивился Стас. — А-а... нет, вот с ним мне точно встречаться ни к чему.

— Почему?

— У нас аллергия друг на друга.

— Ты можешь ответить по-человечески? — возмутилась я.

— Могу, — покаянно вздохнул Стас. — Павлик, в миру Павленко Сергей Витальевич, будучи юношей, посещал спортшколу, которую я тоже посещал. Он считал себя выдающимся самбистом, подозреваю, считает так и сейчас. Но у меня он ни разу не выиграл, — самодовольно сообщил Стас, а я с тоской подумала: «Он еще и выпендрежник», но вслух спросила:

— И поэтому у вас взаимная аллергия?

— У него поэтому, а у меня по другой причине. Когда я начал заниматься бизнесом, он активно пакостил мне.

— Аллергию лечил?

— Точно. Мне даже пришлось перебраться в другой район города. Сама понимаешь, повод любить его у меня отсутствует.

— Все мужчины — сумасшедшие, — покачала я головой. — Как же мы узнаем, чем занимался Севка, если у вас взаимная аллергия?

— Вовсе необязательно беседовать о Севке с самим господином Павленко. Там у меня немало старых приятелей, которые не прочь поболтать со мной.

— Занятные у вас отношения. Что ж, поедем к приятелям?

— Сначала не худо бы договориться о встрече. Такие люди, как правило, заняты. То запой, то сауна...

— Тогда звони.

Он сделал несколько звонков, но лишь четвертый по счету стал удачным, Стас договорился о встрече. Предыдущие трое абонентов, должно быть, в самом деле пребывали в запое, ибо связно говорить не могли.

Встреча была назначена на завтра. Итак, наше следствие заметно тормозится, а Ритка между тем бьется головой о стену. И вообще, искать убийцу совсем неувлекательно, наоборот, даже скучно.

Я покосилась на Стаса, не ожидая от него никаких дельных предложений, но, оказывается, они у него были.

— Давай посетим частного детектива.

Я с готовностью кивнула, и мы отправились в офис, который снимал детектив. Впрочем, назвать эту халупу офисом язык не поворачивался.

Контора размещалась в двухэтажном доме, неподалеку от вокзала. Дом был до того ветхим, что власти сочли необходимым жильцов выселить, как говорится, от греха подальше, но дом почему-то не снесли, хотя это было бы, безусловно, самым разумным решением. Более того, кто-то из отцов города решил, что если дом не снесли, простаивать он не должен, и помещения сдали в аренду. Весь второй этаж занимала община евангелистов, о чем я узнала из объявления на двери, где сообщалась дата очередного собрания, на первом — пункт приема стеклопосуды, крошечный магазин «Журналы и газеты» и офис господина Тихонова Ильи Владимировича (так значилось на визитке, прикрепленной к обшарпанной двери кнопкой).

Мы постучали, нам не ответили, и мы на свой страх

и риск вошли. Несмотря на солнечный день, в комнате царил полумрак, так как были опущены жалюзи на двух окнах, третье выходило во двор, прямо на раскидистое дерево, где в настоящий момент сидела ворона и громко каркала.

Комната была небольшой и практически без мебели — стол, два стула возле стола и два возле двери, облезлый шкаф, тумбочка с электрочайником на ней и рекламным плакатом на стене, выполненном, безусловно, самодеятельным художником: «Семейные проблемы, угон автомобилей — быстро и по доступным ценам».

В первый момент я решила, что помещение пустует, но вдруг мужской голос недовольно произнес:

— Заткнулась бы ты, дура, без тебя тошно. — А вслед за этим из-под стола появился мужчина в светлых брюках на подтяжках и полосатой рубашке. Двигаясь на четвереньках, он вроде бы что-то искал, заметил нас, покраснел и добавил: — Ворона. — Поспешно выпрямился и принялся жаловаться на жизнь. — С утра телефон отключили, опять что-то роют. Повредили кабель. Роют и роют, что за манера такая? Невозможно работать... Здравствуйте, — точно опомнившись, произнес он.

— Здравствуйте, — лучезарно улыбаясь, поприветствовал его Стас, пока я пребывала в некотором недоумении. И офис, и дурацкий плакат, а главное, сам хозяин ничего общего с моими представлениями о частном сыщике не имели. Ни тебе красавца с белозубой улыбкой в лихо заломленной шляпе с широкими полями и кобурой под мышкой, ни юной секретарши, с обожанием взирающей на героя. Чувство юмора и способность насмешливо смотреть смерти в глаза, судя по всему, тоже отсутствовали. Дядька (на вид сыщику было никак не меньше шестидесяти) походил на бухгалтера крошечной конторы, что-нибудь вроде «Семена — почтой».

Сморщенное личико, редкие седые волосы, настороженный и едва ли не пугливый взгляд. Ростом сыщик тоже не вышел, а комплекцией напоминал рахитичного подростка.

— Это вы сами придумали? — кивнув на плакат, осведомился Стас.

— А что? — насупился хозяин. Надо сказать, наше появление его обеспокоило, он явно не мог взять в толк, что нам могло у него понадобиться. Дабы дядька не решил, что мы ошиблись дверью, Стас ткнул пальцем в том направлении и вновь спросил:

— Визитка ваша?

— Моя.

— У нас к вам дело.

— Садитесь, пожалуйста, — гостеприимно предложил детектив, однако настороженность из его глаз не исчезла.

Мы заняли два стула. Илья Владимирович беспокойно ерзал, наблюдая за нами.

— Семейные проблемы — быстро и по доступным ценам — это что такое? — не удержалась я. Плакат продолжал волновать меня, будоража любопытство.

— Видите ли, я в основном специализируюсь на супружеской неверности. Помогаю в розыске угнанных автомобилей. А вы по какому вопросу?

— Супружеская неверность, — с готовностью кивнул Стас. — Примерно месяц назад к вам обращалась некая особа. Маня, покажи фотографии.

Я достала из сумки фото, где мы были запечатлены всей семьей в редкую минуту, когда папе удавалось присоединиться к нам. Папа сидел в центре, а мы с Риткой стояли, держась за его плечи. Фотография мне нравилась, хотя папа выглядел на ней слегка испуганным, точно подобное счастье было ему в диковинку и оттого слегка тревожило.

— Вот эта дама, — ткнул Стас пальцем в изображение Ритки. — Она убедительно просила вас кое-что узнать о своем друге.

— Вот об этом господине? — кивнул Тихонов на папу.

— Он умер, — влезла я, должно быть, не к месту. Оба взглянули на меня с неодобрением. — Ее друг гораздо моложе, высокого роста, русые волосы, голубые глаза, из характерных примет — крупная родинка на левой щеке.

— Не могу припомнить, — нахмурился дядька. Стас выложил перед ним пятисотенную, и облик его изменился, стал строже и как-то значительнее. — Эта дама действительно обращалась ко мне, — ответил он с достоинством, жестом фокусника сметая купюру в ящик письменного стола. — И я самым ответственным образом выполнил поручение, о чем и отчитался перед клиенткой.

— Вы наблюдали за ее другом длительный промежуток времени? — спросил Стас.

— Три дня. Мадам хотела знать, где он работает. Он нигде не работал. Чтобы выяснить это, много времени не потребовалось.

— Занятно.

— Типичный бездельник, сорил деньгами, в общем, прожигал жизнь.

— Чтобы сорить деньгами, их для начала надо заиметь. Но если молодой человек нигде не работал...

— Послушайте, — возмутился дядька, — клиентка желала знать, где он работает, а не где берет деньги. Кстати, почему вас вдруг заинтересовало это дело?

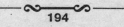

— За свои деньги вопросы здесь задаю я, — вежливо ответил Стас.

— Вы даже не представились, — заметил дядька, но тоже вежливо.

— Не думаю, что наше знакомство будет иметь продолжение.

— Насколько мне известно, молодой человек, которым вы интересуетесь, убит. Но вы ведь не из милиции?

— Вы считаете, менты вам заплатят пятисотенную?

— Да уж... — покачал головой дядька. — Кажется, мою бывшую клиентку подозревают в убийстве?

— Вы информированы.

— Телевизор смотрю, стариковская привычка.

— В данном случае похвальная. Если вы так хорошо осведомлены, может, ответите на вопрос: с кем встречался в эти три дня ваш подопечный? Не было ли среди них мужчины выше среднего роста, плечистого, лицо лошадиное, глаза карие...

— Вы меня не так поняли, — внезапно испугался Илья Владимирович. Испуг его был столь явным, что скрыть его у дядьки не хватило сноровки. — Я три дня потратил на всю работу, а не на слежку. Я вовсе за ним не следил. Мадам интересовало, где он трудится, а не то, как он проводит время. Чтобы выяснить...

— Да-да, — перебил Стас, сопровождая кивок ласковой улыбкой. — Вы уже говорили. И все же... — На столе вновь появилась пятисотенная, а я испугалась, что дядьку хватит удар, столько страдания было в его глазах, когда он смотрел на купюру. Рука, лежавшая на столе, нервно подрагивала. Я ожидала, что дядька повторит свой фокус с исчезновением купюры, но он решительно отодвинул ее.

— Все, что мог, я уже рассказал. Если вы намерены настаивать, я буду вынужден просить вас удалиться.

— Хорошо, — пожал плечами Стас, сгреб банкноту и направился к двери. Я поспешила за ним, хотя и считала его поведение неправильным: следовало попытаться уговорить дядьку: ясно, что ему что-то известно, не зря он так испугался. — Что ж такого он видел? — пробормотал Стас, когда мы оказались на улице.

— Почему бы не спросить об этом у него? — возмутилась я.

— Дядька жизнью битый и испуган по-настоящему, приставать с расспросами — напрасный труд. Телефон у него отключен, так? — спросил Стас, оборачиваясь ко мне. Если честно, про телефон я забыла, но сознаться в этом не хотела, раз умение все видеть и запоминать первейшая обязанность сыщика, оттого ответила без уверенности в голосе:

— Так.

— Бьюсь об заклад, мобильного у него нет, такие дядьки на редкость прижимистые.

— Допустим.

— Быстро в машину, — скомандовал Стас.

Я терялась в догадках, что он затеял, но к машине бросилась со всех ног. И вовремя. Только-только мы покинули двор и отъехали в ближайший переулок, как появился Тихонов. Еще когда мы садились в машину, я заметила, что дядька за нами подглядывает, слегка приподняв одну из створок жалюзи. Только я хотела указать на это Стасу, ткнув в окно пальцем, как он заявил:

— Вижу. — И стремительно выехал со двора, свернул в переулок, затормозил, и вот тогда появился Тихонов. У тротуара приткнулись старенькие «Жигули» прямо напротив магазина «Журналы и газеты», к ним Тихонов и направился, сел в машину и помчался как угорелый. Глушитель выл, машина жутко сотрясалась, и казалось, что она сию минуту рассыплется, но ничего

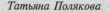

подобного, дядька удалялся от нас, а нам оставалось только смотреть ему вслед: улица была совершенно пустынной, так что не заметить нас Тихонов не мог, приди нам в голову счастливая мысль его преследовать.

Стас, однако, воспринял неожиданное препятствие совершенно спокойно, по переулку выехал на соседнюю улицу и далее следовал в том же направлении, что и Тихонов. На пересечении Гагарина и Речной Тихонов притормозил, и мы тоже притормозили, движение здесь было оживленным, и Стас, не боясь разоблачения, еще немного просхал вперед. Я с любопытством ожидала, что будет дальше, и с разочарованием вздохнула, увидев, что сыщик бегом направляется к телефону-автомату.

— Кому он звонит? — спросила я. Стас ответить не мог и дипломатично пожал плечами.

Между тем Илье Владимировичу ответили, и он заговорил, причем очень эмоционально. Беседа длилась минуты три, после чего он не спеша вернулся к своей развалюхе. На ближайшем светофоре развернулся и покатил в контору. Проводив его до двухэтажной халупы, мы проехали мимо.

Не знаю, как Стас, а я чувствовала себя обманутой. Что толку гоняться за кем-то по городу, если ничего полезного узнать мы все равно не можем? Именно об этом я и заявила Стасу. Он кивнул, вроде бы соглашаясь, но выглядел погруженным в себя, мы находились в квартале от офиса Тихонова, и я начала слегка нервничать — какого черта мы тут стоим? Либо вернуться в контору и хорошенько тряхнуть этого пройдоху (все великие частные детективы именно так бы и сделали), либо отправляться восвояси.

— Стас, — позвала я через минуту, — почему мы здесь стоим?

— У меня странное чувство, — задумчиво ответил он, — будто за нами наблюдают. У тебя такого чувства нет?

— У меня есть чувство, что этот хмырь водит нас за нос.

— С хмырем разберемся. Сдается мне, не одни мы им интересуемся.

— С чего ты взял? — забеспокоилась я.

— Сложно объяснить. Еще когда от кафе ехали после встречи с Головкиным, мне вдруг стало как-то не по себе, вроде кто-то в затылок смотрит.

— И что?

— Сейчас это чувство усилилось.

— И что нам делать?

— Я думаю.

Думал он еще минуты три, после чего набрал номер на мобильном и позвал:

— Максим? Привет. Нужны грамотные ребята, присмотреть за одним типом. — Стас назвал адрес конторы Тихонова. — Прямо сейчас. И еще. Я в районе улицы Речной, сейчас двину в сторону проспекта Строителей, пусть по дороге кто-нибудь за мной пристроится и проверит, нет ли «хвоста». Да... затылок у меня, понимаешь, огнем горит. — Стас закончил разговор, а я взглянула на него с настороженностью.

— Кто такой этот Максим?

— Приятель, — ответил Стас, и стало ясно, что развивать данную тему он не намерен.

Мы направились в сторону проспекта. Как я ни вертела головой, ничего подозрительного обнаружить не смогла, так что неясно было, пристроился за нами кто-то по просьбе Стаса или нет.

— Куда мы едем? — устав от напрасных трудов, спросила я.

— В ГИБДД. — Стас очнулся от глубокой задумчивости и начал реагировать на окружающее, в том числе и на меня. — Хочу проверить номер «Хонды», который ты записала.

Это показалось мне разумным, и я согласно кивнула.

В здание ГИБДД я со Стасом не пошла, у меня аллергия на типов с полосатыми палочками, оттого я предпочла остаться в джипе. Зная, как эти деятели работают, я ожидала состариться в машине, но Стас вернулся в рекордно короткие сроки, чем, признаться, не порадовал меня. Если вернулся так быстро, значит, приехали мы сюда напрасно. Однако я была не права. Стас продемонстрировал мне бумажку с адресом и фамилией владельца «Хонды».

— Оперативно, — порадовалась я. — Поедем к нему?

— Поедем, но сначала пораскинем мозгами. Если этот парень как-то связан с убийством, свалиться ему как снег на голову не очень разумно. — Я согласно кивнула. — Если ты обратила внимание на то, что его физиономия мелькает перед тобой довольно часто, то и он мог обратить внимание на тебя. В этом случае показываться ему на глаза не стоит. Значит, идти надо мне и желательно с каким-то предлогом.

— У тебя ведь крыло помято? — обрадовалась я. Разумеется, радовалась я не помятому крылу, а своей сообразительности. — Вот и скажи, что тебя тюкнула на светофоре «Хонда» с похожими номерами.

— Гениально, — кивнул Стас с серьезным видом, и я вновь заподозрила, что он издевается.

Дом, где проживал предполагаемый владелец «Хонды», мы отыскали с трудом. Вокруг высились много-этажки, а между ними каким-то невероятным образом затесалось деревянное одноэтажное строение, по виду совершенно нежилое. На крыльце, от которого остался один столб и жуткого вида навес, способный рухнуть в любой момент, дремала собака.

— Здесь никто не живет, — нахмурилась я, но зана-вески на окнах это утверждение вроде бы опровергали. Стас отправился на разведку и вернулся буквально через минуту.

— Ни души. Дом похож на казарму и как-то не ве-рится, что человек, способный приобрести «Хонду», будет жить здесь.

Мне тоже не верилось. Только мы собрались отпра-виться обратно несолоно хлебавши, как во двор сверну-ла старушка в ситцевом платье, с большой хозяйствен-ной сумкой в руках и клюшкой, на которую она опира-лась. Мы вызвали взаимный интерес друг у друга, она остановилась, разглядывая машину Стаса, а он напра-вился к ней, они одновременно произнесли:

— Здравствуйте, — и улыбнулись.

Старушка мне сразу же понравилась, такие бабуль-ки обычно очень наблюдательны.

— Простите, — продолжил улыбаться Стас, — Ко-нюший Олег Петрович — ваш сосед?

— Сосед, — ответила старушка. — Сорок лет в этом бараке прожили. Я помню, как его из роддома привез-ли. Сколько годов прошло, а точно вчера.

Мысль о роддоме Стасу явно не понравилась, так далеко его любопытство не простиралось, и он поспе-шил вернуть старушку к действительности.

— Где Олег сейчас, вы не знаете?

— Наверное, на работе, — ответила она, — или с друж-ками пьянствует, тут уж не угадаешь.

— А где он работает?

— Да где придется. Непутевый он. Хорошо хоть мать не видит всех его выкрутасов, царство ей небесное. И жалко его, дурака, и надоел он так, что уж сил нет никаких терпеть. Вот разъедемся, пусть живет как знает. Выселяют нас, — сказала она с гордостью, — только мы с Олегом остались, остальные, у кого семьи, уже выехали. И мы через две недели переедем, так барышня сказала, только вчера была.. уж и бумаги получили. Я Олежкину спрятала, чтоб не затерял по пьянке. Без бумаг, сами знаете...

— А у Олега машина есть? — спросил Стас, хотя мог бы и не спрашивать, понятно, что у пропойцы нужной нам «Хонды» нет.

— У Олега? Да откуда... дружок его, правда, на машине ездит.

— А какая у дружка машина, случайно не знаете?

— Нет, сынок. Машина и машина, цветом как топленое молоко. А зачем вам Олег, работу предложить хотите? Он хороший каменщик, и если не запьет, сделает все в лучшем виде. Все гаражи вон по ту сторону его. Никто не жаловался.

— Когда его лучше всего застать дома? — игнорируя ее вопрос, поинтересовался Стас.

— Лучше с утра. Вечером может припоздниться, да и напиться тоже может, а с пьяным какой разговор. Лучше часиков в восемь утра.

— Спасибо, — сказал Стас и, попрощавшись, направился к машине. Старушка дождалась, когда мы отъедем, и лишь после этого скрылась в доме.

— Может, он на машине друга катается? — высказала я догадку.

— Может, — пожал плечами Стас. Но я особо не радовалась. Закавыка была в том, что парень, трижды встреченный мною, на запойного вовсе не походил. Ни лицом, ни манерами, ни одеждой. Впрочем, если в тот момент он как раз пребывал в межзапойном состоянии...

Мои размышления прервал звонок на мобильный Стаса, он ответил, а я начала прислушиваться, потому что звонок напрямую касался наших разысканий. Звонивший представился господином Шестопаловым, заместителем Головкина, и предложил встретиться. Мы, в который раз за день, полетели через весь город и вскоре тормозили возле офиса «Белого паруса». Офис выглядел весьма достойно: облицовка мрамором, крыльцо с колоннами. В холле дежурил молодой человек, который отнесся к нам с теплотой и вниманием. Через две минуты мы были в кабинете Шестопалова, который решил угостить нас кофе.

Надо сказать, что рабочий день для большинства граждан давно уже закончился, коридоры опустели, из-за дверей не доносилось ни звука, но кое у кого, в том числе у хозяина этого кабинета, трудовой порыв еще не иссяк, чему я, по понятным причинам, радовалась — как всякий лодырь, я уважала чужое стремление к труду.

Стас с Шестопаловым встретились по-приятельски, меня представили, и я с удовлетворением отметила, что вызвала у Шестопалова интерес. Надо Ритке рассказать, пусть порадуется: вокруг столько мужчин со средствами, и у всех ко мне симпатия. Может, мне все-таки удастся выйти замуж? Тут я вспомнила о своем обычном невезении и загрустила, далее мысль перешла на события сегодняшнего дня и от грусти метнулась к беспокойству. Что бы мы сегодня ни делали, нас преследовали неудачи, а почему? Да потому, что я сопровождала Стаса. Ох ты господи... Передо мной встал выбор: либо не сопровождать его, либо надеяться, что удача все же улыбнется.

Выбор я сделать так и не успела. Стас, выпив кофе, заговорил о Севке.

— Его подруга утверждает, что у него в вашем офисе был собственный кабинет, и даже с табличкой «коммерческий директор».

Шестопалов, выслушав Стаса, засмеялся и дважды кивнул.

— Точно-точно. Лукин, то есть ваш Севка, имел дело со мной, хотя вряд ли это можно назвать делом. Короче, это я с ним контактировал. Никаких проблем никогда не было, и относился я к нему неплохо. Нормальный парень, знаешь, без этой дурацкой распальцовки и прочего. Короче, когда он обратился ко мне с просьбой, я согласился помочь, да и просьба-то была пустяковая, скорее даже смешная. — Шестопалов в самом деле засмеялся и продолжил: — Является ко мне Севка месяца полтора-два назад и рассказывает, что познакомился с бабой... прошу прощения. Женщина состоятельная, муж у нее Смородин, король утиля, ты наверняка о нем знаешь. — Стас кивнул, а я нахмурилась, в следующий раз при знакомстве стоит называть фамилию, дабы ничего подобного не выслушивать. — Так вот, Севка запал на дамочку и хотел произвести впечатление, соврал ей, что он у нас коммерческий директор. Просил выделить кабинет на полдня и даже табличку принес. Ну я и согласился. Это же вроде шутки.

— Но ведь дамочке ничего не стоило, к примеру, позвонить...

— Да она дура дурой. Севка сказал, раз увидит и успокоится, он ей что-то там наплел, мол, звони только на мобильный, в фирму — ни-ни.

— Занятно, — кивнул Стас, косясь на меня.

— Говорю, это было вроде шутки.

Из последующего разговора я сделала вывод, что Головкин своего зама в детали нашей с ним беседы не посвящал, скорее всего просто попросил ответить на вопросы по поводу Севки. Парень оказался на редкость болтливым, я-то решила, мы уже все выяснили и сейчас отправимся восвояси, но Стас продолжал сидеть, и я, естественно, тоже.

— Потом король утиля скончался и Севка перебрался к его вдове. Думаю, рассчитывал поживиться.

— Он что, сутенер? — вроде бы удивился Стас.

— Севка? Нет... но... ты что, не в курсе? У ее почившего муженька должны были быть сумасшедшие бабки, он еще в советские времена столько наворовал, сколько нам с тобой ни в жизнь не заработать. Но была у него шиза, до смерти боялся банков и никогда ничего на себя не оформлял. Даже машины. Так что денежки где-то лежат мертвым грузом.

— Почему же мертвым, раз есть наследница?

— Не одна, а две. У него дочь от первого брака. Девка лет двадцати с небольшим, говорят, красоты невероятной и жутко скверного характера, прошу прощения, — повернулся он ко мне. Я было испугалась, что он каким-то образом узнал меня, но оказалось, просто извинялся за недоброе слово в адрес женщины.

— Ничего-ничего, — с перепугу пробормотала я.

— Ну, подобраться к дочке нет никакой возможности. А вдова покладистая, вот Севка за ней и приударил, только в поисках сокровищ он не преуспел. Скорее всего и вдова о них ничего не знает, муженек погиб неожиданно и при крайне подозрительных обстоятельствах. Может, и не погиб вовсе, а попросту смылся и денежки с собой прихватил.

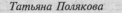

— Почему ты думаешь, что не преуспел? — поинтересовался Стас.

— Ну, если б действительно чего нашел, так не стал бы деньги занимать под сумасшедший процент.

— Он занимал деньги? — очнулась я.

— Точно. Приходил ко мне буквально накануне своей смерти. Рассказал какую-то фантастическую историю о приятеле, которому до зарезу нужно помочь. Если честно, я решил, что он врет, и денег не дал. А потом, логичнее занять у друзей, среди них у него есть весьма денежные люди. Я отговорился разными проблемами, и он ушел. Выглядел он тогда очень расстроенным. Я еще подумал, не задолжал ли он кому...

— Карты?

— Непохоже. Не слышал, чтобы он особо увлекался. Впрочем, может, правда, приятелю хотел помочь.

Стас задал еще пару вопросов, которые не показались мне интересными. Мы наконец откланялись.

— Его убили из-за долга, — еле дождавшись, когда мы окажемся в машине, выпалила я. — Он вернулся откуда-то и был страшно расстроен. Еще с машиной к нам пристал... — Тут я взглянула на Стаса и задумалась.

— В чем дело? — выждав пару минут, спросил он.

— Ничего, — буркнула я. — Севка утверждал, что у него что-то пропало из машины.

— Что-то? Он не сказал что?

— Тебе об этом ничего не известно? — не выдержала я.

— Между прочим, это оскорбление, — скорчив обиженную гримасу, ответил Стас.

— Я же просто спросила...

— Значит, он был расстроен, — напомнил Стас.

— Да. Мне так показалось. А когда увидел Витю с Вадимом, здорово перепугался и даже что-то сказал о времени, в том смысле, что оно у него еще есть... Мы на правильном пути, — порадовалась я. — Его точно убили из-за какого-то долга. Если мы узнаем, кому он задолжал...

— Подожди, что еще за Вася с Вадимом?

— Это к делу не относится. Приходили два чудика из-за убийства в кафе, когда меня в заложники взяли.

— А им что за дело до этого убийства?

— Они хотели отыскать убийц, не очень-то рассчитывая на милицию.

Похоже, на них уже никто не рассчитывает.

— Они надеялись что-то разнюхать о грабителях?

— Конечно.

— Про Славку ты промолчала?

— Само собой.

— Интересная штука получается, — нахмурился Стас. — Подожди, говоришь, когда Севка Васю с Вадимом увидел, испугался?

— Еще как.

— Если Вася и Вадим из команды убитого Рыжего, а Севка должен кому-то деньги и при виде их перепугался... А Севка наркотой не баловался?

— Нет, — замотала я головой. — Не похож он на наркомана, Севка был вполне нормальным...

В лице Стаса мелькнуло нечто похожее на озарение, так что я даже порадовалась: вот сейчас он раскроет все тайны и преподнесет мне их на блюдечке. Вместо этого он нахмурился, покачал головой и пробормотал:

— Черт...

Озарение исчезло, и я разочарованно вздохнула. Опять не везет. Закончив разговор, мы двинулись в сторону дома, где жил Стас, так и не придумав, что бы еще совершить в этот вечер, да и поздновато уже было для подвигов. Но добраться до дома без проблем нам не удалось, вновь Стасу позвонили на мобильный, и, судя по всему, новость ему не понравилась.

— Я сейчас приеду, — коротко бросил он и резко увеличил скорость. Теперь от его дома мы удалялись, и я сочла необходимым спросить:

— Куда мы едем?

— В контору Тихонова.

— Зачем? Что-нибудь интересное?

— Пока не знаю.

Я обиженно замолчала, минут через двадцать мы свернули на Речную, и Стас притормозил возле неприметного «Фольксвагена», из которого появился молодой человек, сел к нам в машину и сообщил:

— Тихонов из конторы не выходил. Время позднее, пора бы ему на отдых, во всем доме ни души, только он что-то засиделся. И что мне особенно не нравится — свет не включает, жалюзи опущены, а в темноте особо не поработаешь.

— Когда вы подъехали, он был на месте?

— Машина стояла во дворе. Гоша устроился в доме напротив и наблюдает, но если тебе интересно мое мнение — мы опоздали.

— Что же, придется проверить. — Стас и парень вышли из машины и я тоже, Стаса это вроде бы удивило. — Ты куда?

— С вами, естественно.

— Лучше сиди здесь.

— Вот еще, — обиделась я. Стас собрался что-то сказать, но промолчал, и мы зашагали к конторе Тихонова.

Все было так, как рассказал парень: магазин закрыт, на двери общины евангелистов замок, «Жигули» стоят под окнами, в самих окнах света нет, и жалюзи опущены. Мы вошли в подъезд, и Стас громко постучал в дверь, на которой красовалась визитная карточка. Никто не отозвался, а дверь оказалась заперта.

— Может, он смылся, а машину бросил? — высказала я предположение. Стас с силой пнул дверь ногой, и она открылась, что у меня удивления не вызвало. Дверь выглядела хлипкой, а Стас был здоровяком.

В первую минуту я ничего не увидела, впрочем, как и во вторую. В комнате был полумрак, темным пятном выделялся лишь стол да угадывались окна. Максим пошарил по стене рукой, вспыхнул свет, а я зажмурилась и не спешила открывать глаза, последнее время жизнь была щедра на сюрпризы. Мужчины прошли вперед, а я глаза все-таки открыла. Комната, вне всякого сомнения, была пуста, в этот момент Стас и его товарищ дошли до стола и дружно выругались. Я замерла и даже прижала руки к груди, прикидывая, сразу заорать или немного подождать.

— Что скажешь? — наклоняясь, спросил Стас. Максим тоже наклонился и принялся что-то рассматривать.

— Что там? — сообразив, что про меня забыли, спросила я. Стас повернулся и сообщил:

— Еще один труп. Нам везет.

— Может, тогда не стоит нам здесь оставаться? — испугалась я.

— Иди в машину. И ничего здесь руками не трогай.

Этого он мог бы не говорить, а то я детективы не читаю. Да я только их и читаю, любовные романы, конечно, тоже, но детективы мне больше нравятся.

Вместо того чтобы покинуть комнату, я продолжала стоять, не потому что труп такое интересное зрелище (впрочем, я его и не видела, чему была очень рада), просто оставаться одной было страшно. Кто знает, может, убийца где-то рядом.

— Стреляли в упор, — заговорил Максим, сидя перед столом на корточках, — с глушителем, иначе кто-нибудь услышал бы и ментов вызвал. Лежит давно, значит, убили его в промежутке между твоим отъездом и нашим появлением здесь: в комнату проникнуть невозможно без того, чтобы мы не заметили, вход отдельный, со второго этажа не спустишься.

— Меня кто-нибудь пас?

— Лева утверждает, что нет. Леве можно верить.

— Вряд ли мне показалось.

— Вряд ли, — согласился Максим. — Думаю, все просто: кто-то следил за тобой, ты явился сюда, Тихонов был напуган, кинулся кому-то звонить, и следивший решил, что для него он опасен. Когда вы уехали, он попросту его пристрелил. Ментов вызываем?

— Нет уж, базарить с ними никакого терпения не хватит, оставь дверь открытой, соседи должны обратить внимание... Вот черт, — раздраженно сказал Стас, — мою тачку наверняка видели...

— Не переживай, отбрешешься... Двигайте, а я здесь малость приберу.

Мы покинули контору и на углу обнаружили еще одного молодого человека. Сначала я испугалась, однако по реакции Стаса поняла, что они знакомы, скорее всего это тот самый Гоша, который вел наблюдение. Они поздоровались за руку, и парень спросил:

— Труп?

— Труп, — кивнул Стас.

— Хорошенькое дело... Ментам звонили?

Стас покачал головой.

— Максим сейчас появится.

— Ясно.

Что ему там было ясно, оставалось лишь гадать. Для меня же все было покрыто мраком кромешным.

— Кто его убил? — додумалась спросить я уже в машине. Само собой, Стас ответа не знал, но промолчать я не могла.

— Убийца твоего Севки, — вздохнул он. — Почти уверен. Тихонов, должно быть, видел его в компании Севки, когда следил за ним по просьбе Риты. Это он нам наплел, что просто справки наводил, а на самом деле... Наш визит его напугал. Почему? Что такого мы спросили? Старик знал, кто убийца, точнее, догадывался.

— И побежал ему звонить, — усмехнулась я. Стас недовольно покосился на меня, однако счел своим долгом развить эту мысль:

— Вовсе нет. Звонил он скорее всего человеку, от которого надеялся получить поддержку или просто желал быть лояльным по отношению к нему. — Если Стас думал, что смог что-то объяснить мне, то зря старался, видимо, это отразилось на моем лице, потому что он опять вздохнул и заговорил, на сей раз понятнее: — Севка числился в «Белом парусе» и получал деньги. Для кого? Для господина Павленко, в просторечии Павлика. Контора нашего сыщика-старикана находится на его территории. Логично предположить, что убиенному правила игры были хорошо известны, и, кто в районе хозяин, он знал доподлинно. Теперь слушай дальше. Наблюдая за Севкой, он мог убедиться, что Севка с хозяевами дружит, если и не убедиться, то догадаться. Вдруг Севка погибает, а у Тихонова появляемся мы и начинаем задавать вопросы. Кому это понравится? Старикан на вопросы отвечать отказывается, дабы не сболтнуть лишнего, а как только мы отчаливаем, торопится донести о нашем визите.

— И его за это убили? — подсказала я. Стас остался недоволен моим замечанием.

— Может, и за это, если предположить, что Севку шлепнули свои. Сама говоришь, увидев Васю с друж-

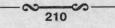

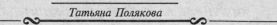

ком, он здорово перепугался и болтал что-то об оставшемся у него времени. Время вышло и... это один из вариантов, и он мне совсем не нравится.

— Почему? — испугалась я.

— По разным причинам личного характера, но и одной хватает за глаза: если Севку грохнули свои, Риткины дела хуже некуда. Убийца — наемник, и с Севкой его ничего не связывает. Тогда как прикажешь искать его? Объявление в газеты давать?

— Ты говорил, это один из вариантов, — напомнила я. По понятным причинам этот вариант Стаса мне очень не нравился, и я торопилась услышать второй, может, он будет оптимистичнее.

— Мы спрашивали, не встречался ли Севка с парнем, который мозолил тебе глаза? Старикан ответил отрицательно и по виду совсем не впечатлился. А если он все-таки сообразил, о ком речь, и это его здорово напугало?

— Я не пойму, в чем тут отличие от первого варианта?

— Старикана шлепнул убийца Севки, — заявил убежденно Стас. — Он следил за нами, вышел на старикана, визитка на двери его насторожила. А главное, он был уверен, что ребятишки Павлика найдут его гораздо быстрее родной милиции, и итог для него будет неутешительным.

— Допустим, все так и есть, — согласилась я. — Но если старик позвонил Павлику, какой был смысл его убивать, раз он все уже разболтал? По-моему, разумнее просто уносить ноги.

Стас с минуту таращился на меня не моргая, наверное, опять думал.

— Хорошая мысль, — кивнул он наконец.

— Чего в ней хорошего? — возмутилась я.

— То, что старик убийцу не знал, а позвонил с жела-
нием предупредить, что кто-то интересуется Севкой.
Он вернулся в контору, тут появляется убийца и задает
пару наводящих вопросов, затем решает, что старик
может быть опасен, и в результате у нас на руках труп.
Допустим, убийца тот самый парень...

— Которого я трижды видела? С таким же успехом
им может оказаться любой другой. Я встретила его в
доме Славки, потом в подъезде, когда пряталась от дождя, и в компании Севки. Подъезд отбросим, остаются
Славка и Севка. Ты же сам говорил: что общего у под-
ручного бандитов на шикарной «Ауди» и алкаша, сдаю-
щего бутылки? Да они знать друг о друге не знали. Так
что маловероятно, что парень на «Хонде» шел к Славке. — В тот момент я горько сожалела, что не проявила
должного любопытства в нужное время: что бы мне
тогда не подняться на пару ступенек и не посмотреть, в
какую квартиру войдет парень?

— И все-таки тут что-то есть, — упрямо сказал Стас,
а я согласно кивнула, потому что к чужой интуиции относилась с уважением. Может, потому, что моя всегда
меня подводила.

— Завтра утром навестим алкаша Олега, может, он и
окажется тем самым парнем. — Я и сама в это не верила, и Стас, судя по всему, тоже, оттого и усмехнулся.
Тут мы наконец заметили, что стоим возле подъезда дома, где жил Стас, и стоим, должно быть, уже давно, за-
нятые разработкой версий, а Ритка, если заметила нас
из окна, небось бьется головой о стену, пытаясь решить, что за напасть на нас обрушилась, коли не под-
нимаемся мы в квартиру.

Я поторопилась успокоить ее, но Ритка вовсе не би-
лась головой о стены, она сидела в кухне и, рискуя лишиться зрения, так как не включала свет, разглядывала

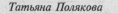

журнал. На столе стояло с десяток салатов, а в середине его красовался фирменный торт, утыканный свечками.

— У тебя что, день рождения? — насторожился Стас, потрясенный этим изобилием.

— Нет. Просто я должна быть хоть чем-то полезной. Вы где-то носитесь целыми днями, а я вас кормлю. Есть новости?

— Сколько угодно, — махнула я рукой. — И ни одной доброй.

— Я так и знала, — вздохнула Ритка. — Днем прилегла ненадолго и видела во сне дохлую рыбу. Какие после этого добрые вести.

— Не огорчайся, мы ведь только первый день ведем расследование, может, нам повезет?

— Это тебе-то повезет? — усмехнулась она, а я пожала плечами.

Стас между тем вымыл руки и устроился за столом. Аппетит у него был отменный, и это несмотря на неудачи и позднее время.

Я рассказала Ритке о наших изысканиях, она немного покритиковала нашу нерасторопность, образ мыслей и отсутствие свежих идей, но своих идей не предложила. Потом вспомнила про папу, который до сих пор находится неизвестно где, и заревела. А Стас не к месту заявил:

— Широкая общественность утверждает, что вы богатые наследницы.

Слезы на Риткиных глазах мгновенно высохли. Я-то думала, она кинется на Стаса и разорвет его в клочья, потому что посягательств на сокровища мачеха не выносила, да и расположение ее духа тому соответствовало, но вместо этого она вдруг согласно кивнула и сказала:

— Если поможешь мне выпутаться из этой истории, получишь половину моей доли. При свидетеле клянусь.

— А доля большая? — насторожился Стас.

— Не маленькая.

Ритку я прекрасно понимала — легко обещать то, чего у тебя нет и вряд ли будет, но выражение глаз Стаса мне не очень-то понравилось, кажется, это называется алчным блеском, хотя в его случае там полыхали прямо-таки костры.

Он плотоядно ухмыльнулся, глядя почему-то на меня, а не на Ритку, а я тяжко вздохнула и тоже вспомнила папу.

Возможно, поэтому он мне приснился. Если дохлая рыба снится к дурным вестям, то мне следовало ожидать новостей хороших, потому что папа был жив, здоров и весел. Полеживал себе на острове с одинокой пальмой в центре (обычно так изображают необитаемый остров: холмик, пальма и одичавший Робинзон), так вот, папа на одичавшего вовсе не походил и был вполне доволен, правда, выговаривал мне: «Маня, чем ты там занимаешься? Меня все это тревожит. Я твой отец и имею право хоть на старости лет пожить спокойно, без мыслей о конфискации, а ты меня волнуешь». — «Извини, папа», — пробормотала я и в этот момент проснулась и поначалу решила, что на постели сидит папа, но тут Стас сказал:

— Я тебя напугал?

— Чего тебе по ночам не спится? — буркнула я. На тот случай, если у тебя золотая лихорадка, предупреждаю: Ритка все врет, чтоб ты трудился активнее на ниве ее освобождения от возможной уголовной ответственности. Ничего нам папа не оставил, если деньги у него и были, нам о них неизвестно, но и в том, что были, я сильно сомневаюсь, папа много пил, а тратил еще больше. Он вообще не жаловал сбережения, потому что...

— Боялся конфискации, — подсказал Стас.

— Вот-вот. Так что иди себе спать.

— Я совсем не поэтому здесь, — обиделся Стас. — Я размышлял. Мне не спалось, и я размышлял.

— Что-нибудь придумал? — обрадовалась я и даже приподнялась на постели, ожидая чуда. Сон-то в руку!

— Я размышлял и анализировал, — тянул время Стас. — И вот что я хочу сказать. Соображаешь ты ничуть не хуже меня. — Надо полагать, свою особу он скромно причислял к гениям. — У тебя острый, критический ум.

— Да, я знаю, — кивнула я, — просто мне не везет. С самого детства. Оттого все считают меня растяпой. Вот и папа сейчас выговаривал. Он мне приснился, — поспешно пояснила я, заметив, что Стас слегка напуган.

— А-а... И что папа?

— Говорит, я его волную.

— Меня ты тоже волнуешь, особенно сейчас. Почему бы нам...

— Убирайся отсюда, — рявкнула я.

— Почему бы нам не уделять друг другу больше внимания, хотел я сказать. Попытаться лучше понять друг друга.

— Хорошо, — согласилась я. — Если не возражаешь, займемся этим завтра.

— А сейчас нельзя?

— Сейчас я бы хотела досмотреть свой сон, вдруг папа скажет что-то важное, к примеру, где искать сокровища.

Он вздохнул и спросил:

— Можно я тебя поцелую? Просто братский поцелуй с пожеланием спокойной ночи.

— Валяй, — согласилась я, сообразив, что иначе от него не отделаешься, с его словарным запасом мы будем продолжать до утра. Он меня поцеловал, а я заметила: — У тебя довольно странные представления о братской любви.

— Слава богу, мы не родственники... — Он вновь поцеловал меня и как-то все шло к тому, что он устроится рядом и, пожалуй, надолго, вряд ли на всю жизнь, об этом я даже не мечтала, но до утра уж точно. Папа бы это не одобрил, не зря же он мне снился. Оттого я легонько уперлась руками в грудь Стаса и заявила, лишь только получила такую возможность:

— Твои поцелуи заставляют забыть даже про убийства, но я предпочитаю дождаться того момента, когда мы лучше узнаем друг друга.

— Я готов открыть свое сердце прямо сейчас.

— Я тоже, только подозреваю, там нет ничего интересного для тебя.

Он захихикал и отстранился.

— Ты человек с чувством юмора, — подхалимски заметил он.

— Не одному тебе языком молоть.

— Но я тебе хоть немного нравлюсь?

— Немного нравишься.

— Совсем немного или в размерах, которые дают возможность надеяться?

— Надейся.

— Спасибо, дорогая. Еще один поцелуй, и я сваливаю.

Не знаю, на что он в самом деле надеялся, должно быть, девицы ему попадались сплошь доверчивые, но я-то знала, что при моем везении верить такому парню — все равно что остаться без копейки и печати в паспорте, зато с тройней на руках. И папа не зря приснился... Словом, я еще немного потерпела и предупредила:

— Сеанс братской любви окончен. Будешь продолжать в том же духе, с квартиры съеду, хотя делать этого

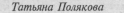
очень не хочется — я одна боюсь, да и Ритку пристроить негде.

— Я тебе не нравлюсь, — сказал Стас со вздохом, направляясь к двери. — И знаешь, Маня, это обидно.

Часть ночи я потратила на размышление: можно ли считать везением тот факт, что Стас покинул мою спальню, или это очередное невезение? Мнения разделились в том смысле, что одна моя половина гневно восклицала, что он бабник, а другая протестовала: может, и не бабник, может, его оклеветали. Нечего удивляться, что проснулась я в скверном настроении.

Ритка на кухне готовила завтрак, выглядела она сосредоточенной и деятельной, хотя, наверное, тоже не спала (я бы на ее месте точно не уснула). Стас еще не появился и, по мнению Ритки, спал как убитый, что мне показалось обидным.

— Разбудишь его? — хмуро поинтересовалась она, когда я устроилась за столом с чашкой кофе.

— Пусть спит.

— Если он будет спать, кто тогда займется моим спасением?

— Хорошо, — согласилась я, потому что этот довод показался мне серьезным, и пошла будить Стаса.

Для начала постучала в дверь, но он не откликнулся, тогда я ее приоткрыла, ожидая увидеть постель пустой, такому парню ничего не стоило смыться, бросив нас на произвол судьбы. Правда, не ясно, с чего бы ему бросать нас в собственной квартире, но так далеко мои размышления не заходили.

Вопреки ожиданиям Стас спал, отбросив одеяло с обнаженного торса, который, кстати, производил впечатление. Он спал младенческим сном, по крайней мере, мне кажется, что именно так должны спать младенцы, спокойно и безмятежно. Теперь было хорошо видно, какие длинные у него ресницы, спутанные волосы придавали облику что-то мальчишеское. Я вынуждена была признать, что его общий вид являлся для меня серьезным испытанием. Я даже вздохнула, правда, не очень увлекаясь.

— Стас, — позвала я негромко. Он продолжал спать, ресницы не дрогнули, так что оставалось предположить следующее: либо парень действительно спит как убитый, либо поднаторел в притворстве. — Стас, — повторила я. Вышло немного нервно. Результат нулевой. Я приблизилась и даже склонилась к его лицу. — Если ты до сих пор не проснулся... — угрожающе начала я, а он широко улыбнулся, не открывая глаз:

— Это самое восхитительное утро в моей жизни, — заявил он, и голос звенел от счастья.

— Да неужто? И чем же оно так восхитительно?

— Я проснулся и услышал твой голос. Он как божественная музыка.

— Как мало тебе надо для счастья, — съязвила я.

— Я не теряю надежды.

— А Ритка, между прочим, рассчитывает на нашу помощь.

— Если ты меня поцелуешь, я буду готов практически к любому подвигу.

— Лучше дать тебе пинка, — разозлилась я и направилась к двери. — Решишь позавтракать, выходи.

Ритка, помешивая ложкой кофе, подняла голову и заявила:

— По-моему, он влюблен. Нормальный человек не будет делать все эти глупости, если не влюблен.

— Что ты называешь глупостями?

— Прятать меня в своей квартире разве не глупость? К тому же я вижу, как он на тебя смотрит. Кстати, ты похорошела. Мужское внимание тебе явно на пользу.

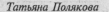

— Ты не слишком много говоришь? — поинтересовалась я.

— Вы сейчас смоетесь, и мне будет не с кем словом перемолвиться. Это первое. А еще я радуюсь, что, если мне суждено сесть в тюрьму, я хоть буду знать в неволе, что ты пристроена. Есть кому сварить тебе кофе и разогреть обед.

— Что-то я не заметила, чтобы он что-то разогревал.

— Ну, это до первого пожара. Потом поймет, что так безопаснее.

— О каком пожаре речь? — спросил Стас, появляясь в кухне.

— Маню нельзя подпускать к плите, она непременно устроит пожар. Надеюсь, у тебя серьезные намерения? — осведомилась Ритка.

— В каком смысле? — испугался Стас.

— Не думаю, что ты можешь заморочить девушке голову, а потом сбежать.

— Я далек от этой мысли.

— Значит, жениться ты не против?

— На Мане? — все-таки уточнил он. — Хоть сегодня. Но она мне отказала. По-моему, она сумасшедшая. Отказать такому парню... Да лучшего мужа во всем свете не сыщешь.

— Она интересничает, — отмахнулась Ритка. — Помни, главное, не подпускать ее к плите.

— Я найму домработницу.

— То же самое я предлагала папе, но он не терпел посторонних в доме. — Мысль о папе настроила Ритку на грустный лад, она шмыгнула носом и заметила в глубоком раздумье: — Где-то он бедненький...

— На небесах, — подсказал Стас, а Ритка нахмурилась:

— Не смешно.

— Чем валять дурака... — начала я, отставляя в сторону пустую чашку, но договорить не успела. Зазвонил сотовый, только непонятно который из трех. Мы прислушались.

— Не мой, — заметил Стас.

— Не мой, — сказала я, а Ритка испугалась.

— Мой. И что мне теперь делать?

— Ответить.

— А если... — Она схватила телефон и пробормотала: — Да.

— Прошу меня извинить, — прошепелявил мужской голос, и Ритка сразу успокоилась, господа из милиции так изъясняться просто не могли. — Э-э-э... я мог бы поговорить с Маргаритой Сергеевной?

— Я слушаю, — опасливо призналась Ритка.

— Очень приятно. Ваш номер мне дали жильцы квартиры, где вы прописаны. Я, знаете, вынужден был провести кое-какие изыскания, чтобы обнаружить вас. К счастью, моя соседка работает в справочном бюро, это стоило мне некоторой суммы, возможно, незначительной с вашей точки зрения, но, учитывая размеры моей пенсии...

— Что вам надо? — возмутилась Ритка, теряясь в догадках.

— Прошу меня извинить. Отвлекся. Это со мной бывает. Я, знаете ли... перехожу к делу. Маргарита Сергеевна, вы случаем ничего не теряли?

— Если вам интересно, могу ответить. Не далее как сутки назад я потеряла все: свободу, надежду на лучшее будущее и даже своего покойного супруга.

— Очень хорошо, — ответил дедок, не знаю, чего хорошего он во всем этом усмотрел, но радостно хихикнул: — Я хочу задать вам еще один вопрос. Не сочтите меня сумасшедшим, дело-то ведь очень деликатное... А гроб вы случайно не теряли?

— Чей? — брякнула Ритка. Ей-богу, я бы тоже брякнула.

— Полагаю, вашего покойного супруга.

— Вы нашли гроб? — пролепетала она.

— Именно так.

— А-а... он с содержимым? — неуверенно задала Ритка следующий вопрос. Повисла пауза.

— Гроб пустой? — подсказала я шепотом, и Ритка повторила:

— Гроб пустой?

— Вы полагали там кого-то увидеть? — растерялся дедок.

— Дело в том... — начала было Ритка, но Стас метнулся к ней, прикрыл телефон ладонью и шепнул:

— Об осквернении лучше помалкивай, дед испугается, и мы...

— Дело в том, — кашлянула Ритка, — что я уже не ожидала найти его. Он был похищен.

— Сочувствую вам от всего сердца. Если эта вещь так дорога вам...

— Вы еще спрашиваете. Значит, гроб у вас? Я могу получить его обратно?

— Э-э... конечно, можете... Если учесть все обстоятельства и мои затраты... я рассчитываю на вашу благодарность.

— Разумеется, — отрезала Ритка, которая напоминание о благодарности наверняка восприняла как шантаж. — Сколько вы хотите?

— Ну, принимая во внимание стоимость вещи... тысяча рублей меня вполне бы устроила.

— Говорите адрес.

Дедок назвал адрес, а Ритка добросовестно его записала, сообщив, что подъедем мы примерно через час.

— Ты с ума сошла. Зачем тебе гроб? — покачала я головой.

— Это ты с ума сошла, — возмутилась мачеха. — Это же последнее пристанище папы, и я не могу позволить...

— Что ты будешь делать с гробом, скажи на милость? Поставишь его на кухне?

— Если вы имеете в виду мою кухню... — вмешался Стас.

— Конечно, твою, раз в нашей она появиться не может, — злорадно ответила я. — Чего ты вообще сунулся? Старикан, мол, перепугается... Как же, напугаешь такого.

— Момент, — заметил Стас. — Ничто не мешает нам позвонить в милицию сразу после посещения старца. Кстати, а с чего это он решил, что гроб ваш, то есть, я хотел сказать, папин? Он что, именной?

Мы с Риткой переглянулись и одновременно кивнули.

— Вот именно, на нем табличка, — пояснила я. — «Дорогому супругу Смородину Анатолию Вениаминовичу от безутешной вдовы Маргариты Сергеевны».

Так оно и было. На табличке настояла Ритка и свое имя полностью указала, должно быть, для того, чтобы папа не спутал ее с какой-нибудь другой безутешной.

— А если это происки ментов? — всполошилась Ритка. — Что, если они таким образом надеются выманить меня из укрытия?

— Тебе ехать ни к чему. Я вполне могу сойти за безутешную вдову. Давайте решать, что делать с гробом?

— Сдавать в милицию, — предложил Стас. — Если бы он был с папой, тогда...

— Замолчи! — рявкнула Ритка. — Знаешь, сколько

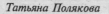

он стоит? И это мой подарок покойному. Подарками не разбрасываются.

— Я понимаю, но без папы он становится совершенно бесполезным. Конечно, его можно поставить в гараже, но, скажу честно, меня это будет смущать.

— Делайте что хотите, — обиделась Ритка. — Ясно, что о папиных интересах здесь никто не думает.

— Слушайте, а где же сам папа? — додумался спросить Стас. Мы переглянулись. — Кто-то вырыл гроб, — развивал Стас свою мысль далее, — потом зачем-то гроб выбросил, а... я даже затрудняюсь сформулировать свою мысль. Кому, а главное, зачем понадобился труп?

— Да не было там никакого трупа, — отмахнулась я. Ритка сделала страшные глаза, а я попросила: — Расскажи ему.

— Сама рассказывай, — разозлилась она.

— Хорошо, — пожала я плечами. — Папа утонул и его долго не могли найти. Потом нашли. Сам подумай, кому надо было везти труп за десять тысяч километров, да еще... в общем, папу кремировали. Но когда Ритка получила на руки банку с папиным прахом...

— Урну, — не удержалась она.

— Урну. Так вот, она была возмущена до глубины души, потому что понятия не имела, что с ней делать. В нашем городе нет такой штуки, где хранятся эти урны. Ну не в гостиной же было ее ставить? А Ритке хотелось иногда зайти к папе, пожаловаться на жизнь... словом, чтобы все было, как у людей.

— У человека должна быть могила, — рявкнула Ритка, — а не дурацкая банка. И при таком отношении к отцу ты еще удивляешься, что мы его так редко видели.

— Ладно, она приобрела папе гроб, и мы похоронили урну. А какой-то придурок его вырыл, я даже догадываюсь кто. Представляю, какие чувства испытал Севрюгин, обнаружив банку вместо папы.

— Знать бы еще, что нужно этому аферисту, — прошипела Ритка. — Теперь у нас есть гроб, но нет банки... тьфу ты, урны... форменный сумасшедший дом.

— Действительно, — согласился Стас. — А этот Севрюгин случайно не золото-бриллианты в гробу искал? Я в детстве фильм видел, так там один умник вместо трупа положил в гроб ценности.

— Нет там никаких ценностей, — заорала я. — Папа все с собой взял.

— Это в каком смысле? — насторожился Стас.

— В смысле, все спустил до нитки, лишь только врачи предрекли ему близкую кончину.

— Сказать по правде, я могу его понять, — заметил Стас, а Ритка возмутилась:

— Никакого уважения к отцу. Никогда не поверю, что папа хладнокровно оставил нас без копейки.

— Ну и не верь, — съязвила я, изрядно устав от этой дурацкой перепалки.

— Давайте определимся, мы едем к дедку или нет, — миролюбиво предложил Стас.

— Конечно, едем, — кивнула Ритка. — По крайней мере будем в курсе. Попытайтесь разузнать, что произошло с бедным папой.

Через двадцать минут мы покинули квартиру и отправились в Бедино, именно там проживал звонивший. Бедино не так давно было обычной деревней, но несколько лет назад деревня оказалась в черте города. Высотки здесь шли вперемешку с частными домами, большой пруд, березовая роща и непролазная грязь после дождей. Район вызывал стойкую неприязнь у тех, кто

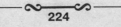

здесь проживал, и страх у остальных жителей. Во всех объявлениях, касающихся жилья, непременно указывали: «Бедино не предлагать».

В данном районе я бывала редко, и сейчас, глядя из окна джипа, поняла, что ничего от этого не потеряла. Для меня в настоящий момент район был интересен лишь одним: отсюда рукой было подать до кладбища.

Дом мы нашли быстро. Улица Советская, сплошь состоявшая из частных домов, тянулась от новостроек до рощи и выглядела вполне живописно. Дом под номером 11, из красного кирпича с резным крыльцом, мне понравился, а вот хозяин не очень.

Мы остановились возле калитки, и я позвонила, благо что кнопка звонка была тут же у калитки. Залаяла собака, потом мужской голос приказал «тихо», металлическая калитка распахнулась, и я увидела мужчину. Прежде всего он не был дедком-стариканом. Возможно, ему даже не исполнилось шестидесяти, хотя, слыша его голос в трубке, я представляла себе столетнюю развалину. Но не это меня сейчас потрясло. Мужчина был низкорослый. Говоря так, я не имею в виду, что он был пигмеем, на самом деле он был ниже меня всего-то на пару сантиметров. Однако туловище его выглядело совершенно незначительным придатком к большой, лысой голове. Лысина потрясала. Блестящая, конусообразная, она приковывала взор, так что глаз, носа и губ вроде бы вовсе не было.

— Здравствуйте, — поздоровался мужчина. — Вы по поводу гроба?

— Точно, — кивнул Стас, а я продолжала стоять столбом, потрясенная открывшимся мне зрелищем.

— Вы госпожа Смородина? — обратился он ко мне. — Паспорт при себе имеете? Не хотелось бы, знаете, в чужие руки...

Зря он напомнил о паспорте, сердце мое пронзила острая боль. Со всеми этими безумными происшествиями я о нем почти забыла, а тут поняла, чего лишилась, и тяжело вздохнула.

— Госпожа Смородина, — сурово ответил Стас, — паспорт при себе не носит, это совершенно ни к чему, страна и так знает своих героев. Хотите получить тысячу, ведите к гробу. Нет, так до свидания.

— Прошу, — предложил Лысый и посторонился, но я не спешила воспользоваться его гостеприимством.

— А собака?

— Она на цепи.

Огромный кавказец настороженно наблюдал за нами. Лысый направился к сараю, объясняя по пути:

— Он у меня здесь, под навесом, на всякий случай, знаете, вдруг непогода...

Навес был пристроен к сараю, и под ним действительно стоял гроб на кирпичиках. Бронзовая табличка сияла, и в целом последнее пристанище выглядело образцово.

— Как новенький, — проведя рукой по крышке, с гордостью заявил Лысый. — Что значит дуб... А какая работа. Болты сорвали... К сожалению, у меня не было времени починить.

Он действительно сожалел, вообще как-то чувствовалось, что папин гроб пришелся ему по душе. Однако на Стаса гроб произвел совершенно противоположное впечатление. Он нахмурился и не особенно любезно спросил:

— Где вы его нашли?

— В роще, — ответил Лысый. — Пошел с собакой прогуляться, вдруг вижу гроб. Несколько необычная находка, как вы считаете? Болты сорваны, гроб пуст. Я на всякий случай пустил собаку по следу, ничего. Обнаружив табличку, я встал перед выбором. До нас ведь дошел слух, что на кладбище разрыли могилу. Страшное святотатство. Так вот, необходимо было определиться, вызвать милицию или попытаться связаться со вдовой. Я решил, что второе предпочтительнее.

— Еще бы, менты вам ни копейки не заплатят.

— Это было не единственным доводом, — кивнул Лысый и вновь иезуитски улыбнулся. — Извольте тысячу.

Стас протянул ему деньги, секунд тридцать Лысый разглядывал купюру на свет, удовлетворенно кивнул и предложил:

— Забирайте.

Мы переглянулись.

— Один момент, — произнес Стас, взял меня за руку и увлек под навес. — Что делать? Если мы не заберем этот дурацкий гроб, он, вполне возможно, попытается продать его еще кому-нибудь, с него станется... Что да, то да, Лысый производил впечатление исключительно предприимчивого человека. — Или позвонит в милицию.

— Так я сама хотела звонить...

— А он расскажет, что разговаривал со вдовой. Уверен, ментов это заинтересует.

— Но за гробом приехала я...

— Точно. Это их заинтересует еще больше, выходит, ты в курсе, где находится вдовица.

— Что ты предлагаешь?

— Придется забрать эту гадость.

— Это вовсе не гадость...

— Знаю, знаю. Это папино последнее пристанище, причем из натурального дуба да еще с табличкой.

Лысый улыбался, напряженно поглядывая на нас. Стас шагнул к нему и сказал:

— Вы не могли бы помочь загрузить его в машину? Разумеется, не безвозмездно?

— С удовольствием, — откликнулся Лысый. — Должен вас предупредить, гроб тяжелый. Я с ним здорово намучился, когда перевозил его из рощи на ручной тележке собственной конструкции.

— Зато у вас теперь есть опыт, — порадовался Стас.

Загрузить гроб в джип оказалось занятием не из легких, времени мы потратили предостаточно, а главное, собрали толпу любопытных. Общими усилиями с задачей мы справились, но меня это не очень-то радовало.

— Кто-нибудь настучит в милицию, — волновалась я, когда мы отъехали от дома.

— Пусть стучат, — зло ответил Стас, которому здорово досталось. — В конце концов, гроб наш, что хотим, то с ним и делаем.

Я только тяжко вздохнула, но на этом наши испытания не закончились. Мы подъехали к гаражу, и перед нами встала задача освободиться от гроба.

Позвать кого-то на помощь Стас не мог прежде всего потому, что здесь стояла Риткина машина, да и желание иметь в гараже дубовое чудо тоже пришлось бы как-то объяснять. Джип загнали в гараж, заперли ворота и мучились с полчаса, прежде чем гроб наконец-то оказался на верстаке. Стас прикрыл его машинным тентом, но все равно вел себя как-то нервно. Я искренне порадовалась, когда мы выбрались на свежий воздух.

Тут я вспомнила, что с утра нам следовало быть у Конюшего Олега Петровича, на чье имя зарегистрирована «Хонда», но возня с гробом заняла много времени, и сейчас часы показывали 12.30, так что вряд ли мы сумеем застать деятельного алкоголика дома. Однако Стас предложил попытаться, и мы помчались к казарме. Со вчерашнего дня она ничуть не изменилась, а мне

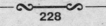

в голову пришла мысль, которую я поторопилась высказать.

— Не опасно ли нам с ним встречаться?

— Не думаю, — заявил Стас, который, как только избавился от гроба, стал заметно бодрее.

— Вдруг он не поверит в наши россказни о «Хонде», которая задела твой джип?

— Тем хуже для него, — сурово ответил он. — Не захочет говорить с нами, будет говорить с милицией.

«Лучше бы все-таки с милицией», — подумала я. Но Стас уже шел к подъезду, и я отправилась следом. Оказавшись в длинном коридоре, где царила абсолютная тишина, я решила, что волновалась напрасно, вряд ли мы застанем Конюшего дома, и тут же расстроилась. Все-таки странно устроены люди... может, не все, конечно, но странно.

Стас громко постучал в ближайшую дверь, как видно, тоже не рассчитывая на успех, но из-за двери вдруг послышался какой-то шум, затем шаркающие шаги. Дверь распахнулась, и мы увидели небритого мужика с красными глазами, физиономией мученика и зловонным дыханием. В отличие от капли никотина, которая убивает лошадь, действие капли алкоголя никто зафиксировать не потрудился. Но уверена, кролика мужик убил бы запросто, хоть раз дыхнув на него. Я существо много крупнее кролика, но и меня здорово шатнуло, когда он повернулся в мою сторону.

— Ох, как все запущено, — скривился Стас. — Тебе надо срочно опохмелиться.

— Еще бы, — горестно вздохнул мужик. — Только не на что.

Стас извлек сотню и продемонстрировал ее страждущему.

— За что? — облизнулся тот.

Вопрос, есть ли у мужика «Хонда», не имел смысла и звучал бы издевательски, видимо, поэтому Стас спросил:

— Водительское удостоверение есть?

— У меня? — искренне удивился мужик. — На кой хрен оно мне? У меня машины сроду не было и не будет. Если только родственник не объявится где-нибудь в Америке. — Он захихикал, демонстрируя остатки зубов. Это зрелище способно было довести до инфаркта любого стоматолога.

Стас, легонько подвинув мужика, вошел в комнату, и я следом. Как ни странно, выглядела комната вполне сносно и даже по-своему уютно. Впечатление портил лишь стол с остатками трапезы. На столе что-то шевелилось, я решила, что это кошка, сделала шаг и рухнула в обморок.

Может, это не было глубоким обмороком, но чувств я точно лишилась, потому что больше всего на свете боюсь крыс. Правда, до этого я видела их только в кино, и вдруг она сидит себе среди белого дня на столе... в общем, я совершенно не была подготовлена к встрече с ней и рухнула на руки Стаса. Он очень кстати оказался рядом.

Крыса и ему не понравилась, я слышала, как он вполне отчетливо охнул, а потом выразился крайне неприлично, то есть нецензурно, но я решила не обращать на это внимания, раз уж я без сознания. Я здорово боялась, как бы Стас не вздумал уложить меня на диван, но так как он сам не питал симпатии к грызунам, то принял верное решение: понес меня в машину. Мужик весело бежал впереди, распахивая двери и рассказывая:

— У нас их всегда была тьма-тьмущая, а как вокруг частные дома сломали, так они натурально все к нам.

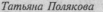

Совершенно обнаглели. Я по пьяни на полу уснул, так они мне чуть уши не отгрызли, вот посмотри, ей-богу... Оно бы ничего, пусть бегают, но ведь продукт портят. А в воскресенье бутылку уронили, гады, а там еще оставалось.

Слушая его, я забеспокоилась: если он продолжит в том же духе, мне никогда не очнуться. Но тут хлопнула дверь машины, мужик замолчал, а я открыла глаза.

— Я спас тебя, — радостно сообщил мне Стас, а я жалобно всхлипнула.

— Эй, — заволновался мужик, должно быть испугавшись, что мы сейчас уедем, оставив его без вожделенной сотни. — Вы что хотели-то?

К этому моменту я уже окончательно пришла в себя, вздохнула, посмотрела на мужика, потом на Стаса, после чего отвернулась, давая тем самым понять, что все вопросы считаю бесполезными. Однако Стас решил подстраховаться, но спросил совсем не то, что я ожидала услышать:

— Кому свой паспорт давал машину оформлять?

— Никому, — удивился Конюший. — Паспорт терял, было дело, года два назад. Замучился потом ходить новый выправлять.

В это я как раз очень могла поверить.

— А среди твоих знакомых нет такого... — Далее последовало описание парня с «Хонды», в которое я внесла кое-какие коррективы, раз уж видела его я, а Стас описывал с чужих слов.

Мужик думал, задавал наводящие вопросы, опять думал, короче, подошел к делу ответственно, но никого похожего припомнить не смог. Получил в конце концов свою сотню и потрусил к магазину, а Стас воодушевился, хотя лично я повода к тому не видела.

— Поехали, — скомандовал он, садясь за руль.

— Куда? — проявила я интерес.

— Туда, где мы с этим типом второй раз встретились. Если повезет и он живет в этом подъезде...

— А если не повезет?

— Надо решать проблемы по мере их возникновения.

Через полчаса мы тормозили возле нужного дома. Мне казалось, что от дождя я пряталась в первом подъезде, но Стас уверенно повел меня во второй. Так как парень поднимался по лестнице, мы тоже поднялись и начали обход квартир со второго этажа.

В первой же квартире на нас свалилась удача. Дверь нам открыла дама неопределенного возраста, с оранжевыми волосами, длинным носом и пронзительным взглядом. Увидев меня, она сурово нахмурилась, перевела взгляд на Стаса и заметно подобрела.

— Здравствуйте, — сказала она нараспев, уперлась рукой в бок и кокетливо улыбнулась, став похожей на самку крокодила в брачный период.

— Здравствуйте, — ахнул Стас, точно с нетерпением ждал встречи с этой оранжевой всю жизнь. — Мы ищем парня, у него «Хонда», приезжал сюда. Я имею в виду ваш подъезд. — Он говорил быстро, не давая даме опомниться, а закончил так: — Сестра оставила в его машине сумку с бумагами. Могут быть неприятности на работе.

Тут я сообразила, что роль сестры уготована мне, и вяло улыбнулась. Мадам привалилась к дверному косяку и задумалась.

— Не знаю, — заявила она с печалью через минуту. — Видела я пару раз светлую машину у подъезда, но «Хонда» не «Хонда»... не очень-то я в них разбираюсь. У наших машина только у Сидоровых, «Запорожец», на днях развалится. Может, кто к Верке приезжал, это на-

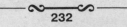

против. Или жилец Сергеевны. А ведь наверное... Пошли, — скомандовала она, — Сергеевна как раз здесь, я ее в окно видела, минут сорок как прошла.

Мадам решительно направилась к соседней двери, и мы за ней. Открыла нам женщина лет пятидесяти.

— Привет, — поздоровалась оранжевая. — Твой жилец дома?

— Съехал, — горестно сообщила хозяйка и спросила, адресуясь к нам: — Вы не квартиру ищете?

— Твоего жильца они ищут, девчонка в его машине вещички забыла.

— Когда он съехал? — спросил Стас.

— Вчера. Позвонил, на работу ко мне явился, отдал ключи. Такой парень хороший, никаких хлопот с ним не знала. Теперь вот съехал.

— А куда съехал? — вновь спросил Стас.

— В Абакан, — осчастливила она. — Он сам оттуда, а здесь по работе.

— Долго он у вас жил?

— Полгода. Хлопот с ним не знала...

— А его абаканский адрес вам известен?

Я с сомнением взглянула на Стаса, ни в какой Абакан ехать я была не намерена. Впрочем, если это поможет Ритке...

— У него прописка-то наша была, — сказала женщина. — Друг прописал где-то в общежитии, но жить он там не хотел, и правильно, чего мучиться, если деньги есть квартиру снять?

— Нам бы его данные, понимаете, бумаги для фирмы очень важные...

— Проходите, — кивнула Сергеевна, — у меня все записано, сейчас.

Мы вошли в квартиру. Женщина делала уборку, посередине прихожей стоял пылесос, ближе к двери мусорное ведро. Стас вдруг присел возле него, с интересом что-то разглядывая. Такое его поведение вызвало у меня легкую панику. Хозяйка между тем достала из сумки листок бумаги и протянула мне, так как Стас был очень занят ведром.

Если верить написанному, квартиру снимал наш веселый борец с грызунами, Конюший Олег Петрович, которому, кстати сказать, принадлежала и «Хонда». С кислым видом я вернула бумагу, а Стас, отвлекшись от лицезрения мусора, выпрямился и вдруг спросил:

— А что у вас со стеной? — И кивнул в направлении ванной, дверь в которую была распахнута настежь.

— Да вот стала убираться и задела неловко, плитка отлетела. Хорошо хоть не разбилась.

Стас прошел в ванную и опять присел, теперь возле стены, и даже заглянул в образовавшуюся дыру, а потом пошарил в ней рукой.

— Ерунда, — сказал он оптимистично, — работы минут на пятнадцать, дом старый, стена малость осыпалась.

— Да тут скоро потолок на башку рухнет, — вступила оранжевая мадам. — Дому шестьдесят лет и без капремонта.

— А где жилец ваш работал? — вернулся Стас к теме, которая меня интересовала гораздо больше капремонта.

— Ой... забыла как называется, ведь говорил мне... чего-то с нефтью, фирма какая-то. Частная.

— Само собой, частная, — буркнул Стас. — Номер телефончика не оставил?

— Нет, — покачала головой хозяйка. — Парень попался чистое золото. Первого числа деньги за месяц вперед сам привозил, соседи не жаловались, да они его, считай, и не видели. Вон Михайловна из седьмой квар-

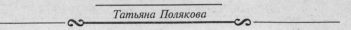

тиры все дела знает, а твоего, говорит, и не заметила ни разу. Тихий, непьющий, в квартире порядок. Теперь вот ищи квартирантов и неизвестно кого найдешь.

Соседки углубились в эту тему, а мы ненавязчиво попрощались и вскоре уже садились в машину. Я была расстроена, Стас по-прежнему излучал оптимизм, и это меня раздражало.

— Я ничего не понимаю, — сердито заявила я, замечание скорее относилось к настроению Стаса, чем к нашим делам.

— Маня, это он, — сверкнув зубами в шикарной улыбке, заявил Стас. — Я уверен, мы на правильном пути. Это он.

— Кто он? — насторожилась я.

— Убийца. На кой черт нормальному человеку оформлять собственную тачку на чужое имя и снимать квартиру, пользуясь ворованным паспортом?

— Почему ворованным? — Тут совершенно иная мысль пришла мне в голову. — Стас, надо вернуться в крысятник и как следует выспросить Конюшего: при каких обстоятельствах он лишился паспорта. Может, он вспомнит этого парня? Впрочем, что нам с того, если он уехал в свой Абакан. А это далеко?

— Что?

— Абакан?

— Очень. На другом конце света, я даже не знаю точно, на каком именно. Маня, солнышко, говорю, мы на верном пути. Этот тип — убийца.

— Хорошо, если так. Я хотела сказать, хорошо в том смысле, что хорошо для Ритки. Ты думаешь, Севку убил он?

— Почти уверен. Ты сама говоришь, он ехал за Севкой.

— Да, но я не видела, чтобы он входил в дом, и по времени...

— Маня, у него в ванной был тайник, а в ведре лежит промасленная тряпка. Наверняка в нее заворачивали пушку.

— Севку убили бейсбольной битой, — напомнила я.

— Да не в этом дело. Парень — профессиональный киллер, понимаешь? Квартира, тачка — след, который никуда не ведет.

— Чему ты радуешься? — удивилась я. — Он действительно никуда не ведет, а нам надо Ритку выручать.Что мы расскажем в милиции, что я за час до убийства видела парня, которого невозможно найти?

— Ты можешь некоторое время просто слушать? — возмутился Стас. — Не перебивая. Я напряженно мыслю и мне бы хотелось...

— Хорошо, — поспешно кивнула я.

— Значит так, парень — киллер, и Севку убил он, будем считать это аксиомой. Ты встречаешь его в этом доме, и он спешно его покидает. Почему?

— Откуда мне знать?

— Маня, ты узнала его, и он узнал тебя. Вы виделись раньше, и ему об этом известно.

— То есть, встретив меня во второй раз, он решил подстраховаться?

Стас приоткрыл рот, но ответил не сразу:

— Возможно. Но у меня есть другая версия. В доме Славки вы встретились не случайно.

— Ты хочешь сказать...

— Славка провисел в квартире... Хочешь воды?

— Спасибо, — сглотнув, ответила я.

— Извини за подробности, но они необходимы. Итак, он провисел довольно долго. Ты несколько раз приезжала...

— Что ты мне рассказываешь, я все прекрасно помню.

— Так вот, очень возможно, что ты встретилась на

лестнице с убийцей, он как раз шел к Славке. Менты в этих делах лучше соображают, у них есть возможность установить время убийства довольно точно.

— Но зачем ему убивать Славку? — растерялась я.

— Кого Славка шлепнул накануне? То-то... и крутые ребята жаждали мщения. И вот...

— Как же они нашли Славку? И при чем тут Севка, я не понимаю?

— Если тип, которого мы ищем, киллер, то убийства друг с другом не связаны. Он выполняет заказ, и все. Но твое появление его насторожило, и он смылся. Черт, а взрыв в квартире? Подложить взрывное устройство в постель не каждый сможет. Что же получается, он хотел убить тебя? Из-за встречи в подъезде? Ведь Севка в то время был еще жив?

— Как он меня нашел? — испугалась я.

— Возможно, выследил...

— Да я на той квартире не была полгода, что мне там делать? Я просто там прописана... — В этом месте мы взглянули друг на друга и издали тяжкий стон вместе с заветным словом:

— Паспорт... Конечно, паспорт, — хмыкнул Стас. — Вот тебе и прописка. Откуда ему было знать, что ты там не живешь. Он проник в квартиру, подложил бомбу и... Слава богу, что это была не ты. Жаль твою квартирантку, но ты мне роднее и дороже...

— А как к нему попал мой паспорт? — нахмурилась я. Сама себе я тоже была роднее и дороже, и мысль, что где-то бродит псих с навязчивой идеей убить меня, укокошить, совершенно не радовала.

— Ты встретила его в Славкином доме, логично предположить, что они знакомы и что ограбление в кафе...

— Хочешь сказать, что убийца тот самый Юра?

— Отличная версия, — кивнул Стас. — Если б я мог допустить, что киллеру взбредет в голову грабить кафе в компании с алкашом... Но такое предположение смахивает на белую горячку. Значит, логичнее представить следующее: господа из окружения убиенного каким-то образом вышли на Юру, а через него на Славку, и оба парня скончались. Уверен, где-то в морге отлеживается Юрик, а может, труп его еще не найден, не важно. Важно, что вещественное доказательство ограбления, твоя сумка с паспортом, оказывается у киллера. Встретив тебя у Славки...

— У меня что, фамилия на лице написана? — возмутилась я.

— Не перебивай. О твоем визите ему мог рассказать Славка.

— С какой стати?

— Не знаю. Возможно, киллер слышал, как хлопнула дверь, и спросил: «Кто у тебя был?»

— По-твоему, они дружески беседовали? — съязвила я.

— Возможно, и не дружески. Главное, киллер решил, что ты опасна, и воспользовался данными паспорта.

— Тут что-то не так, — подумав немного, изрекла я.

— Что не так? — нахмурился Стас, он, как и я, терпеть не мог, когда ему возражали.

— Все просто прекрасно, кроме двух вещей: зачем киллеру понадобилось оставлять улики в квартире Славки, то есть демонстрировать его причастность к ограблению? А еще пистолет. Славка утверждал, что оружие у них было игрушечным и вдруг пистолет выстрелил.

— Пистолет кто-то подменил? Игрушечный на настоящий? — Я только плечами пожала, а Стас усмехнулся: — Надо вовсе дураком родиться, чтобы не отличить...

— Я точно не отличу, — заметила я, а Стас нахмурился:

— Ты женщина.

— Ну и что?

— То, что в армии не служила.

— Так, может, и Юра не служил?

Мы еще попререкались немного на эту тему, пока Стас на вспомнил, что у нас назначена встреча с его приятелем, обещавшим пролить свет на то, чем занимался Севка. Другими словами, мы надеялись выяснить, за что его могли убить.

Стас минут пять названивал по телефону, пока не напал на след дружка, и мы помчались сломя голову, к чему я, честно говоря, уже успела привыкнуть. Встречу нам назначили в «Фитнес-клубе». Размещался он напротив сквера, рядом стояло здание районной администрации и банк. Сам клуб выглядел респектабельно, на фасаде красовалась надпись «Фитнес-клуб», чуть ниже приписка: «Вход только по клубным карточкам».

— Я тебя здесь подожду, — сообщила я, когда мы въехали на охраняемую стоянку.

— Почему? — удивился Стас.

— Этот тип, с которым ты собираешься встречаться, он кто?

— Он довольно симпатичный парень, любитель брюнеток. Тебе от него хлопот никаких, раз ты блондинка.

— И чем он занимается? — вредничала я.

— Этого он и сам точно не знает. Хорошо, жди здесь. Хотя это глупо. Не хочешь встречаться с моим приятелем, посиди в баре или сходи в тренажерный зал, вдруг тебе понравится?

— Мне не понравится, — сурово отрезала я. — Ненавижу физкультуру.

— За что? — необыкновенно заинтересовался Стас.

— В восьмом классе нас заставляли прыгать через «козла».

— Всех заставляли.

— Вот именно. Как думаешь, что случилось со мной?

— Ты села на него верхом, — радостно фыркнул он.

— Конечно. У меня было растяжение. С тех пор словосочетание «физкультура и спорт» вызывает у меня острую неприязнь.

— Жуткая история.

— Еще бы. Но один положительный результат она все же имела. Папа нажаловался, и меня освободили от физкультуры до самого окончания школы.

Охрана, уже некоторое время с недоумением наблюдавшая за нами, пришла в движение, точнее, в движение пришел один охранник, он направился к нам с драконьей улыбкой. Я сама не знаю, чего испугалась, и выпорхнула из машины. Вновь забираться в нее было бы довольно глупо, оттого я вслед за Стасом отправилась в клуб.

Неожиданное неприятие клубной жизни объяснялось вовсе не ненавистью к спорту вообще, что, конечно, имело место. Просто я свела воедино то, что узнала из многочисленных разговоров с визитом колоритной парочки Вася+Вадим и здраво рассудила: может, не стоит лезть в самое пекло, да еще тогда, когда об этом не просят? Но тут в голову пришла мысль о страдалице Ритке, и мне сделалось стыдно.

Стас пропустил меня вперед, мы оказались в огромном холле, где дежурили двое молодых людей. Я вспомнила про клубную карту, которой у меня не было, и затосковала: чего доброго, погонят в шею. Оба парня дружно раскланялись, а один даже сказал подхалимски:

— Добрый день, Станислав Геннадьевич.

Тут я взглянула на своего спутника другими глазами. То есть глаза были те же, только невеселая мысль пришла в мою голову: «А что я, собственно, знаю об этом типе? Кроме имени — ничего. Что-то плел о фирме, бензозаправках, но так как я их в глаза не видела, остается полагаться лишь на его слова, а, судя по всему, соврать ему ничего не стоит».

Стас между тем извлек сотовый и начал звонить, уверенно двигаясь в направлении бара. Разговор вышел коротким, мы как раз миновали очередные стеклянные двери и оказались в уютном помещении без окон, с интерьером в японском стиле. К нам подскочила девушка в красном и повела в глубь зала, где мы с комфортом устроились.

Через пять минут появился приятель Стаса. Рост у него был средний, комплекция выдающаяся, а голова на бычьей шее выглядела несуразно маленькой. Однако его взгляд тупым никак не назовешь, светился в нем ум и даже некое лукавство, что меня, признаться, удивило, потому что я свято верила народной мудрости, а она гласит: «Сила есть, ума не надо». Выходит, парень был исключением.

Мужчины поздоровались. Стас нас представил друг другу (звали парня Денис), он устроился напротив и с полминуты разглядывал. меня

— Это твоя девушка? — спросил он наконец, раздвинув рот до ушей.

— Это моя невеста, — глазом не моргнув, соврал Стас.

— Надумал жениться? — удивился Денис, вновь посмотрел на меня и заявил: — Жаль.

— С какой стати? — поднял брови мой спутник.

— Я бы сам на ней женился. Везет же некоторым...

— Я могу передумать в любой момент, — осчастливила его я. — По-моему, он еще не готов к семейной жизни.

— Готов, — влез Стас, но парень согласно кивнул.

— В таком деле торопиться не стоит. Присмотрись к нему хорошенько, подумай. Говоря между нами, вокруг есть парни и получше.

— На всякий случай сообщаю, — хмыкнул Стас. — Этот тип женат, и у него двое детей. От третьего брака.

— Самое время жениться в четвертый и остепениться.

Оба радостно заржали, а я вздохнула. Как сложно заполучить в наше время достойного спутника жизни, чтобы он был богатым, умным, красивым и по сторонам не смотрел. Так и умру в девицах.

Ржать им надоело, они выпили по стакану минералки (я заказала кофе) и перешли к насущным проблемам.

— Чего тебя вдруг Севка заинтересовал? — спросил Денис.

— Мачеха Мани...

— Знаю, — махнул он рукой. — Ты что, киллера найти хочешь? Пустое. Менты посадят бабу лет на пять, и все останутся довольны.

— Почему киллера? — нахально влезла я. Денис и Стас переглянулись.

— Ладно, — хихикнул Денис, — никаких страшных тайн тут нет, так что будем говорить откровенно. Уверен, что баба, не знаю как там зовут твою мачеху, Севку не убивала. Я со вчерашнего дня проявил интерес к данной теме, раз уж Стас меня об этом просил. Сообщаю следующее: Павлик наркоту не жалует, ты знаешь... — При этих словах Стас скривился, как от зубной боли. — Не жалует, — повторил Денис. — Но... обстоятельства заставляют закрывать глаза на некоторые вещи. Ты это тоже знаешь. Теперь то, чего ты, скорее всего, не знаешь. Севка нашему Павлику — дальний родственник. Но в последнее время они сдружились так, что им впору уже считаться близкими. Прямо родные братья. Севка считал наркоту весьма выгодным бизнесом и активно пропагандировал эту мысль. У наших она восторга не вызывала, прежде всего потому, что драчка никому не нужна, а она непременно возникнет. И все же Павлик эту мысль бредовой уже не считал, думаю, благодаря стараниям Севки. Сам Севка работал напрямую с Артуром. Уверен, это имя тебе известно, но, конечно, все это по мелочам, потому что Рыжий никогда не позволил бы ему особо развернуться. Ему нужна была поддержка Павлика, а Павлик не торопился, зная, как относится к новшествам команда. Среди наших многие вроде тебя на стенку лезут, лишь только речь зайдет... короче, Севка трудился понемногу и ждал, когда Павлик созреет. И вдруг такой подарок: какие-то придурки ограбили кафе и сдуру пристрелили Рыжего. Тот самый случай, который с полным правом можно назвать золотым. Севка имел шанс здорово подняться. Но вдруг умер.

— Кому это выгодно? — спросил Стас.

Денис развел руками:

— Многим. Мне, например. Я из тех, кто всегда был категорически против Севкиных идей.

— Я серьезно спрашиваю, — обиделся Стас.

— Я серьезно отвечаю. Не нравлюсь я, тогда, к примеру, Артур. С Рыжим у них было деловое соглашение, но наш Павлик не Рыжий, и Артуру сотрудничество с ним могло не показаться особо заманчивым.

— А ребята Рыжего?

— Вряд ли, — покачал головой Денис. — Там нет

человека, способного подмять под себя остальных. Эти будут работать каждый на себя.

— Севка в последнее время нуждался в деньгах. Взаймы просил.

— Слышал, — кивнул Денис. — Павлика это удивило, ведь к нему он не обращался, хотя чего бы проще. Я задним числом проявил любопытство: за последнюю партию Севка с Артуром не рассчитался. Тот, кстати, очень сердит, ведь деньги немалые.

— Вы говорите, что Артур мог быть заинтересован в смерти Севки, — влезла я, вызвав удивление у мужчин. — А не мог ли он в этом случае...

— Логичнее сначала получить деньги. А потом...

— А если использовать это как предлог? — Стас засмеялся, а Денис хохотнул. Я почувствовала себя дурой и замолчала, но ненадолго. — Разве обмен товар-деньги происходит не сразу? — решительно спросила я.

— Ну... я не специалист в таких вопросах, — хмыкнул Денис. — Могло быть по-разному. К примеру, Севка брал товар на реализацию. Берешь определенное количество и раскидываешь по ночным клубам мелким торговцам, собираешь деньги и получаешь свой процент. Севка человек в бизнесе несерьезный, хотя очень хотел таковым стать. Но без Павлика ничего ему не светило. Я почти уверен, выше курьера он у Артура не поднялся.

— Курьера? — не поняла я.

— Ага. То самое промежуточное звено. С небольшим процентом.

— Курьером, — повторила я, глядя на Стаса и почувствовав нечто вроде озарения. Но тут Денис вновь заговорил, и озарение меня покинуло.

— Маня, Рыжего в кафе шлепнули при тебе?

— Да, — кивнула я. — Меня даже в заложницы взяли.

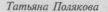
— Менты ничего путного не нарыли, а жаль. Павлик хотел бы знать, кто у нас такой шустрый. И Севкина смерть его удручает. Думаю, гибель родственника он переживет легко, но здесь попахивает неуважением, а это уже дело нашей чести. Потому, ребята, если вам понадобится помощь, можете смело на нее рассчитывать.

— Ко мне заходили двое, спрашивали о гибели Рыжего, — заметила я. Денис кивнул, правда, я не поняла, как расценить его кивок: то ли он просто согласился с моими словами, то ли знал о визите. — Вася и Вадим, — добавила я, — очень крутые молодые люди.

— Это точно, — усмехнулся Денис.

— Им что, поручено разобраться в этом деле? — влез Стас.

— Вряд ли у парней есть к тому способности, скорее они являются зримым доказательством того, что Павлик готов навести порядок в своем районе. Хотя, может, им повезет... Сам Павлик не скрывает, что очень хочет поквитаться за два убийства на своей территории. Он даже назначил награду за головы этих придурков.

— Каких придурков? — растерялась я.

— Тех двоих, что завалили Рыжего. Ну, и убийца Севки его тоже очень интересует.

— Ну и что мы узнали? — злилась я, сидя рядом со Стасом в машине. — Севка торговал наркотиками, был должен некоему Артуру большие деньги, а убить его мог кто угодно. Спрашивается, как мы найдем этого типа?

— Найдем, — ответил Стас, но меня он не убедил.

— Найдем, — передразнила я. — У меня в этом большие сомнения.

— Напрасно. За сутки мы здорово продвинулись вперед.

— Ты сам говорил, если Севку убил киллер, нам на него не выйти.

— Я беру свои слова обратно. Если за дело взялись наши мафиози, очень возможно, что и найдут. Денис обещал нам поддержку, звучит обнадеживающе, разве нет?

Я лишь плечами пожала. Стас между тем тормозил возле торгового центра, а я заинтересовалась:

— Что тебе здесь понадобилось?

— Туфли. Мы их купим в конце концов? У меня вся душа изболелась.

По идее, я должна была восхититься такой удачей. Вам часто встречались мужчины, у которых болит душа за ваши туфли? Лично мне впервые. Но вместо восторга я почувствовала нечто сродни подозрительности. Каждый раз при взгляде на Стаса мне почему-то казалось, что меня упорно водят за нос. Вот и сейчас я с недоверием взглянула на него. Он ответил кристально чистым взглядом, изобразив что-то вроде восторга пополам с детской непосредственностью. И я покорно побрела за ним.

Можно смело сказать: мне повезло. Новые поступления радовали глаз, и я даже немного разволновалась, потому что купить хотелось все. Пришлось долго выбирать, и я отдалась этому занятию со всей страстью. Если Стас горько сожалел, что привез меня сюда, то внешне этого никак не демонстрировал. Устроился в кресле в уголке и терпеливо ждал, иногда позевывая, но стоило нам встретиться взглядами, начинал пылать энтузиазмом и горячо повторял:

— Прекрасно, изумительно, ничего совершеннее я сроду не видел.

Изрядно намучившись, я отложила три пары, чтобы еще раз померить и определиться с выбором. Честно говоря, на заключительном этапе я так увлеклась, что о Стасе попросту забыла. Потому-то, когда он неожиданно возник из-за моей спины, сгреб три коробки со словами: «Берем», первой моей мыслью было: «А этому что надо?», а потом вспыхнула благодарность и даже нежность. Я увидела его как-то по-особенному. Я взяла его под руку и прижалась головой к его плечу, не зная, как еще выразить свои чувства, и даже не пыталась обнаружить в его словах иронию, когда он заметил:

— Ты потрясающая женщина. Уверен, редко кому удается выбрать туфли, потратив на это всего-навсего три часа двадцать пять минут.

— Ты скучал? — спросила я максимально трогательно.

— Да что ты. Захватывающее зрелище. Ты восхитительна, глаза горят, лицо одухотворенное... Жаль, что я не туфли, на меня ты так никогда не смотрела.

— Ты смеешься надо мной, — заподозрив неладное, заметила я.

— Ничего подобного. Кстати, у тебя и сейчас глаза горят и ты все еще держишь меня за руку. Можно считать, что-то мне от туфель все же перепало.

— Это была твоя идея, — выдергивая руку, напомнила я.

— Моя. И я готов каждый день тратить три часа на покупки. Выпью ведро валерьянки и легко смогу пережить все это. Путь к сердцу женщины лежит через магазины.

— Я уже жалею, что согласилась пойти с тобой, — хмуро сообщила я, хотя ничуть не жалела.

Очень скоро мы оказались дома, я имею в виду квартиру Стаса. Ритка дремала перед телевизором, нас ждал роскошный ужин. Стас начал таскать куски со стола, за что получил от Ритки по рукам.

— Можно потерпеть две минуты, пока я подогреваю курицу? Я ведь не знала, когда вы вернетесь.

Тут Ритка обратила внимание на пакеты, я стала примерять туфли, а она восторгаться. У нас разные размеры, так что я ее восторгов не опасалась. Мы решили, что из одежды следует носить с той или иной парой, пожалели, что к туфлям не было в комплекте сумок, и пришли к выводу, что к паре, цвет которой определить мы затруднились, подобрать сумку будет не так легко.

— Зато жизнь наполнится смыслом, — изрек Стас, и мы про него наконец-то вспомнили. Он сидел за столом и приканчивал салат.

— Что ты делаешь? — рявкнула Ритка.

— Ем. Курицу я выключил час назад.

— Ты же себе аппетит испортишь... Ужасная манера хватать куски... Вот что значит жить без женской заботы, это прямая дорога к язве желудка.

— Я неприхотливый, — заявил Стас, лучисто улыбаясь. Несмотря на заявленную неприхотливость, покушал он хорошо, а главное, с аппетитом. В физиономии его появилось нечто, напоминающее блаженство, но нашу общую радость испортила Ритка своим вопросом:

— Что удалось узнать?

Мы переглянулись. Стас принялся излагать, я вздыхать, а Ритка становилась мрачнее тучи.

— Найдите его, — заявила она, когда рассказ Стаса подошел к концу. — Я взаперти долго не выдержу. Я пропустила массаж, и у меня уже что-то хрустит в спине, я же чувствую. И вообще, мне нужен свежий воздух, я не могу сидеть в четырех стенах, к тому же твой телефон без конца звонит, меня это пугает. Я на грани.

Я кинулась утешать Ритку, мы всплакнули на плече друг друга, и я, набравшись отваги, предложила:

— Надо идти в милицию.

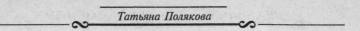

— Мне? — испугалась Ритка.

— Нет, мне. Надо рассказать им про этого типа. Они найдут его быстрее, чем мы. В конце концов они же милиция и просто обязаны искать.

— Я бы не стал спешить, — вздохнул Стас. — Наш рассказ особого энтузиазма у них не вызовет. Какой-то сомнительный тип, которого к тому же еще надо искать, а здесь готовенький подозреваемый. Если бы у нас было что-то конкретное...

— Чего уж конкретней.

— Для тебя, не для них. Зато наш тандем наведет их на интересные мысли и очень может быть, что они нагрянут сюда с ордером на обыск, и у всех нас будут неприятности.

— У меня клаустрофобия, — напомнила Ритка.

— Я в курсе, — кивнул Стас.

Мы дружно вздохнули и замолчали, настроение было безнадежно испорчено.

Где-то через полчаса Ритка попросила:

— Маня, съезди домой, привези мои вещи. Если уж мне суждено томиться взаперти... допустим, вечернее платье мне ни к чему, но белье просто необходимо. А еще пижама, тапочки и...

— Хорошо, — с готовностью согласилась я, а Стас нахмурился.

— Только самое необходимое. Если кто-то из любопытных увидит тебя с чемоданом... Не забывай, Риту ищут.

Лучше бы он этого не говорил. Ритка вновь заревела, а мне сделалось грустно. По этой причине я сразу засобиралась домой. Стас вызвался меня сопровождать.

По дороге ему позвонили на сотовый, судя по всему, с работы. Не знаю, как он, а я про его работу совершенно забыла и сначала разозлилась: какая может быть работа, раз Ритка в беде. Потом загрустила, вспомнив про туфли. Конечно, работа для мужчины дело важное и даже нужное, более того, полезное. Из этих соображений я спросила его с максимальной трепетностью:

— Что-то случилось?

— Ерунда, — отмахнулся он и кашлянул. — Надо подписать кое-какие бумаги.

— Знаешь, что мы сделаем? — предложила я. — Высадишь меня возле дома и отправишься на работу, а когда освободишься, заедешь за мной. Хорошо?

— Мне было бы спокойнее...

— Я же у себя дома.

— Хорошо, — кивнул он.

Мы оставили машину возле подъезда и вместе поднялись на второй этаж. На этом настоял Стас, хотя я нужды в том не видела. Он прошелся по квартире и остался доволен увиденным, хотя мне она никогда особо не нравилась. Впрочем, возможно, его удовлетворение было вызвано вовсе не общим видом нашего жилища, уточнять я не стала.

— Запри дверь, — сказал он, и я последовала за ним в холл. — Я позвоню, как только освобожусь.

Я согласно кивнула, а он обнял меня и принялся целовать. Пока я размышляла, как разумнее отреагировать: напомнить, что туфли не дают ему права на всякие вольности, или, напротив, показать, что я оценила некоторые положительные качества его натуры, Стас отстранился, а я между тем только-только начала получать удовольствие... В общем, сама поцеловала его, по-товарищески. Он отреагировал неожиданно, но в целом правильно, мы увлеченно целовались, и еще вопрос, куда бы нас это завело (лично я начисто забыла, зачем приехала сюда, Стас про неподписанные бумаги тоже не вспомнил), но тут зазвонил телефон и весьма на-

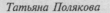
стойчиво. Это вернуло меня к действительности. Я попятилась и смогла частично освободиться.

— Надо взять трубку, — шепнула я.

— Угу, — буркнул Стас.

Я вздохнула, протянула руку и схватила трубку, но опоздала. Однако не успела я водворить ее на место, как телефон вновь зазвонил.

— Да что за черт, — возмутился Стас. Я вновь сняла трубку и даже сделала пару шагов в сторону, кашлянула, дабы по возможности нормализовать дыхание, и сказала:

— Слушаю. — Меня тоже слушали, но отозваться не пожелали. — Алло, — на всякий случай позвала я. Безрезультатно.

Я бросила трубку и к тому моменту вспомнила, что Стас, несмотря на кое-какие положительные качества, по словам Светки, страшный бабник и доверять ему — непростительная глупость, а я девушка серьезная, мне замуж надо.

— Отправляйся на работу, — сурово заявила я, поправляя прическу. Он сделал недоброе лицо и вроде бы собрался ответить, но справился с собой и вышел из квартиры достойно, с улыбкой на устах и с заверениями, что позвонит сразу, как освободится.

Дверь за ним закрылась, а я начала размышлять: правильно поступила или нет. С одной стороны, конечно, правильно, а с другой... В задумчивости и почему-то в скверном настроении я побрела в Риткину комнату, нашла в гардеробной сумку, не слишком вместительную, дабы не увлекаться, и начала собирать Риткины вещи. Я успела сложить белье аккуратной стопочкой, когда за моей спиной послышался шорох, именно шорох, не стук, не грохот, но в тишине квартиры он почему-то звучал угрожающе. Я вдруг испугалась, медленно повернула голову, и тут на шее у меня оказался шнурок. Я схватила его рукой, но он стремительно сдавливал мне шею, я хотела закричать и не смогла, а освободиться или хотя бы повернуться, чтобы увидеть, кто там за моей спиной, тем более. Силы были неравные. Я только слышала, как человек дышит, тяжело, с хрипом, и вдруг подумала: «Зря я прогнала Стаса. Похоже, это мое последнее невезение».

Совершенно неожиданно все кончилось, то есть некто отпустил шнурок, а я повалилась на пол, хватая ртом воздух. Все мои мысли и чувства были сосредоточены на одном: дышать. Так что происходящее меня вовсе не занимало до той поры, пока я не смогла отдышаться, а когда смогла, чувства ко мне вернулись, и я с изумлением обнаружила рядом с собой здоровяка Васю. Он стоял на коленях и точно заведенный повторял:

— Живая?

Только я собралась заорать во все горло и замахнулась на него, с намерением подороже продать свою жизнь, как заметила, что рядом лежит еще один тип. Лежит и вроде не дышит, на голове дурацкая шапка с прорезями, закрывающая лицо, а в руке удавка, то есть шнурок. Тут я сообразила, что Вася вовсе не убийца, он спаситель, и с громким воплем бросилась ему на шею:

— Вася...

Вася совершенно обалдел от такой реакции, хотя и до той поры особо шустрым не выглядел, похлопал ресницами, погладил мое плечо и задал совершенно идиотский вопрос:

— Это кто?

— Кто? — озадачилась я, и мы дружно взглянули на парня. Я подползла к нему и стянула с поверженного врага шапку, то есть не совсем стянула, для этого пришлось бы приподнять его голову, а прикасаться к нему мне не хотелось. Точнее будет сказать, я заглянула под маску и увидела парня с «Хонды». Признаться, я даже не особо удивилась, хотя удивляться было чему: меня вознамерился убить человек, которого я трижды в своей жизни случайно встретила. Однако я уже успела записать его в злодеи и оттого только чертыхнулась, а потом началось такое, что у меня вовсе не осталось времени размышлять и анализировать.

Сначала мы услышали шорох, и я собралась заорать, на сей раз не дожидаясь, когда мне на шею накинут удавку, у меня теперь на всю оставшуюся жизнь стойкая реакция на все подозрительные шорохи, а шорохи все в принципе подозрительные; итак, я собралась орать, а Вася приподнялся, но тут же осел, а затем и рухнул вследствие того, что на голову ему обрушился здоровенный кулак. Кулак был не сам по себе, хотя и это в тот момент меня вряд ли бы удивило, он принадлежал Севрюгину, каковой и предстал моим очам, лишь только я смогла повернуть голову. В тот же миг я отчаянно заголосила, потому что знать не знала, что меня ожидает.

— Замолкни, — прорычал Севрюгин и здоровенной лапищей зажал мне рот, но так как лапища была прямотаки невероятной ширины, вместе со ртом досталось и носу; доступ воздуха прекратился, и я начала отбиваться, даже попыталась укусить обидчика. — Да замолкни ты, — в сердцах повторил он, но руку не опустил, и сопротивления я не прекратила.

Вдруг он ни с того ни с сего повалился на меня, отяжелев и обмякнув, а я получила возможность орать, потому что руку он убрал, и я не преминула этим воспользоваться. Если бы Севрюгин рухнул на меня, то непременно раздавил бы или нанес серьезные увечья. К счастью, он тюкнулся носом неподалеку от моего плеча, так что я осталась жива, хоть и чувствовала себя хуже некуда, а когда увидела Стаса, замершего надо мной с самым разнесчастным видом и с пистолетом в руках, решила: все, хватит, зажмурилась и категорически отказывалась приходить в сознание, хотя Стас сумел извлечь меня из-под Севрюгина, поднял на руки, покрывая поцелуями мое прекрасное лицо и умоляя вернуться к нему, то есть вернуться душой в мое многострадальное тело.

По этой причине он совершенно обезумел и бросился в кухню, разумеется, все еще со мной на руках, и для начала задел косяк моей левой ногой, потом едва не досталось моей голове, но я вовремя втянула ее в плечи, и мы благополучно внедрились в кухню.

Стас положил меня в кресло, я только-только надумала вздохнуть с облегчением, как этот ненормальный взял, да и вылил на меня стакан воды. Все-таки мужчины сумасшедшие — хоть бы подумал, как я буду выглядеть... Впрочем, ожидать от такого типа, что он будет думать... Бог знает, до чего он мог бы еще дойти, оттого я поторопилась очнуться, открыла глаза и сказала:

— Немедленно дай зеркало.

Он выскочил из кухни и принялся бестолково метаться в холле, в конце концов снял со стены зеркало и приволок мне. У меня даже не было сил обозвать его идиотом, хоть он того и заслуживал. Я посмотрела в зеркало... Лицо испуганное, но было в нем что-то эротичное... Несмотря на старания Стаса, тушь не подвела, выглядела образцово, потраченных на нее денег не жалко. Но шея... лучше бы мне ее не видеть.

— Это ужасно, — пискнула я.

— Солнышко, — взвыл Стас и от избытка энтузиазма выронил зеркало, оно грохнулось на пол, но не раз-

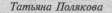

билось, что я поспешила приравнять к чуду. — Ты жива, — радостно вопил он, заключая меня в объятия.

— Как-то странно ты реагируешь, — проворчала я. — И что за жизнь с такой шеей.

— Маня, я сроду не видел ничего прекраснее.

— Ты сумасшедший, — вынесла я вердикт, но ему было на это наплевать, он бухнулся передо мной на колени, попав одной ногой в зеркало, и оно под его тушей треснуло. Идиоту и то не надо объяснять, какая это скверная примета. Меня даже в жар бросило. — Сумасшедший дом, — сказала я.

— Я тебя люблю, — заявил он в ответ. — Я это только что понял. Я тебя люблю и хочу жить с тобой долго и счастливо и умереть в один день.

— Это нечестно, — вздохнула я. — Пользоваться моей беззащитностью... И я не планирую умирать, по крайней мере, в ближайшее время.

— Маня, мы умрем не скоро, главное, чтобы быть вместе, потому что я совершенно не мыслю жизни без тебя. Ответь немедленно, ты меня любишь?

— Я себя плохо чувствую. Посмотри на мою шею, мне тяжело говорить.

— Тогда кивни в знак согласия. Один твой кивок, и судьба моя решится. А если нет, я завтра уезжаю на Кавказ.

— Хорошо быть двухметровым придурком с пудовыми кулаками, — порадовалась я чужому везению. — Можно вдоволь насмехаться над людьми, зная, что не получишь по физиономии.

— Это меня с перепугу разбирает, — признался Стас и уткнулся лицом в мои колени. — Маня, солнышко мое, знала бы ты, как я испугался.

— Я тоже, — кивнула я и заревела, скорее от обиды, потому что Стас, хоть и валял дурака по обыкновению, но девушке всегда приятно слышать добрые слова, и я почти поверила. — Ты меня не любишь, — пискнула я.

— Люблю.

— Ты болтун и бабник.

— В прошлом.

— Врешь...

В разгар полемики вдруг кто-то кашлянул, мы дружно повернулись и увидели спутника Севрюгина Богдана Семеновича. Он стыдливо прикрыл здоровенный синяк в районе правого глаза и со свойственной ему деликатностью спросил:

— Простите, я не помешал?

— Убить бы тебя, — ответил Стас. — Она почти сказала «да».

При слове «убить» тот поперхнулся, а я рявкнула:

— Что происходит? — Вопрос поначалу относился к неожиданному появлению адвоката, но тут я вспомнила о недавних событиях и охнула: — Да меня же чуть не задушили.

— Точно, — согласился Стас, вскочил и кинулся вон из кухни, а Боня бросился к нему на грудь (со стороны это выглядело именно так), бросился и завопил:

— Станислав Геннадьевич, прежде чем вы совершите непоправимое, я хочу сделать заявление. Я и мой клиент пришли сюда с целью оказать всяческое содействие, беспокоясь за жизнь и здоровье Марьи Анатольевны. Куда вы так спешите, молодой человек? — совсем другим тоном спросил он.

— Вызвать милицию, — ответил Стас.

— А вот торопиться не надо, — перешел Боня на ласковый скулеж. — Не надо торопиться, зачем нам милиция? Мы интеллигентные люди, неужели не сможем договориться?

— О чем? — рявкнул Стас, теряя терпение. Еще ми-

нута, и физиономию Бони украсил бы очередной синяк, но хитрец, почувствовав это, убрал руки с груди Стаса и заговорил спокойно и по-деловому, причем оба продолжали топтаться в кухне в опасной близости от зеркала.

— Мы появились здесь с целью предупредить Марью Анатольевну о грозящей ей опасности. В течение нескольких дней мы не могли застать ее дома и оттого порадовались, когда сегодня... Я буду краток. Мы пришли, обнаружили входную дверь открытой, это нас насторожило, мы несколько раз позвали Марью Анатольевну и вдруг услышали крик. Разумеется, бросились на помощь. В комнате мы застали ужасающую картину: двое бандитов, один из которых был в маске, напали на нашу уважаемую Марью Анатольевну, к которой мой клиент испытывает отцовские чувства, что совершенно неудивительно, памятуя давнюю дружбу с покойным родителем госпожи Смородиной. Мой клиент бросился к ней на помощь, а я тем временем решил вызвать милицию, но тут появились вы. — В этом месте Боня коснулся рукой подбитого глаза и взглянул осуждающе. — Я понимаю ваше состояние, молодой человек, любовь — святое чувство, но вы нанесли вред здоровью моего клиента, он до сих пор в отключке, не усугубляйте это дополнительными неприятностями. Встреча с милицией совершенно излишняя, тем более что мой клиент действовал в интересах вашей возлюбленной. Это даже она не сможет отрицать.

— Он сказал «замолкни», — наябедничала я. — И стукнул Васю. А Вася меня спас. Не верю я вашему Севрюгину. Вы папин гроб стащили.

— Что она говорит? — ахнул Боня, всплеснув руками. — Маниакальный бред, последствие пережитого стресса.

— Ничего подобного, — начала я. Тут в глубине квартиры что-то громыхнуло, потом раздался топот, и мимо с невероятной скоростью промчался Севрюгин, точно разъяренный бизон, хлопнула дверь, и стало тихо. Боня осторожно попятился к двери. — Стой, куда? — взвизгнула я, вскочила, угодила ногой в зеркало и заорала. Стас, вместо того чтобы броситься к Боне, бросился ко мне, в результате тот смылся. — Нет, это никогда не кончится, — разглядывая свою ногу, пожаловалась я, осколком зеркала мне была нанесена травма, жить буду, но с порезом на лодыжке нога лучше выглядеть не стала. Стас прикладывал к ней носовой платок, пытаясь остановить кровь, целовал мне коленки и так увлекся, что когда я рявкнула: — Да вызывай же наконец милицию, — не сразу уразумел, зачем это делать. — Так все враги разбегутся, — скорбно заметила я.

Наконец он вспомнил, что у него в кармане сотовый, и позвонил, разговор занял довольно много времени, стражи закона все что-то уточняли, а Стас особым терпением не отличался. Дал отбой, с облегчением вздохнул и заметил:

— Ну, деятели... ничего, главное, мы поймали убийцу.

— Да, — обрадовалась я, — Ритке больше незачем прятаться. Пойдем на него посмотрим, — предложила я.

— Пойдем. — И, взявшись за руки, мы пошли в Риткину комнату. Одинокий Вася сидел на полу и с немым изумлением оглядывался по сторонам.

— Вася, — чувствуя, как теряю почву под ногами, позвала я, — где он?

— Кто?

— Убийца.

— Не знаю. Скажи лучше, что за гнида мне по башке дала? — С этими словами он свирепо уставился на Стаса, тот стоял, тараща глаза в пустоту, а я заревела.

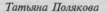

— Он сбежал, — пожаловалась я. — Он был у нас в руках и сбежал.

Было от чего впасть в отчаяние. Словом, когда появилась милиция, в подтверждение своего рассказа мы могли предъявить лишь разнесчастного Васю, шнурок, брошенный убийцей, ну и мою шею, конечно.

Шея закон не впечатлила, а Васе впопыхах надели наручники и едва не поколотили. Пришлось вступиться за него и рассказать, как геройски он действовал. В милиции нас продержали до трех ночи. Толк от этого все же был: я сумела посеять в следователе зерно сомнения в виновности Ритки, чистосердечно рассказав о неизвестном, с которым трижды встречалась до этого. Правда, ментам я сказала дважды, по настоятельной рекомендации Стаса, промолчав о его связи со Славкой (в том, что связь была, я теперь совершенно не сомневалась). Рассказ мой выглядел так: впервые я встретила парня во время дождя в подъезде (адрес прилагался), а затем в компании Севки. Я поведала о подозрениях в адрес этого типа и наших попытках его обнаружить. То, что мой убийца жил под чужим именем, закон впечатлило. Я раз пять описала парня, мы составили словесный портрет, потом я пересмотрела фотографии (не меньше сотни и без всякой пользы), когда меня отпустили, я была от усталости близка к кончине.

Возле дверей меня ждал Стас и выглядел не лучше. Больше всего на свете хотелось спать, о чем я и заявила, и уж чего мне точно не хотелось, так это что-то обсуждать, но Стас, несмотря на усталость, склонен был поговорить, что меня неприятно удивило.

— Ты его узнала? — спросил он, хотя мог и не спрашивать, раз мы все это успели обсудить.

— Узнала, — кивнула я.

— И это точно он? Парень, которого ты видела с Севкой?

— Конечно, он.

— А Вася его видел?

— Вася? — Вопрос поставил меня в тупик. — Он был рядом, а видел или нет, не скажу. Надо у него спросить. И вообще, я хочу спать, — сурово заключила я, пресекая всякие попытки заставить меня мыслить в столь неурочное время.

В окнах квартиры Стаса свет не горел по причине конспирации. Я подумала, может, Ритка спит себе спокойно и вроде бы даже позавидовала ей, но потом решила, что радоваться мачехе рано, убийца еще не найден. Не успели мы закрыть за собой дверь, как Ритка выглянула из комнаты и зашипела:

— Вы что, с ума сошли? Где вас носит? Смерти моей хотите?

Я глухо застонала, потому что поняла: предстоит допрос похуже, чем в милиции. Смирившись с неизбежным, я коротко, но доходчиво поведала Ритке о недавних событиях. Стас между тем устремился на кухню, и Ритка метнулась следом. Слушая меня, приоткрыв рот и без конца повторяя «о господи...», она молниеносно разогрела ужин, сервировала стол и даже машинально погладила Стаса по голове, пробормотав: «Кушай, дорогой», — что тот и сделал, причем с аппетитом. Странный все-таки народ мужчины, у меня бы кусок в горле застрял, а Стас наворачивает за обе щеки как ни в чем не бывало, и это в четыре часа утра.

— Ты умрешь от обжорства, — съязвила я, закончив рассказ. Стас страдальчески сморщился, а Ритка гневно нахмурилась.

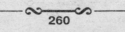

— Еще чего, у мужчины должен быть хороший аппетит. Когда мужчина мало ест, мозг его занят всякими глупостями, такие типы по-настоящему опасны. Сытый человек ерундой не занимается. А ты почему не ужинаешь? — набросилась она на меня и тут же заревела. — Маня, страшно подумать, что бы произошло, если б не Стас.

— Меня спас Вася, — напомнила я.

— А кто тебя спас от Васи?

— Севрюгин.

— Хорошо, а кто тебя спас от Севрюгина? Жертвовать собственной жизнью...

Я только рукой махнула, наблюдая, как Стас просиял при этих словах. Может, это игра света, но ей-богу, вокруг его лба вроде что-то светилось наподобие нимба, хотя в тот момент Стас скорее напоминал кота: сытого, довольного и весьма упитанного.

— А как ты оказался в квартире? — неожиданно спросила я. Неожиданно, потому что ранее данный вопрос просто не приходил мне в голову.

— Я почувствовал, что ты нуждаешься в помощи, — с чувством сообщил он. — Нас связывают невидимые нити, сердце с сердцем, душу с душой.

— Молоть языком в четыре утра не каждый может, — восхитилась я, — ты достоин Книги рекордов Гиннесса.

Стас погрустнел, а нимб вокруг его головы потух.

— На самом деле у меня было предчувствие, — серьезно сообщил он. — Тебе не понять. Такое бывает, если любишь кого-то по-настоящему. Не успел я отъехать от дома, как начал беспокоиться. Еще эти телефонные звонки. Мне они показались подозрительными. Чем дальше я удалялся от дома, тем беспокойнее мне становилось, и я в конце концов решил вернуться, а чтобы ты не злилась, намеревался сказать, что забыл свой телефон. Дверь была не заперта, и это меня здорово разозлило, ведь я просил тебя быть поосторожнее. Вхожу и вижу какого-то хмыря, которого знать не знаю, зато он, похоже, знаком со мной. Здравствуйте, говорит, Станислав Геннадьевич, ну я ему в глаз, на всякий случай. Он затих на полу, а я в комнату, ты как раз вскрикнула...

— Откуда у тебя пистолет? — сурово спросила я.

— Так он газовый. Между прочим, зарегистрирован. И не надо так смотреть. Я перед законом совершенно чист, сначала менты придолбались, теперь ты...

— Это любовь, — заявила Ритка не к месту и вновь погладила Стаса по голове. — Только когда мужчина любит по-настоящему, он...

— Заткнись, — попросила я.

— Не смей со мной так разговаривать, — возмутилась Ритка. — Я тебе почти что мать. И я получше тебя знаю. Тебе надо выйти замуж. Немедленно.

— О господи, — простонала я и пошла из кухни.

— Слушай, что мама говорит, — заорал вдогонку Стас. — Мама плохого не посоветует.

Я с трудом разделась и встала под горячий душ. Если бы я могла спать стоя, то, наверное бы, уснула. Любое движение мне давалось с трудом, поэтому я просто завернулась в полотенце и прошлепала в комнату, где спала накануне. Кровать была заправлена.

— Рита, — позвала я в отчаянии, плюхаясь в кресло. И уснула. А проснулась оттого, что включился телевизор. Я повернула голову и обнаружила рядом с собой Стаса. Он спал как младенец, а на телевизор не реагировал. — Какая гнусность, — покачала я головой и выключила телевизор. Полотенце валялось в моих ногах, а я лежала в костюме Евы. Возмущение переполняло меня, и я вновь повторила: — Какая гнусность.

Тут в дверь постучали, и Риткин голос позвал:

— Стасик, ты просил разбудить тебя. Уже девять утра.

— Боже, — простонал Стас, повернулся и увидел меня. — Маня, — сказал он с удивлением, плавно переходящим в восторг с намеком на неземное блаженство.

— Что? — спросила я.

— Это ты.

— В общем, да. Хотелось бы знать, как я здесь очутилась?

— В моей спальне? — Спальня в самом деле была его.

— Вот именно.

— Извини, я крепко спал и ничего по этому поводу сообщить не могу.

— Ты хочешь сказать, что я сама пришла сюда?

Он подумал и спросил серьезно:

— А как еще?

— Убила бы тебя. — Наверное, я в самом деле запросто могла огреть его чем-нибудь тяжелым, да вот беда, ничего подходящего под рукой не оказалось.

— На самом деле все очень просто, — проникновенно заговорил он. — Ты была напугана и, вполне естественно, искала поддержки и опоры...

— Я заснула в кресле.

— Я сам спал как убитый.

— Это было очень глупо, — не обращая внимания на его слова, заметила я. — Что ты выиграл от этого? — Отвечать он не стал, улыбнулся и поцеловал меня. Вполне дружески, но я его братским поцелуям не очень-то верила. Так и вышло, в течение ближайших пяти минут они претерпели значительную трансформацию, а я, улучив момент, напомнила: — Тебе пора на работу.

Вот тут бы самое время прекратить все это, но я увлеклась. Конечно, это было неразумно, но бросаться к двери или звать на помощь Ритку мне совершенно не хотелось. Правда, через некий временной промежуток Ритка сама напомнила о своем существовании, грохнула в дверь и сообщила:

— 12 часов 05 минут. Если вы собрались валяться в постели до обеда, какого черта я вскочила ни свет ни заря? Вам кофе в постель или все-таки выйдете?

— Выйдем, — пискнула я в ответ и повернулась к Стасу. — Ты собираешься на свою работу? Тебе там что-то подписывать.

Он презрительно отмахнулся, а я между тем испытывала двойственные чувства: с одной стороны, приятно, что твое общество безоговорочно предпочитают важным делам, с другой стороны, туфли мы купили, но это ведь не предел моих мечтаний, а мечты, как известно, стоят денег, и чем отлеживать бока... Одним словом, мужчина должен как-то сочетать все это, он не имеет права быть эгоистом, надо думать о ближнем и сделать в жизни что-то существенное для общей пользы, его и моей.

Но мудрые мысли как по волшебству покинули меня и не посещали до тех пор, пока Ритка вновь не забарабанила в дверь.

— Стас, пятый раз с работы звонят, я не знаю, что врать. Там сидит какой-то хмырь, и твоя секретарша утверждает, что больше чем на полчаса ей его не задержать. Контракт накроется, это она так говорит, а не я. Что ты вытворяешь? Люди доверили тебе свою судьбу, а ты как мальчишка... Я разочарована, не о таком муже я мечтала для своей Мани. Ты меня слышишь? Манька никуда не денется, а ты бабок лишишься, придурок.

Забегая вперед, скажу, что контракта мы не лишились, секретарша себя явно недооценила, хмырь дождался Стаса, хотя тот явился ближе к пяти, потому что Ритка своими воплями только все испортила. Если бы после ее слов о том, что я никуда не денусь, Стас спешно натянул штаны и бросился в офис, я бы ни за что не поверила, что он меня любит. Не поверила бы, и все. Хотя наплевательское отношение к работе тоже никуда не годилось. В первом случае я сочла бы его обманщиком, во втором — дураком. Хитрющий Стас понимал это не хуже меня и предпочел быть дураком. Скажу честно, я это оценила. И, завязывая ему галстук (этому меня научил папа в свободное от основной деятельности время, приговаривая «жена, умеющая завязать галстук, — бесценное сокровище»), так вот, старательно затягивая узел на его шее, я с чувством сказала:

— Я тебя люблю.

Мы были счастливы. Абсолютно. Ровно двенадцать минут. Через двенадцать минут, когда Стас на ходу пил кофе, зазвонил телефон. Я схватила его мобильный, чтобы дать человеку возможность сделать последний глоток, и женский голос, противнее которого я сроду ничего не слышала, осведомился:

— Дорогой, это ты?

— Дорогой, это тебя, — сообщила я, сунув ему телефон, и широко улыбнулась.

— Привет, — отозвался он с видом мученика. — Нормально... Слушай, не звони мне больше, дело в том, что я женился... вот прямо сейчас.

Он был очень доволен собой, а я почувствовала себя идиоткой. Поверить такому типу... еще и в любви ему призналась.

— Видеть тебя не хочу, — заявила я, поспешно удаляясь.

— Маня! — завопил он, бросаясь вдогонку.

— Сумасшедший дом, — верещала Ритка. — Ты

уедешь на работу или мне весь день кофе заваривать? Я целую банку извела.

Я неслась, натыкаясь на различные предметы домашней обстановки, с одной мыслью: не дать себя поймать. С разбегу влетела в комнату, заперла дверь и отдышалась. Стас резвился с той стороны, стучал, взывал и даже пробовал пустить слезу.

— Маня, выйди оттуда, — повторял он, — ты не можешь сидеть в гардеробной. Тебе там совершенно нечего делать.

Делать здесь действительно было нечего. Я бросила на пол пяток костюмов и с тайным злорадством улеглась на них, закинула ногу на ногу и заткнула уши. Вопли за дверью стихли, но выходить я не спешила, зная человеческое коварство.

По большому счету именно Стасу с его неуемной тягой к женскому обществу мне стоило сказать «спасибо», потому что лишь благодаря временному заточению и, как следствие, безделью, я дала себе труд поразмыслить над событиями последних дней и внезапно обнаружила нечто такое, на что давно бы обратила внимание, не отвлекай меня личности вроде Стаса всякими пустяками.

Через два часа я поздравила себя с умением рассуждать здраво, логично и основательно. Ниро Вульф шевелил губами, когда вычислял убийцу, а я лежала на костюмах по полторы тысячи баксов (о вкусах не спорят). Главное, я ощутила родство с великим сыщиком, потому что теперь твердо знала: кто, кого и по какой причине убил. Правда, кое-что требовало уточнения, но в общем и целом я осталась собой довольна, взглянула на часы, бодро поднялась и пошла к двери, рас-

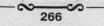

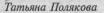

пахнула ее и убедилась, что в доме царит тишина. Ритка сидела в кухне и разгадывала кроссворд. При моем появлении она подняла голову и недовольно сказала:

— Еле выпихнула его на работу. Он так жалобно скулил под дверью... как у тебя только мозги не опухли от его стонов.

— Я заткнула уши.

— Маня, ты идиотка. Будешь так себя вести, никогда не выйдешь замуж. А мы в этом остро нуждаемся.

— Я не собираюсь выходить замуж за этого типа.

— Уверяю, он далеко не худший вариант. И он готов жениться. Если мужчина готов, мы обязаны идти навстречу.

— Ты говоришь ужасную чепуху, — отмахнулась я.

— Вовсе нет. Ты ничего не понимаешь в жизни, а у меня есть опыт, с этим ты спорить не будешь. Так вот, я тебя уверяю: Стас прекрасная партия. Во-первых, он тебя любит, и не ухмыляйся так, любит. Ведь в конце концов он просил эту мерзавку больше не звонить. Во-вторых, у него есть деньги, и дело даже не в квартире, машине и фирме, о которой ни ты, ни я знать ничего не знаем, а надо бы... Просто я такие вещи чувствую. И в-третьих, он готов их потратить на тебя, что особенно ценно.

— Он бабник. Я буду мучиться всю жизнь, если выйду за него замуж.

— Мучаются только дуры. Ты знаешь, наш папа тоже был далек от совершенства, иногда приносил бюстгальтер в кармане, но мне и в голову не приходило сердиться, я же знала — он такой рассеянный. Мы жили душа в душу. Годы, проведенные с твоим отцом, лучшее из всего, что я могу вспомнить. Мы виделись не часто, но это не мешало нашему счастью. И еще, мне не хотелось бы напоминать об этом, но если ты начнешь прятаться от Стаса, кто тогда займется расследованием убийства?

— Я как раз работаю над этим, — заверила я и пошла за своей сумкой, где должна была храниться бумажка с номером телефона, оставленная мне Васей. Она нашлась, я придвинула телефон и набрала номер. Голос Васи звучал печально.

— Вася, — позвала я, — это Маня. Тебя уже отпустили?

— Утром. Спасибо, что растолковала этим психам что к чему, не то бы непременно запихнули меня в каталажку.

— Вася, а как ты в квартире оказался?

— Ну... ты так неожиданно исчезла... мы подумали, может, вспомнила чего и на всякий случай приглядывали за квартирой, ждали, когда ты появишься. Ты появилась, а когда твой парень уехал, я решил, что самое время с тобой потолковать. Захожу, а там... как же мы его упустили, — сокрушенно закончил он.

— Ты его лицо видел?

— Нет. Если б знать, что по башке получу... первым бы делом...

— Вася, давай встретимся, — предложила я. Пауза. Я уже хотела повторить, но он ответил:

— Я вообще-то жениться собрался в следующую субботу, но...

— Я совершенно по другому вопросу, — кашлянула я. — Женитьбе это не помешает. На всякий случай прихвати Вадима. — Вновь пауза. — Я просто хочу поговорить, прояснить кое-какие моменты.

— С Вадимом?

— И с ним, и с тобой. Две головы хорошо, три лучше, — сказала я, решив про себя, что Васину голову за целую считать нельзя.

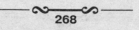

Мы договорились о встрече, и я принялась спешно собираться. Ритка тут же вмешалась:

— Стас категорически запретил выпускать тебя из дома. Он звонил полчаса назад, когда ты еще сидела в гардеробе. И вновь об этом напомнил.

— У меня важная встреча. Думаю, уже завтра ты сможешь покинуть этот вертеп и передвигаться свободно.

— Конечно, это аргумент, но мне было бы спокойнее, если бы ты отправилась вместе со Стасом. Или хотя бы позвонила ему.

— Я вычеркнула его из своей жизни.

— Тогда я сама ему позвоню.

— Только после моего ухода, — сурово предупредила я.

Вася с Вадимом сидели в кафе за столиком у окна, вгоняя в тоску официанток и немногочисленных посетителей. При моем появлении оба поднялись, что было и удивительно, и приятно, пожали мне руку, что тоже было удивительно, но малоприятно. Я дважды пискнула, потрясла конечностью, Вася буркнул:

— Извини, не рассчитал. — А Вадим скромно улыбнулся. Я села, и Вася заказал мне кофе. — Маня, ты знаешь, кто меня по башке отоварил? — спросил он.

— Я знаю, как его зовут, но кто он — не знаю. Утверждает, что папин друг. В это я не очень-то верю, хотя, может, и друг. Он ищет сокровища.

— Что? — не понял Вася, а Вадим насторожился.

— Какой-то олух решил, что папа где-то оставил деньги, а еще худшие олухи в эту сказку поверили. И теперь ищут. Севрюгин — это тот, что тебя по голове ударил, даже папин гроб вырыл, думал, деньги там.

— Извращенец, — покачал головой Вадим, а Вася приокрыл рот, подумал и спросил:

— И что папа?

— Нормально, — пожала я плечами.

— Гроб ему вернули?

— Ну... в общем да. — Тут я подумала, что в процессе беседы с Васей и Вадимом вряд ли что проясню, они способны только еще больше все запутать. Я посмотрела на них, вздохнула и спросила: — Ребята, где вы работаете? Я не просто так спрашиваю, — торопливо заявила я, видя, как меняется выражение на их физиономиях. — Кто ваш босс? Хотя, может, это как-то по-другому называется, на всякий случай извините, я никого не хотела обидеть. Просто мне очень нужно с ним поговорить по поводу убийства Рыжего, то есть... того дядьки в кафе.

— Скажи нам, — предложил Вадим.

— Нет, — покачала я головой. — Дело важное. Вряд ли ваш босс захочет, чтобы я об этом болтала, даже вам.

Вася с Вадимом переглянулись, затем уставились на меня. Я с честью выдержала их взгляды, глазом не моргнув. На самом деле было это совсем нетрудно, к тому моменту я считала Вадима вполне безопасным, а к Васе испытывала нежные чувства, ведь он спас меня от смерти. Вася ко мне тоже что-то испытывал, взгляд его затуманился, я думаю, он смог бы даже перенести свадьбу на неопределенное время, приди мне в голову попросить его об этом, но так далеко мои нежные чувства не заходили. Вася взглянул на Вадика, а тот пожал плечами, после чего достал сотовый, поднялся, отошел к гардеробу, поговорил пару минут и вернулся.

— Поехали, — кивнул он, а я вдруг испугалась и ухватила Васю за руку.

— Да все нормально, — шепнул он, и мы вышли из кафе.

На стоянке я заметила «Ниссан», в него-то мы и сели, а через пятнадцать минут тормозили возле «Фитнес-клуба», который я уже имела удовольствие посетить в компании Стаса. На этот раз бар мы игнорировали, коридором прошли в большую комнату, где в полном одиночестве сидел молодой человек и поедал орехи, с хрустом раскалывая их голыми руками. Конечно, это впечатляло, и размер руки, и то, с какой легкостью грецкий орех лишался скорлупы, но за исключением данного хобби ничего зловещего в молодом человеке не было, хотя предполагалось, что встречаюсь я с первейшим мафиози города. Может, не первейшим, но он-то сам вряд ли бы согласился на второй номер.

Парень не только не выглядел экранным злодеем, он был вполне симпатичным. Блондин с серыми глазами, открытым лицом и ямкой на подбородке. Когда он улыбался, ямка смотрелась восхитительно, но сама улыбка особо не пленяла, у парня не хватало двух передних зубов, и он не придумал ничего лучшего, как вставить золотые. Подобные идеи всегда казались мне странными. Если б не эти дурацкие зубы... Счастье никогда не бывает полным, как любит выражаться Ритка.

— Привет, — прервав расправу над орехами, сказал парень, продолжая улыбаться. — Проходи. Садись и рассказывай.

— Спасибо, — вежливо отозвалась я, прошла и устроилась в кресле, не то чтобы далеко от парня, но и не слишком близко. Он взирал на меня с интересом, но вовсе не с тем, которого я от него ожидала, в смысле деловых отношений. Интерес носил сугубо личный характер, и это меня беспокоило. Я сразу вспомнила, что я беззащитная девушка, а он... черт его знает, кто он такой. И ведь на судьбу не пожалуешься, раз сама притащилась.

— Я твоего батю знал, — сообщил парень. — Прикольный мужик. Гений. Он правда умер?

Такой вопрос мог поставить в тупик любого, только не меня.

— Нам прислали урну с его прахом. В бумаге написано, что это папа.

— А говорили, в закрытом гробу хоронят...

— Это Рита, папина жена, настояла, чтобы у папы была могила. Мы навещали ее, чтобы поплакать. Но папин друг, как он себя называет, гроб стащил. Мы лишились урны, и теперь я даже не знаю, как ответить на ваш вопрос.

— А ты на батю похожа, — заявил он, — тоже прикольная. Парни говорят, ты вроде знаешь, кто Рыжего шлепнул. Знаешь?

— Я догадываюсь.

— Ну-ну. Другой бы, может, и не поверил, а я с удовольствием послушаю. Твой батя, говорят, долго в дурачках ходил, а утер нос всем умникам. Не зря получил прозвище: король утиля. Какие мозги у мужика, позавидуешь. Может, и ты что дельное скажешь.

— Ага, — кивнула я согласно, радуясь, что папа оставил о себе в народе добрую память. — А мы не могли бы познакомиться? — неуверенно спросила я, откашлявшись. — Просто чтобы узнать, тот ли вы человек, который мне нужен.

— А кто тебе нужен? — хмыкнул он. Я была уверена, что нужен мне он, возраст и комплекция подходящие, но ведь я могла и ошибиться. Пришлось рискнуть.

— Вас Сережей зовут?

— Точно, — кивнул он. — Павленко Сергей Витальевич.

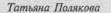

«Павлик», — мысленно порадовалась я и начала излагать все то, до чего додумалась, лежа в гардеробной. Начала я с Севки. Он торговал наркотиками, брал партию у совершенно не интересного мне Артура и перепродавал торговцам помельче. При этом мечтал стать наркобароном и с этой целью всячески склонял Павлика к мысли заняться доходным бизнесом. (Только не подумайте, что я использовала эти слова в своем рассказе, что вы, я девушка толковая и умею изъясняться намеками. Павлик, в отличие от Васи и Вадима, тоже дураком не был, что значительно облегчило задачу.)

Севкины мечты завели его очень далеко, он решил перейти от слов к делу, но на пути стоял Рыжий. Павлику не хотелось с ним задираться, пришлось Севке самому ломать голову, как избавиться от потенциального конкурента. И вот здесь стоит вернуться в тот день, когда я зашла в «Мамины блины» выпить чаю. Вслед за мной появляются два алкаша с намерением взять кассу, но вместо этого убивают торговца наркотиками, причем из игрушечного пистолета. Затем я еду к однокласснику и встречаю на лестнице парня, который впоследствии пытался меня убить, и уже не впервые, если учесть, что не так давно взлетела на воздух квартира, где я прописана.

Вроде бы совершенно непонятно, чем я так досадила человеку. Допустим, он убийца Севки, но я-то на что ему сдалась, раз он даже предположить не мог, что я их видела вместе? Однако, если допустить мысль, что парень в Славкином подъезде и есть тот самый Юра, что подбил Славку на грабеж, все встает на свои места. Я детально вспомнила нашу встречу в подъезде моего незадачливого одноклассника: парень был потрясен, увидев меня. Я-то решила, что моя неземная красота произвела на него такое впечатление, а на самом деле все проще. Он спокойно шел убивать несчастного Славку и вдруг встретил свою недавнюю заложницу. Разумеется, это очень обеспокоило убийцу. Мало того, мы встречаемся в доме, где он снимал квартиру. Я-то знаю, что это случайность, но парень не знал и решил от меня избавиться. То, что Юра не был обычным алкашом, а являлся весьма осмотрительным молодым человеком, совершенно очевидно. Алкаш не додумается купить машину и снять квартиру, используя чужой паспорт, да и деньги на это у него вряд ли есть. Такое больше подошло бы тертому калачу, которому убийство не в диковину. Отсюда вопрос: с какой стати такому типу грабить кафе, взяв в напарники пьяницу Славку, и рисковать из-за грошовой выручки? И тут вновь уместно вспомнить, кем был Рыжий, кому он мешал и в чьей компании я видела убийцу. Отсюда сам собой напрашивается вывод: Севка попросил парня оказать ему услугу, то есть убрать Рыжего. Но сделать это надо было так, чтобы ни у кого не возникло подозрений, что Севка к этому причастен, иначе никакая дружба с Павликом его не спасет. Оттого и появился план ограбления, в результате которого якобы случайно погиб Рыжий. Затем Юра убивает напарника, подбросив улики, указывающие на то, что тот ограбил кафе. Славку при всем желании связать с Севкой было бы просто невозможно, а Юра исчез, став Олегом или каким-нибудь Вовой.

— Складно, — весело сообщил Павлик, выслушав меня. — И гораздо интереснее, чем у ментов.

— По-вашему, я все выдумала? — обиделась я.

— Нет. Похоже на правду. Мы ведь тоже сложа руки не сидели, да и менты не зря свой хлеб жуют. Вася лопухнулся вчера маленько, а то бы этот деятель был бы у нас в руках. Но ничего, найдем. Где-то когда-то они с Севкой встретились.

Тут я поведала о частном сыщике, который тоже погиб, но незадолго до смерти звонил кому-то по телефону, а еще ранее следил за Севкой по просьбе моей мачехи и, очень возможно, что-то видел, оттого и скончался столь скоропостижно. Понизив голос до ласкового щебетания, я поинтересовалась, звонок, случаем, был не Павлику?

— Конечно, нет, — усмехнулся он, а я испугалась, что ненароком оскорбила мафиози. Это было бы крайне неосмотрительно с моей стороны. Разумеется, какому-то частному детективу не по рангу обращаться к столь важной персоне. — Разберемся, — заверил Павлик и тут же спросил: — По-твоему, Севку он убил? Тот самый Юра?

Если честно, ответить на этот вопрос однозначно я не могла, но, подумав, все же сказала:

— Да. После того как выяснил, что мы с Севкой не совсем чужие люди, даже живем под одной крышей... Он считал меня опасной, случайные совпадения ему не нравились, он решил подстраховаться. Севка — единственная ниточка, ведущая к Юре. Я сама видела, как он ехал следом, должно быть, выжидал возле дома, а когда Ритка выбежала из подъезда, спокойно поднялся в квартиру. Возможно, перед этим позвонил и сослался на чрезвычайные обстоятельства. Севка его не боялся, повернулся спиной и получил по голове бейсбольной битой, а потом все сложилось так удачно, что подозрение в убийстве легло на мачеху. Этому типу взять бы да и угомониться, но его беспокоили случайные встречи со мной, и он надумал избавиться от меня. К счастью, ему опять не повезло. Однако везение — такая штука... Мне было бы спокойнее, окажись он в тюрьме.

— В тюрьме он вряд ли окажется, — хмыкнул Павлик.

— Очень надо, чтоб оказался, — жалобно вздохнула я, — и подписал чистосердечное признание, чтобы с Риты сняли дурацкие обвинения.

— Рита — это твоя мачеха?

— Да. Она хорошая и всех этих испытаний не заслужила.

— Понятное дело, — согласился Павлик. — Испытания — такая штука... Ну что ж, спасибо за содержательную беседу, — широко улыбнулся он, а я подумала: «С этими зубами надо что-то делать, они весь вид портят... но не скажешь же ему об этом».

— Спасибо, что уделили мне столько времени, — не осталась я в долгу, но продолжала сидеть, и Павлик спросил:

— Еще что-нибудь?

— У меня к вам просьба, — решилась я.

— Валяй.

— Это не так просто. Я имею в виду — сформулировать ее.

— А ты наплюй на формулировки и говори как есть.

— Хорошо. Я попробую. Видите ли, мне очень важно знать, где Севка перевозил... товар. Ведь он был курьером и, должно быть, соблюдал конспирацию. Это возможно как-то узнать?

— Почему нет? — пожал плечами Павлик. Потом позвал Васю, и тот не замедлил явиться, получил задание и исчез, а Павлик улыбнулся: — Оставь свой номер, будут новости, позвоню.

— Спасибо, — обрадовалась я, поспешно вскакивая.

Я уже была возле двери, когда Павлик окликнул меня:

— Говорят, ты водишь дружбу с Самойловым. Правда?

— Никакой дружбы, — нахмурилась я.

— Я не мастер выбирать слова и выражения, потому

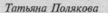

скажу просто: посмотри вокруг, и ты найдешь парня получше.

— Это уж точно, — не стала я спорить и, попрощавшись, удалилась. Вадим проводил меня до дверей и посоветовал быть осторожнее. Выглядел он совершенно искренним, и я подумала, направляясь к остановке, что мне даже с бандитами не везет, они совершенно не такие, какими должны быть... Или везет? О везении лучше не думать, только воспаришь душою, как тебе сразу по голове трах-х-х... Деньги сопрут или машину свистнут. Я зашагала быстрее и вскоре каким-то образом оказалась в парке, без всякого на то желания, просто шла, шла и пришла, а сообразив, где нахожусь, вспомнила предупреждение Вадима и рванула оттуда чуть ли не бегом. Тут мне позвонили на сотовый. Звонил Вася.

— Маня, — позвал он, — ты про Севку спрашивала. Так вот, тайник был оборудован в машине. Это точно. Чтобы узнать, где именно, понадобится время. Узнать?

— Нет, — вздохнула я и торопливо поблагодарила, опустившись на ближайшую скамейку с воплем: — Вот сукин сын! — Чем вспугнула голубей и заставила вздрогнуть пожилую даму, на тот момент оказавшуюся по соседству.

Самые черные подозрения в отношении Стаса теперь обрели основания. Вот это и называется — не везет, так навсегда. Не знаю, как долго я сидела на скамейке, предаваясь горестным мыслям. Из этого состояния меня вывел очередной звонок. Услышав голос Стаса, я на мгновение растерялась, не зная, отвечать или нет, и все же ответила, но не то, что хотела.

— Ты подлый обманщик, — рявкнула я.

— О господи, — простонал он, — хочешь, я поменяю номера телефонов, и мне никто больше не позвонит. Маня, где ты? — спросил он совсем другим тоном.

— Тебя это не касается.

— Не касается? — возмутился он. — Тебя вчера чуть не убили, а сегодня меня это не касается. Немедленно домой. Немедленно. Нет, лучше сиди там, где ты есть, я сам за тобой приеду. Ты где?

— В парке.

— В каком парке? — растерялся он.

— Парк Гагарина. Приезжай, самое время поговорить, мерзавец.

— Опять мерзавец, — возмутился он. — Что я такого сделал? Не я же ей звонил...

— Твои девицы меня совершенно не интересуют. Можешь крутить романы хоть со всем городом.

— Это совершенно не входит в мои планы... — начал он, но я отключилась и стала ждать.

Стас появился через пятнадцать минут. Сначала сквозь прутья ограды я увидела его машину, а затем его самого, он шел по аллее, нервно оглядываясь. Заметив меня, расцвел улыбкой и прибавил шагу. Я злорадно следила за его приближением.

— Что ты вытворяешь? — с места в карьер принялся выговаривать он. — После вчерашнего шляешься по каким-то паркам, вместо того чтобы сидеть дома и спокойно учиться готовить.

— Сам учись, — предложила я. — Я выйду замуж за богатого человека, и у меня будет домработница.

— Приемлемо, — кивнул он. — А за кого ты выходишь замуж?

— Уж точно не за тебя. Ты мерзавец и обманщик. И, скорее всего, бандит.

— Ни фига себе, — ахнул он. — Мерзавец и обманщик — еще куда ни шло, хотя и против них категорически возражаю...

— Заткнись, — перебила я. — Севку убили из-за

тебя. Ты свистнул наркоту из его машины. Она стоила денег. Больших денег. Ты мне врал, даже расследование затеял, хотя все знал с самого начала. Из-за тебя человека убили... Хоть Севка был не подарок, но все равно человек. А ты скалишь зубы, изображаешь приличного парня, а на самом деле...

Улыбка сползла с его физиономии, он протянул ко мне руку и попросил:

— Подожди, я сейчас объясню...

— Нечего мне объяснять, — отмахнулась я. — Ты нашел эту дрянь в машине, оттого и вертелся вокруг меня.

— Вертелся я совершенно по другой причине. Маня, ты в состоянии меня спокойно выслушать?

— Нет.

— Вижу, что нет. И что мне делать? Ну нашел я эту наркоту... Ты представить себе не можешь, как она меня доконала.

— В каком смысле? — ахнула я.

— В буквальном. Что я только ни делал — охрану увеличил, на входе досмотр, точно в аэропорту, — ничего не помогает. Менты покоя не дают, трясут своими бумажками со статистикой, помощи от них кот наплакал и пользы от статистики никакой... И вдруг звонит Костя, нашел в машине пакет этой дряни. В твоей машине. Ну я сгоряча и спустил эту гадость в унитаз. А что было делать? Оставить? Возможно, с чьей-то точки зрения это было бы разумно, проследить за парнем и все такое, но толку от этого ни на грош. Я и так знаю кто, что и так далее. Не мое это дело, а милиции. И хотя и в милиции все знают, но сделать ничего не могут. А что сделаешь, если полстраны с этого кормится? И какие полстраны... вот и бухнул в унитаз. Конечно, мог заявить в милицию, чтобы тебя сделали крайней и в тюрьму бы упекли лет на двенадцать. Это выход?

— Ты меня тюрьмой не пугай, — нахмурилась я. — Все, что ты здесь болтаешь, ровным счетом ничего не значит. Тип ты совершенно беспринципный, и очень сомнительно, что смыл деньги в унитаз, скорее костюм приобрел, двадцатый по счету. А я-то голову ломала, откуда вдруг такой интерес к моей особе? Оказывается, все просто, и конкурента убрал, и ситуацию держал под контролем.

— Что ты несешь? — возмутился Стас. — Какого конкурента? Я же все объяснил.

— Короче, так, — отрезала я. — Стучать на тебя ментам или тому же Павлику ниже моего достоинства. Я на Славку не наступала и на тебя не буду, можешь не переживать. Но это лишь в том случае, если ты раз и навсегда избавишь меня от своего присутствия. Понял?

— Не понял: что значит «избавить»?

— То и значит. Скройся с глаз и больше не появляйся.

— А как же любовь? Я на тебе жениться хочу.

— Моя любовь уже прошла, а твоя еще только впереди.

— Постой, так не пойдет. Почему это ты решаешь? В таком деле необходимо учитывать мнение двух сторон. Я категорически против.

— Занеси это в протокол. И проваливай.

— А твоя безопасность? Кто тебя будет защищать? А Ритка?

— Ритка со мной согласится, когда все про тебя узнает.

— Оставь мне хотя бы тещу, она на вечер блины обещала.

— Продолжай острить, — кивнула я, — я пока Ритке позвоню.

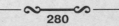

— Маня, — он взял меня за руку, — послушай. Я не знаю, почему у тебя сложилось обо мне такое мнение... Все совершенно не так. Поедем домой и спокойно все обсудим.

— С какой целью ты все это время вертелся рядом? — нахмурилась я. — Чего добивался?

— Как чего? Твоего расположения, конечно.

— Разговора не получается, — констатировала я.

— Почему? Потому что я отказываюсь на себя наговаривать?

— Потому что правду сказать не хочешь.

— Правду? Пожалуйста. Я встретил девушку, которая мне очень понравилась. В ее машине обнаружили наркоту. Я хотел знать, какое она имеет к ней отношение. Оказалось, никакого. Но вот беда, наркоту я уже спустил в унитаз и теперь боялся, что это отразится на девушке. Ко всему прочему ты оказалась замешана в дурацком ограблении, словом, было ясно, оставить тебя одну никак нельзя. Вот и все. Поехали домой, и позвони Ритке, где она, кстати?

— Ритка? — не поняла я.

— Где ты ее спрятала?

— Что-то я не пойму...

— Я звонил домой, но звонки игнорировали. Я решил, что ты проявляешь принципиальность, поспешил закончить дела и приехал. В квартире никого. Это меня здорово напугало. Я позвонил тебе на сотовый, и, на счастье, ты откликнулась.

— Ритки нет дома?

— Поехали и сама убедишься.

— Нашел дуру, — усмехнулась я. — Все. Беседа закончена. Помни о моем обещании.

— Прекрати валять дурака, — разозлился он, теперь от рубахи-парня в его облике ничего не осталось.

— Я не валяю дурака. Я прощаюсь с тобой навеки. Всего хорошего. — С этими словами я сделала шаг в сторону. Стас схватил меня за руку, в аллее как раз появился милицейский патруль, я заголосила «помогите!», Стас отдернул руку, а я рванула к выходу из парка. Оказавшись в безопасности, я смогла понаблюдать, как Стас объясняется с господами из милиции, которые увлеченно разглядывали его документы. Тут мне пришло в голову, что, возможно, я вижу этого придурка в последний раз, и я заревела. Без всякого к тому желания. Шла и ревела, и неизвестно, чем бы все это кончилось, но тут раздался звонок, и я на длительное время была избавлена от мыслей о Стасе, впрочем, как и от всех других.

Но лучше по порядку. Телефон зазвонил, я взглянула на номер, дабы убедиться, что это не Стас, и ответила:

— Слушаю.

— Мария Анатольевна, — ласково пропел Боня.

— Здравствуйте, Богдан Семенович.

— Как ваши дела? — поинтересовался он.

— Плохо, — не стала я лукавить.

— Что так?

— Собиралась замуж за богатого человека, теперь не собираюсь.

— Бывает. Зачем вам гнаться за богатством? У вас своего за глаза.

— Вы имеете в виду духовное богатство? — сообразила я.

— Нет, знаете, я материалист. Мария Анатольевна, тут вот какое дело. Ваш папенька задолжал крупную сумму денег. И не вернул. Мой клиент настроен решительно и намерен получить деньги с вас.

— А большой долг? — забеспокоилась я и громко икнула, услышав:

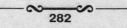

— Сто тысяч.

— Рублей? — спросила я, не очень-то рассчитывая на удачу.

— Не смешите, Мария Анатольевна.

— Да, что-то я в самом деле... У вас есть какой-то документ, удостоверяющий, что папа брал эти деньги?

— Видите ли... — начал иезуит, но я не позволила себя перебивать.

— Вы ведь не рассчитываете, что я поверю вам на слово? Это было бы довольно глупо с моей стороны.

Тут в трубке послышался густой бас Севрюгина.

— Вот что, — рыкнул он, — твой папаша мне должен эти деньги, и я их получу. Срок тебе неделя. Не вернешь деньги, твоя подружка, или кем она тебе там доводится, лишится головы.

— Какая подружка? — испугалась я.

Пауза, а вслед за этим в трубке раздался голос Ритки:

— Маня, эти психи меня похитили. Явились в квартиру Стаса, пистолетом грозили. Пришлось ехать. Маня, они совершенно сумасшедшие, я им битый час твержу, что денег у нас ни копейки. Если только квартиры продадим, но на что тогда самим жить? Вот если ты выйдешь замуж за Стаса...

— Не выйду. Он мерзавец.

— Жаль. Хотя я не очень верю, что ради меня он бы раскошелился.

— Как с тобой обращаются? — испуганно спросила я.

— Нормально, — ответила Ритка.

— А где ты?

— Не знаю. Вроде дачи или дома за городом. Меня сюда с завязанными глазами везли. Из дома не выпускают. Думаешь, они всерьез про мою голову говорят? Если честно, я переживаю. Ведь эти двое форменные психи. Разбили папину урну, думали, там ценности. Ну не идиоты ли? Папа лишился последнего пристанища, и куда мы теперь понесем свою печаль?

Только я собралась ответить, как вновь услышала севрюгинский бас:

— Я не шучу. Поняла? Гони бабки.

— Дядя Гена, — заныла я. Помнится, он предлагал себя так называть в память о том золотом времечке, когда я сиживала у него на коленях, — откуда ж у меня деньги?

— Не смеши. После отца остались миллионы.

— Возможно, но мне о них ничего не известно, и Ритке тоже. Вы бы ее отпустили, дядя Гена, не то я на вас в милицию заявлю. Похищение людей уголовно наказуемо, а здесь еще шантаж, угроза убийства. Оно вам надо? Вы папин друг, и ради этого я готова забыть, что вы умыкнули Ритку и даже папину урну припоминать не буду, хотя ваше поведение никуда не годится. Договорились?

— Дураком меня считаешь? — заревел Севрюгин так, что я поспешила отодвинуть телефон от уха. — Заявляй в милицию, я и сам заявлю, Ритку твою за убийство разыскивают.

— Она не убивала, вы же знаете. Это Юра...

— Какой еще Юра? Если понадобится, Богдан в свидетели пойдет. Он в машине возле вашего дома сидел, за вами наблюдал и обязательно подтвердит, что, кроме Ритки, никто из подъезда не выходил и в него не входил. Ясно? Надо будет, на Библии поклянется. Поняла?

— Поняла, — вздохнула я, — но денег у меня от этого не прибавится.

— Мне хоть из-под земли достань, — еще раз рявкнул Севрюгин и отключился, а я загрустила.

Я брела к дому, не разбирая дороги, и думала, где

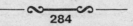

достать деньги. Найти Севрюгина вряд ли удастся, я знаю лишь номер его сотового, а он с этим самым сотовым может быть где угодно, так что одной мне такая работа не по силам. Значит, надо идти в милицию. Но пока они не нашли настоящего убийцу, это опасно — чего доброго упекут Ритку в тюрьму, а у нее клаустрофобия. Следовало бы обратиться за советом к Стасу, но теперь это даже неприлично. Да и не хочу я к нему обращаться. Остается дядя Витя. Он папин друг и человек неплохой. Может, даст взаймы денег, а я квартиры продам и верну. Или менты убийцу найдут, или его найдет Павлик. В общем, произойдет что-то положительное. Издав тяжкий стон, я набрала номер телефона дяди Вити. Звонила я ему домой (вряд ли он на работе в это время), но мне не ответили, пришлось звонить на мобильный, и тут в силу вступило мое невезение. Дядя Витя был в Москве.

— Вы когда вернетесь? — грустно спросила я.

— Дня через два. А что случилось? — забеспокоился он.

— У меня ничего. С Риткой беда, ее похитили. Требуют сто тысяч долларов.

— Чепуха какая-то. Кто ж за нее столько даст?

— Она же мне почти что мать.

— Если бы кто-то обратился к твоему отцу с подобным требованием, он бы только рассмеялся. Сто тысяч за Ритку...

— Дядя Витя, он ее убить грозится.

— Кто?

— Севрюгин.

— Объявился, значит, — вздохнул папин друг. — Звони в милицию.

— Но ведь...

— Звони, — сурово добавил он, и мы скоропостижно простились.

Конечно, разговор с дядей Витей моего настроения

не улучшил. Что делать, я не знала, и посоветоваться мне было не с кем. Вот если бы найти Юру, заставить его признаться в убийстве Севки, тогда и в милицию можно. Только где его искать?

Я огляделась, точно в самом деле надеялась обнаружить его в толпе прохожих. Ничего подобного. Впрочем, везение в тот вечер все-таки улыбнулось мне. Понуро бредя по улице, я вдруг почувствовала лютый голод и зашла в ближайшее кафе. Устроилась за столом, осмотрелась и пожалела, что пришла сюда, однако заказ сделала и стала ждать. И тут кто-то негромко позвал меня.

— Эй... — Я повернулась, но столы за моей спиной были не заняты, единственное живое существо находилось за стойкой бара и проникновенно мне улыбалось. — Привет, — сказал молодой человек шепотом. Я хотела отвернуться, но его физиономия показалась мне знакомой, и я на всякий случай ответила:

— Привет.

— Про Славку слышала? — спросил он, а я сразу же сообразила, где видела его раньше. Ну конечно, это Славкин сосед. Только теперь в белой рубашке, с бабочкой, без синяка и тщательно выбритый, он выглядел гораздо симпатичнее и похож был не на алкаша, а на бармена, каковым и являлся. Приятно видеть знакомое лицо, когда чувствуешь, что весь мир против тебя и рядом нет дружеского плеча, чтоб опереться на него.

Я встала, перебралась к стойке, кашлянула и дипломатично спросила:

— А что такое?

— Значит, не слышала, — кивнул он удовлетворенно. — Погиб Славка. Нашли в квартире с удавкой на шее. Сначала вроде говорили, он сам, но потом менты расчухали — убийство. Вот такие дела.

— За что его могли убить? — спросила я, чтобы поддержать разговор.

— Алкаши такой народ, за бутылку укокошат по пьяному делу. Дураку ясно, убивать его не за что, он же был совершенно безобидный. Менты, кстати, спрашивали, кто к нему заходил. Я о тебе не сказал, зачем впутывать человека в неприятности?

— Если б я узнала об убийстве, сама бы к ним пошла. Правда, толку от этого я не вижу. Мы с ним в школе дружили, а после школы и не виделись вовсе.

— Да, жизнь такая штука... Вчера его похоронили.

— Жаль, я не знала.

— Сама виновата, говорил, дай номер телефона, я бы позвонил.

— Кто же думал, что так получится.

— Это точно.

— А дружок его на похоронах был? Юра, кажется. Высокий такой, волосы темные, а лицо лошадиное. И глаза злющие.

— Нет, не было... Постой, его разве Юра зовут?

— Кого?

— Парня с лошадиной мордой.

— Славка вроде бы называл его Юрой.

— Может быть, — подумав немного, бармен пожал плечами.

— А ты с ним знаком? — с замиранием сердца спросила я.

— Нет. Знаю, что он в ресторане работает, официантом. Когда со Славкой его увидел, удивился, что они знакомы. Я в окно видел, как они в подъезд входили, оба пьяные. Но на похоронах его не было. Может, тоже не знал.

— А где, говоришь, он работает?

— В «Титанике». Ночной клуб и ресторан. Я его там

встретил. С друзьями отдыхали, он наш стол обслуживал. Вот я и удивился, когда его со Славкой увидел. Откуда у Славки такие знакомства? «Титаник» — заведение классное, и бабки там платят немалые. Еще за Славку порадовался, может, думаю, на работу устроится. Только мне почему-то кажется, парня Леней звали, помнится, кто-то из официантов его так назвал, хотя, может, я и путаю.

— Надо сообщить ему о Славке, — кашлянув, заметила я. — Друзья все-таки.

Заказ принесли, но аппетит у меня отшибло начисто. Что, если Юра действительно работает официантом, ходит себе как ни в чем не бывало, а мы с ног сбились, разыскивая его. Меня неудержимо потянуло в «Титаник». С большим трудом запихнув в себя салат и поковыряв вилкой в горячем, я торопливо расплатилась, а оказавшись на улице, остановила такси.

— В «Титаник», — попросила я и посоветовала себе рассуждать здраво. Еще не факт, что мы со Славкиным соседом имеем в виду одного и того же человека, но даже если так, в ресторане его может и не быть, к примеру, сегодня не его смена, или он на больничном, или в отпуске.

А вдруг повезет, и он там? Я сразу же звоню в милицию, они его хватают, я сообщаю о похищении Ритки и все, прощай заботы. Только бы этот сукин сын оказался в ресторане.

В «Титаник» я вошла очень решительно, и первым, кого я увидела, оказался Стас. Он торчал в холле и, надо признать, выглядел впечатляюще, то есть он здорово бросался в глаза.Костюм на нем сидел превосходно, галстук и рубашка были выше всяких похвал, а сам он симпатичный парень. И это лишь по самым скромным прикидкам, потому что восторгаться им у меня желания нет. Женщины на него поглядывали с вожделением, должно быть, не у одной меня противно засосало под ложечкой. Признать данный факт я признала, но любви к Стасу это не прибавило.

Однажды мне уже довелось посетить «Титаник», и теперь я пыталась вспомнить, как пройти в ресторан. По понятной причине задерживаться в холле мне не хотелось, и я пошла налево, особо не мудрствуя. Тут Стас повернулся, заметил меня и заорал:

— Маня... — И кинулся ко мне. Дамы не могли не обратить на это внимания, уставились на меня и погрустнели, из чего я заключила, что выгляжу неплохо. — Ты меня ищешь? — радостно спросил он.

— С какой стати? — удивилась я.

— Ну... зачем-то ты приехала?

— Решила поужинать в ресторане. Когда у меня случайно появляются деньги, я именно так и делаю. А что?

— Ничего. Рад тебя видеть. Может, поужинаем вместе?

Только я собралась сказать «нет», как вспомнила, что разыскиваемый мною официант — убийца. Неплохо все-таки на всякий случай иметь рядом мужчину. Хоть Стасу я теперь доверять не могла и не хотела, но на худой конец и он сгодится. Поэтому я буркнула:

— Хорошо.

Стас вроде бы удивился, а потом невероятно обрадовался. Мы прошли в зал, устроились за столиком, Стас что-то болтал, а я высматривала официантов. Один из них мгновенно возник рядом, но ничего общего с интересующим меня субъектом он не имел.

— Ты кого-то ждешь? — спросил Стас минут через

десять, в продолжение которых я активно вертела головой во все стороны.

— Нет.

— Мне кажется, ты говоришь неправду.

— Кому бы делать подобные замечания, — возмутилась я. — Ты первый враль и притворщик.

— Маня, я же все объяснил.

— Ничего подобного.

— Послушай. — Он положил руку на мою ладонь, я почувствовала беспокойство и ладонь выдернула. Стас помрачнел и продолжил сердито: — Я уверен, для тебя это просто повод, чтобы отделаться от меня. Поэтому ты ничего...

— Ты обманщик, — зашипела я, — надо было слушать Светку, а не лезть в твою постель.

— Напротив, это был мудрый поступок, а твоя Светка... не хочу ничего плохого говорить о твоих подругах, иначе ты опять всех собак на меня навешаешь... Маня, я тебя люблю и...

— И очень страдаешь в разлуке со мной, — усмехнулась я.

— Да. Страдаю.

— Занятно. Оттого, наверно, первым делом отправился в ресторан. Странно, что один. Впрочем, спутница для тебя не проблема. Запросто мог подцепить кого-нибудь еще на входе.

— Да у меня и в мыслях не было...

— Да? Тогда какого черта ты здесь делаешь? — не выдержала я, забыв в тот миг обо всем на свете, даже о миссии, которую сама на себя возложила.

— Так ведь это мой ресторан, — растерялся Стас.

— Как твой? — не поняла я.

— Очень просто. Ночной клуб «Титаник» принадлежит мне. Иногда я заезжаю посмотреть, как идут дела.

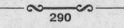

— Ты же что-то говорил про бензоколонки?

— Говорил, — согласился он, — одно другому не мешает.

— Если ресторан твой, ты должен знать всех официантов, — обрадовалась я.

— С какой стати? — удивился Стас.

— Но как же... Вот что. — Я перегнулась к нему и горячо зашептала: — Этот тип работает здесь официантом. Так, по крайней мере, мне сказали.

— Кто работает?

— Убийца.

— А кто сказал?

— Неважно.

— Так ты поэтому сюда пришла? — нахмурился Стас.

— Разумеется. Я хочу найти человека, который намеревался меня убить, по-моему, это естественно.

— Я думал, ты переживаешь из-за нашей ссоры... Идем. — Он решительно поднялся, и я тоже.

— Куда?

— Искать убийцу, — пожал Стас плечами. — Или сначала поужинаем?

— Нет, лучше сначала найдем.

Мы вышли из зала и коридором прошли мимо кухни в служебные помещения. Стас толкнул ближайшую дверь, и мы оказались в просторной комнате, где сидел молодой мужчина за компьютером. Он поздоровался со Стасом и широко улыбнулся мне.

— Кирилл, мне нужны личные дела сотрудников.

— Все?

— Пока официантов и барменов.

Через десять минут убийца был у меня в руках. Не он сам, конечно, а его фотография. Рядом с ней значились имя и фамилия. Голимов Леонид Сергеевич.

— Это он, — прошептала я.

— Не может быть, — вытаращил глаза Стас. — Ты уверена?

— Еще бы. Это он.

— Теперь понятно, — пробормотал мой спутник.

— Что? — растерянно поинтересовался Кирилл.

— Откуда у нас эта дрянь. Ну надо же... такой парень, спортсмен... Никогда бы не подумал. Когда его смена?

— Так он уволился, — переводя взгляд с меня на Стаса и явно не понимая, что происходит, сообщил Кирилл.

— Уволился? Когда?

— Вчера.

— Черт. Найди его адрес и разыщи Максима. Срочно.

— Максим здесь, а адрес в личном деле. Вот: Нижне-Ямская, дом 8, квартира 3. Живет один, по крайней мере, говорил, что один. Стас, он хотел сегодня за деньгами прийти, за зарплатой. Мы договаривались...

— Очень сомневаюсь, что придет, — отмахнулся Стас. Мы вышли в коридор.

— Надо звонить в милицию, — обрадовалась я. Они его поймают.

— Лично я бы на это особо не рассчитывал. Вот что, жди меня в ресторане, а я возьму ребят и прокачусь к этому деятелю, только предупрежу Макса: он начальник охраны, вдруг этот гад здесь все-таки появится. А в милицию позвоню по дороге.

Он поцеловал меня, сначала вроде бы дружески, но потом увлекся. Однако я возражать не стала, решив, что у него это от волнения, в конце концов не каждый день мы ловим убийц.

Стас проводил меня в зал и поспешно удалился, а я задумалась. Не очень-то я верила в расторопность нашей милиции и уж вовсе не верила Стасу, а убийца дол-

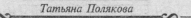
жен предстать перед судом, чтобы Ритку наконец оставили в покое.

Тут я вспомнила о человеке, который тоже искал убийцу, и решила, что две головы хорошо, а три еще лучше. Глядишь, кто-нибудь из троих этого типа все же поймает. Я надумала позвонить Павлику. Однако с этим наметились трудности, Стас в тот вечер не просто так исчез из моей жизни, он оставил охрану, симпатичного молодого человека, который без конца улыбался и не знал, что делать со своими руками, в результате сидел, держа левой рукой правую, испытывая определенные неудобства, потому что в такой позиции ни есть, ни пить он не мог.

Я была уверена, что о моем телефонном разговоре он непременно донесет хозяину, а памятуя взаимную неприязнь его хозяина и Павлика... в общем, я отправилась в дамскую комнату. По дороге у меня зазвонил сотовый, я ответила и с удивлением услышала Риткин голос.

— Маня?

— Ты где? — обрадовалась я, решив, что она сбежала.

— Все там же. Местонахождение установить невозможно, дверь заперта, ставни закрыты, нашла одну щель, но ничего толком не разглядела. Вроде елка напротив...

— Они тебе разрешили позвонить?

— Да я не спрашивала. Адвокат мобилу на кухне оставил, а я борщ варю. Делать-то совершенно нечего, так хоть какое-то занятие. А Севрюгин пожрать не дурак. Я сырный пирог приготовила, ты же знаешь, это мое фирменное блюдо, так он слопал четыре порции. Я чего звоню-то, ты за меня особо не переживай, вряд ли меня убьют, но по возможности поторопись. Мне взаперти сидеть до смерти надоело.

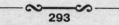

— Рита, звони в милицию, может, они смогут определить, где ты находишься.

— Я не хочу в милицию.

— Я нашла убийцу, то есть я знаю, кто он.

— Вот когда они его поймают, тогда другое дело. А так одна морока.

— Я за тебя беспокоюсь, — кашлянула я. — Севрюгин уверен, что деньги у нас есть. Я подумала, может, дядя Витя даст взаймы?

— С ума сошла? Отдавать-то чем? Нет, с деньгами торопиться не надо. Может, само как-нибудь рассосется?

— Что ты мелешь? — возмутилась я.

— Сосредоточься на убийце, — посуровела Ритка, — а там решим. Ой, кто-то идет, — шепнула она и отключилась, а я растерянно вздохнула и огляделась.

Занятая разговором, я двигала вперед, не замечая, куда иду, и теперь пыталась понять, где, собственно, нахожусь. Коридор, три двери, окно, забранное решеткой, и ни души. Как меня сюда занесло?

Я пошла назад, торопясь и почему-то испуганно оглядываясь. Скрипнула дверь, я повернулась, но никого не увидела, покачала головой, сделала шаг и едва не налетела на своего врага: Юра-Олег, теперь и Леня стоял передо мной. Не успела я охнуть, как он схватил меня за плечи, зажал ладонью рот и легонько толкнул. Я попробовала вырваться, решив, что он надумал придушить меня, но у него оказались другие намерения. Не очень вежливо он вытолкал меня за дверь, и мы оказались на улице, точнее, в переулке, глухом и темном, где тоже не было ни души. В бок мне уперлось что-то твердое, а этот гад заявил:

— Только пикни, пристрелю.

Резвой рысью мы миновали переулок и вошли во двор дома. Там стояла машина, в нее-то Юра меня и за-

пихнул. Сам сел рядом, достал наручники и сковал мне руки, причем таким образом, что покинуть кабину я могла, лишь прихватив с собой дверь. Юра сдал назад, и мы поспешно покинули двор, а вскоре и город.

Он молчал, и я молчала, памятуя о том, что парень он нервный и запросто может пристрелить человека, а еще может пробить ему голову, придушить... Одним словом, редкий псих. Мне стало очень страшно, я зажмурилась и попробовала себя утешить. Если он не убил меня сразу...

Машина остановилась. Увиденное мне очень не понравилось. Мы были за городом, вокруг простирался то ли промышленный долгострой, то ли просто развалины. Самое подходящее место для очередного убийства. Юра (называть его Юрой мне было привычнее, нежели другими именами) повернулся ко мне, а я испуганно отпрянула.

— Ну, что, — сказал он без особой злости, — дела хреновыс. И у тебя, и у меня. У тебя даже хуже. Шлепнуть тебя дело двух минут. А за мной еще побегают.

— Это ты Севку убил? — решилась спросить я, потому что этот вопрос был очень для меня важен.

— Убил. А что прикажешь делать? Такой был план — и на тебе, все насмарку. Не повезло. Кто же знал, что в кафе окажешься ты и узнаешь этого олуха?

— Зачем сыщика убил?

— Он же следил за Севкой, мог нас видеть.

— Ты боялся, что Павлик узнает?

— Так, — усмехнулся он, — вижу, ты неплохо потрудилась. Что ж, ты права. Боялся. Еще как. С Севкой мы дела проворачивали давно, и, когда в голову ему пришла идея избавиться от Рыжего, я ее поддержал. А чтоб лишних людей не посвящать, сам придумал план и сам его осуществил. Надо было пристрелить тебя прямо в подворотне, тогда бы все прошло отлично. Лишней крови не хотелось, и вот результат. Когда Севка узнал, что свидетель убийства ты, заартачился, не хотел, чтобы ты сыграла в ящик. И я понял: стало слишком горячо. Пришлось от него избавляться. Короче, сматываться мне надо, и подальше, а для этого нужны деньги. Предлагаю сделку: я тебе жизнь, ты мне бабки.

— Так тебе, наверное, много надо? — не очень-то обрадовалась я. — Не за четыре же тысячи ты меня отпустишь?

— Ты носишь с собой четыре тысячи баксов? — вроде бы обрадовался он.

— Рублей, — скривилась я, а он рассердился:

— Чего ты дуру из себя строишь? Севка рассказывал, твой папаша оставил миллионы.

— Так он поэтому к нам переехал?

— А ты думала, из-за большой любви к этой дуре?

— Рита вовсе не дура, это Севка дурак. Во-первых, потому что поверил в сокровища, а во-вторых, потому что поверил тебе.

— Возможно, твоя Ритка умнее всех, спорить не собираюсь, а что касается денег, в твоих интересах, чтобы они нашлись. Иначе с какой стати мне оставлять тебя в живых?

— А если деньги найдутся, ты меня отпустишь?

— Конечно. Что я выиграю от твоей смерти? Мне просто нужны деньги, чтобы оказаться далеко-далеко отсюда. И чем скорее, тем лучше. Ну, так где они?

Объяснять ему, что папино наследство — выдумка идиотов, дело бесперспективное, а парень он нервный и запросто может меня придушить. Я настоятельно посоветовала себе шевелить мозгами, и как можно эффективнее. Будь дядя Витя в городе, я бы позвонила ему, но он в Москве. Больше никто в голову не приходил, никто, к кому я могла бы обратиться в такой ситуации. Правда, есть еще Стас.

— Сколько денег тебе надо? — вздохнула я.

— А сколько у тебя есть? — усмехнулся он.

— У меня ничего. Но деньги попробую найти, раз речь идет о моей жизни.

— Сто тысяч баксов, — продолжая усмехаться, ответил он. Они что, сговорились?

— Сто тысяч баксов за меня никто не даст. А если ты меня убьешь, то вовсе ничего не получишь. Давай говорить о реальной сумме. Скажем, двадцать тысяч. Идет?

— И они у тебя есть?

— У меня ничего нет, — устало повторила я. — Но если Стас захочет меня спасти... Думаю, у него двадцать тысяч найдется.

— Какой Стас? — нахмурился Юра. — Самойлов?

Только я собралась удивиться, как вовремя вспомнила, что Юра работал в ресторане, принадлежащем Стасу, а еще он следил за нами, когда мы пытались найти его, и таким образом вышел на детектива Тихонова (недаром Стас утверждал, что ему «затылок жжет»).

— Самойлов, — кивнула я, — мне необходимо ему позвонить.

— Что ж, звони, — согласился Юра. — И советую его убедить, иначе...

Не успел Юра достать из сумки мой телефон, как он сам зазвонил, и Стас испуганно спросил:

— Маня, в чем дело? Ты где?

— Не знаю, — ответила я со вздохом.

— Что значит не знаю? Почему ты сбежала?

— Я не сбежала. Я встретила Юру, то есть не Юру, конечно, а Леонида. И он увез меня. Теперь требует денег, иначе, говорит, убью.

— Не может быть, — брякнул Стас.

Это меня разозлило.

— Еще как может. Он считает, я получила наследство. И хочет денег, чтобы сбежать от возмездия.

— Дай ему телефон. — Телефон и так держал Юра, так что выполнить эту просьбу ничего не стоило. — Леня, — позвал Стас, — отпусти ее.

— У меня безвыходное положение, Станислав Геннадьевич, — не без грусти ответил тот. — Мне нужны деньги. Если у девчонки денег нет, тем хуже для нее. Но мне сдается, что есть, и если хорошо поспрашивать...

— Сколько ты хочешь? — спросил Стас.

— Пятьдесят тысяч. — «Вот ведь стервец, сошлись же на двадцати. Впрочем, с его стороны разумно начинать торг с этой суммы».

— Когда? — вновь спросил Стас.

— Сейчас.

— Леня, это нереально. Ты сам прекрасно понимаешь, банк закрыт, ночью мне такую сумму не собрать.

— Тем хуже для девчонки, — повторил Леня.

— Хорошо, — торопливо сказал Стас. — Только не трогай ее. Слышишь?

— Я даже дышать не буду в ее сторону, но с деньгами поторопитесь. И еще, надумаете хитрить, предупреждаю сразу: нажать на курок я по-любому успею, так что если девчонка вам дорога... Мне нужны деньги, — совсем другим тоном добавил он. — Честное слово, я не хотел бы причинять вам хлопот, но по-другому не получится. Если вы привезете деньги, все будет по-честному. Я верну вам девушку, можете не беспокоиться.

— Хорошо, — согласился Стас. — Как только найду деньги, я позвоню.

Юра взглянул на меня с удовлетворением, а я вздохнула. С облегчением. Конечно, Стас скользкий тип, и

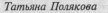
эти его заблуждения молодости... я имею в виду нахальных девиц, названивающих по телефону, но приятно сознавать, что для кого-то ты дороже пятидесяти тысяч баксов. Интересно, что сказал бы Стас, запроси Юра полмиллиона или миллион? Откуда у Стаса миллион? Но если бы был...

Я так увлеклась размышлениями на эту тему, что время пролетело незаметно. Сотовый вновь ожил, на этот раз ответил Юра, и Стас сообщил:

— Деньги у меня. Что дальше?

— Станислав Геннадьевич, предупреждаю, если...

— Мне нужна девушка, и я тоже предупреждаю: в случае чего я тебя из-под земли достану.

— Не сомневаюсь, — хмыкнул Юра. — Значит, все честно? Девушка против денег?

— Да.

— Даете слово?

— Конечно, девушка против денег. Возвращаешь ее и катись на все четыре стороны.

— Раньше вы слово всегда держали, надеюсь, эта похвальная привычка у вас осталась.

— Ты о своем слове думай, а я свое сдержу. Где встретимся?

— Поезжайте по шоссе на Пименово. Окажетесь возле развилки, позвоните. — Юра подмигнул мне и завел машину.

Примерно час мы без всякого толка катались по проселочным дорогам. Надобности в этом не было, следовательно, Юра просто заметал следы или, что точнее, морочил Стасу голову. В конце концов встреча все же произошла в чистом поле, неподалеку от деревни Арефьево (это я узнала, прочитав надпись на указателе). Мы подъехали к деревне с разных сторон и, заметив друг друга, помигали фарами.

Надо сказать, место Юра выбрал грамотно: ни одной живой души в округе, и спрятаться совершенно негде. Обе машины остановились, и я увидела Стаса, он торопливо вышел из кабины и направился к нам. Юра открыл окно с моей стороны.

— Как ты? — спросил Стас, обращаясь ко мне.

— Нормально.

— Он тебя не обидел?

— Нет. — Стас кивнул и перевел взгляд на Юру.

— Деньги у меня, сними с нее наручники.

— Не пойдет, — покачал тот головой. — Давайте деньги.

Стас достал пять пачек, перетянутых резинкой, поочередно извлекая их из карманов костюма. К моему удивлению, Юра вышел из машины.

— Где ключи от тачки? — спросил он Стаса.

— В замке.

— Я беру деньги и беру ваш джип. Так надежнее.

— Проваливай, — в сердцах заявил Стас, сел рядом со мной и завел машину. Юра тем временем переложил пачки денег в куртку, отдал Стасу ключ от наручников и бегом бросился к джипу. Через минуту мы разъехались, а еще через пять минут я пришла в себя и спросила:

— Куда мы едем?

— Домой, естественно.

— А как же Юра, то есть Леня?

— Он может убираться ко всем чертям.

— С твоими деньгами и на твоей машине?

— Деньги ерунда, а машина застрахована, я все равно намеревался ее сменить.

— Ты с ума сошел, — возмутилась я. — Где милиция? Где твоя охрана наконец? Куда все подевались?

— Я приехал один, — сообщил Стас.

— Один? — не поверила я. — Да ты что? Этот парень — убийца.

— Главное, ты жива и здорова. К тому же я дал слово...

— Сроду не встречала такого идиота, — пробормотала я, схватила сотовый, который лежал у меня на коленях, и набрала 02. Стас этому никак не препятствовал, и правильно: слово давал он, но звоню-то я.

Только я все толково объяснила дежурному с возможными подробностями и фамилиями, как случилась новая напасть. Мы как раз покинули поле и подъезжали к какому-то строению, то ли ферме, то ли иному сельхозсооружению, вдруг грохнул выстрел, затем второй, машину занесло, но Стас каким-то чудом успел остановиться. Неизвестно откуда на дорогу выскочил джип, сзади появился еще один, из машины высыпали люди, все невероятно злобные, я собралась лишиться чувств, как вдруг в ближайшем из них узнала Васю и радостно завопила:

— Вася, это я, Маня...

— Жива? — обрадовался он, между тем к двери Стаса уже подскочили двое бравых ребят, открыли ее и выволокли из машины моего доброго друга.

— Что происходит? — догадалась спросить я. Вася перевел взгляд с меня на Стаса и досадливо сообщил:

— Это не тот.

— Конечно, не тот, — возмутилась я, сообразив, что произошло. — Убийца уехал на джипе Стаса. Номер... Стас, какой номер у машины?

Стас, которого к тому моменту отпустили, сообщил номер.

— Погнали, — порадовался Вася. — Деться ему некуда, там Вадим поджидает, сейчас звякну.

Он, конечно, звякнул, парни загрузились и погнали. Забегая вперед, спешу пояснить чудесное Васино появление. Частный детектив Тихонов действительно звонил одному из ребят Павлика и поведал не только о нашем интересе к Севке, но и его встрече с неким молодым человеком. Павлик отдал приказ найти его, а за мной на всякий случай велел приглядывать тому же Васе. Расчет был прост: если Юра-Леня не оставил своих скверных привычек, искать его долго не придется, он сам меня найдет. Так и случилось. Юра выслеживал меня, ожидая подходящего момента для похищения. Беспокоясь за мою жизнь, Вася действовал чрезвычайно осторожно (за что ему большое спасибо), так что Юра даже ничего не заподозрил.

Ребята отчалили, а мы остались, потому что с двумя простреленными колесами никуда не уедешь. Стас попинал их, вздохнул и сообщил:

— Придется ждать, когда за нами приедут. — Набрал номер и с минуту объяснял своему начальнику охраны, где нас искать.

— Пойдем пешком им навстречу, — предложила я.

— Может, лучше в машине подождать? Ты устала.

— Мне полезно размяться, — вздохнула я. — Надеюсь, твой Максим поторопится.

Ах, как мне не терпелось узнать, что там с Юрой. Повезет Васе с Вадимом или они проворонят убийцу? Не худо бы, кстати, и милиции появиться...

Мы направились в сторону города, в каковой стороне предположительно скрылся преступник. Вряд ли он поехал в город, и если на развилке Вадим его упустил... Стас взял меня за руку.

— Испугалась? — спросил он тихо.

— Нет. Не очень. Все произошло как-то слишком быстро.

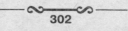

— А я испугался.

— Чего?

— Как чего? Что с тобой что-нибудь случится.

— Это ты нарочно говоришь. Из подхалимства. А деньги я тебе верну. Квартиры продам... Хотя, может, повезет, его поймают, и деньги к тебе вернутся сами.

— Да пусть они пропадут вместе с Юрой, который на самом деле Леня. Знаешь, я считал его хорошим парнем.

— Мне очень жаль.

— Что?

— Жаль, что все так получилось. Боюсь, Вадим его проворонит. Это мое всегдашнее невезение. Теперь и тебе не везет. Лишился денег, машины, в человеке разочаровался.

— Ничего подобного. Мне повезло. Я встретил тебя. Представляешь, не стукни ты тогда мою тачку, мы бы не познакомились. Кошмар.

— Кошмар, что познакомились, — пожаловалась я. — Теперь не знаю, что с этим делать. Верить тебе нельзя...

— Господи, ну почему нельзя? — взмолился он.

— Сам знаешь, почему, — отрезала я.

— Маня, ты дура, — сказал он убежденно. — И не смотри так. Конечно, дура. Я ведь тебя люблю. По-настоящему.

— Может, я боюсь поверить, — вздохнула я. Ночь, звезды, пустынная дорога и рука Стаса, согревающая мою ладонь, настроили меня на лирический лад, и я принялась жаловаться: — Мне с детства не везет. Во всем. Даже в мелочах. Вот хоть фамилию мою взять. Ну что это за фамилия для девушки — Смородина? Смешнее ничего не придумаешь. А имя?

— Имя у тебя красивое. А фамилия — ерунда. Ее легко

сменить. Мне моя фамилия нравится, Самойлова Мария Анатольевна. По-моему, звучит неплохо. Маня, — вздохнул он, — выходи за меня замуж.

К тому моменту, когда наконец появились машины с охраной из ночного клуба, я уже придумала фасон платья к бракосочетанию. Конечно, получилось дороговато, но замуж выходят один раз, тьфу-тьфу, не сглазить бы.

Только мы устроились с удобствами, как вновь зазвонил сотовый, голос я сначала не узнала, но мужчина поспешил представиться.

— Маня, это Сергей Павленко. Я свое обещание сдержал. Парень у ментов. Думаю, уже дает показания. По идее, надо бы хлопнуть его на месте, что в общем-то никогда не поздно, но хотелось помочь твоей мачехе.

— Спасибо, — обрадовалась я так, что даже взвизгнула.

— Пожалуйста, — хмыкнул Павленко не без удовольствия. — Надеюсь, еще увидимся.

— С чего это вдруг он тебе звонит? — взъелся Стас, лишь только я простилась с Павликом.

— Ты же слышал. Юру поймали.

— Это я слышал. А также кое-что другое. «Надеюсь, увидимся», — передразнил Стас. — Обещание он выполнил. Что еще за обещание? Вот урод.

— Он симпатичный, — не согласилась я. — Надо только решить вопрос с зубами.

— С чем?

— Ну... мне не нравятся его золотые зубы. Это вульгарно.

— Маня, ты соображаешь, что говоришь?

— По-твоему, я дура? — возмутилась я.

И когда мы подъезжали к городу, замуж я уже не спешила, о чем поставила в известность Стаса. Мало того что он сомнительный тип, он еще и ревнивец. Но мучения той ночи на этом не закончились, нам пришлось ехать в милицию, давать показания. Отпустили нас опять ближе к утру, и я уснула по дороге в квартиру Стаса, а проснулась... Впрочем, это к делу не относится.

Следующие три дня прошли без особых событий, если не считать того, что я еще дважды посетила милицию. Так как убийца был найден, Ритке не стоило опасаться правосудия, следовательно, я могла заняться ее освобождением из рук шантажистов. Надо сказать, долгое общение друг с другом (я имею в виду себя и закон) обоюдно нас утомило. Мой рассказ выслушали вежливо, но не впечатлились, что показалось обидным. Когда же я поведала о последнем телефонном звонке от Ритки, господа и вовсе начали позевывать.

— Угроз больше не поступало?

— Нет, — честно ответила я.

— Возможно, все не так плохо... — Я нахмурилась, пытаясь понять, что они имеют в виду, а следователь продолжил: — В любом случае будем ждать, когда похитители себя проявят.

И я стала ждать. Ждала я в квартире Стаса, но и домой заглядывала. Стас уже был предупрежден о необходимости подготовить выкуп. Его заметно перекосило, но он быстро справился с собой и заверил, что сделает все возможное. Когда и третий день подошел к концу, а Севрюгин не позвонил, я начала нервничать. Куда они запропали? Беспокоило то, что и Ритка не звонит. А что, если... но об этом даже думать не хотелось. Довольно необычная ситуация: похитители потребовали сто тысяч, а потом исчезли.

Проснувшись утром четвертого дня, я взглянула на телефон и подумала: если они не звонят мне, отчего бы не позвонить самой, раз уж у меня есть номер севрюгинского мобильного? Мне долго не отвечали, и я уже собралась отключиться, как вдруг услышала голос адвоката.

— Да, — недовольно буркнул Боня, а я обрадовалась:

— Богдан Семенович, это Маня.

— Ах, Маня... очень рад. — Он довольно громко чертыхнулся и продолжил: — Чего вы хотите?.

— Могу ли я поговорить с Ритой? — растерялась я.

— Не знаю, вряд ли. Они еще не выходили.

«Откуда?» — едва не спросила я, но сдержалась и попробовала еще раз.

— Геннадий Петрович...

— Геннадий Петрович занят, — отрезал он. — Говорю, еще не выходили.

— Слушайте, — обиделась я, — все сроки прошли, а вы мне не звоните. Это даже странно. Я хочу знать, что с Ритой?

— Ваша Рита, — зарычал он, но тут же сбавил обороты. — Хотя готовит она прекрасно, тут я ничего возразить не могу. Но эта женщина... из-за нее здесь форменный сумасшедший дом. Знаете, Мария Анатольевна, я подумываю оставить эту работу. Мне она представляется совершенно бесперспективной. Да-да. Я так и поступлю. Сейчас же соберу вещи и уеду. И пусть они делают, что хотят. Я умываю руки.

— Богдан Семенович, — испугалась я, но он отключился. Я еще дважды звонила, однако никто не ответил.

Конечно, я тут же перезвонила в милицию и поведа-

ла о разговоре с Боней. Следователь, с которым я имела накануне долгую беседу, вздохнул и поинтересовался:

— Это было похоже на угрозу ее жизни?

— Это вообще ни на что не похоже, — огрызнулась я.

— Ну так давайте подождем, когда начнут грозить.

Я в досаде бросила трубку. Через минуту позвонил Стас (к девяти он уехал на работу). Я поболтала с ним, сообщив о своих планах (пришлось придумать их на ходу), простилась, а еще через полминуты вновь раздался телефонный звонок.

— Маня, — сказал дядя Витя. — Я вернулся вчера вечером, звонил тебе раз пять. Почему ты дома не ночуешь?

— Я у подруги, — соврала я. — Одной дома жутковато, а сотовый я отключила.

— Перебирайся к нам, — легко предложил он, но я с благодарностью отказалась, думаю, на это дядя Витя и рассчитывал. — Я в офисе, — продолжил он, — приезжай, расскажешь, что за дела у вас здесь творятся.

О делах я рассказывала дяде Вите битый час, он слушал, качал головой, Риткиной судьбой он по-прежнему не впечатлился, только рукой махнул.

— Менты правы. Подождем, когда грозить начнут.

— Севрюгин сказал, папа должен ему сто тысяч долларов.

— Может, и должен, а может, наоборот. Я их дел не знаю. То, что Севрюгин объявился, означает только одно: он хотел поживиться папиным наследством.

— Так ведь никакого наследства нет, — вздохнула я. — Когда Юра за меня выкуп требовал, деньги знакомый дал, и до сих пор ему их не вернули, говорят, вещественное доказательство.

— Да-а, — протянул дядя Витя, сверля меня взглядом. — Маня, ты уверена... — начал он, вздохнул и вновь заговорил: — Не может быть, чтоб отец тебе ничего не оставил. Подумай хорошенько, вдруг он говорил что-нибудь перед отъездом?

— Говорил, конечно.

— Что?

— Чтоб замуж без него не выходила. Сначала хотел мне хорошую работу подыскать, потом сказал, что мужа найти легче. Обещал заняться.

— Ну а когда деньги вам оставлял на расходы, что сказал?

— Как всегда, наберете в долг — отдавать будете сами из месячного жалованья.

— Что за жалованье?

— Это папа так выражался.

— Что еще он говорил?

— Дядя Витя, вы же знаете, папа особо не любил разговаривать. Такой уж он человек.

Но дядя Витя проявил настойчивость и заставил меня все-таки вспомнить беседу с папой практически дословно. Странно, что я так хорошо все запомнила.

— Папа сказал: «Чертовы врачи накаркали, грудь побаливает. К чему бы это? Неужто вправду умру? Дудки... ждать замучаются. Маня, если что, загляни на почту».

— На почту? — опешил дядя Витя.

— Да.

— Загляни на почту? При чем здесь почта?

— Не знаю. Может, хотел письмо прислать? Хотя на папу это не похоже. Он никогда ничего нам не писал. Позвонить, еще куда ни шло, но и это стоило ему больших трудов.

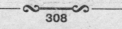

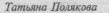

— Тут что-то другое, — затуманился дядя Витя. — Если письмо, зачем же почта? Есть домашний адрес.

— Папу иногда посещали странные мысли.

— Маня, — вдруг насторожился он, — я как-то встретил твоего отца у Главпочтамта. Он выходил из здания, а я ехал мимо. Еще очень удивился, торможу, спрашиваю: «Толя, ты чего здесь? » А он: «Посылки отправлял». Вот так и ответил. Посылки...

— Возможно, — пожала я плечами, рассказ совершенно меня не заинтересовал.

— Кому твой отец мог отправлять посылки?

Если честно, ни одна кандидатура не приходила мне в голову.

— Если только самому себе, — хмыкнула я, а дядя Витя при этих словах стал сам не свой, глаза вытаращил и замер с приоткрытым ртом, после чего произнес:

— Черт... — И уставился на меня. — Какую почту он имел в виду?

— Не знаю, — я испугалась за его здоровье, уж очень необычно дядя Витя выглядел. — Должно быть, ту, что рядом с нами.

— Немедленно туда. Надо проверить...

— Что проверить?

— Вдруг отец действительно что-то послал тебе? На почту, до востребования, понимаешь? Дома письмо может взять кто угодно, а корреспонденцию до востребования только ты.

— И что? — разволновалась я.

— Наверняка в письме указания, где лежат деньги. Поехали.

Если честно, не очень-то я верила в письмо и в эти деньги. Если папа на ступеньках Главпочтамта говорил о посылках, так при чем здесь письмо? Но огорчать дядю Витю не хотелось, он ведь для меня старался. Однако огорчить все-таки пришлось.

— А что, мне вот так запросто отдадут письмо, когда я назову фамилию? — проявила я интерес.

— Нужен паспорт.

Вот тут я его и огорчила.

— Нет у меня паспорта, свистнули. Когда Юру поймали, я очень надеялась, что паспорт вернут, но этот гад его сжег, так как он был уликой. Мне же не везет, — наблюдая за реакцией дяди Вити, добавила я. — Зато у меня есть справка, что я его не теряла, — последнюю фразу дядя Витя вряд ли слышал, схватил меня за руку и потащил к двери.

— Поехали.

— Куда?

— В паспортный стол.

И мы поехали. Вы не поверите, но через час уже были готовы мои фотографии, а после обеда я получила новенький паспорт. Выдал мне его солидный дядька в мундире со звездочками (в званиях я не разбираюсь, но ясно было: чин у него немалый), так что вредная тетка в паспортном столе свою угрозу выполнить при всем желании не смогла.

Я была так счастлива, что даже забыла о том, куда мы с дядей Витей спешили. Но он мне напомнил.

— На почту, — рявкнул он шоферу, и мы поехали.

На почту дядя Витя отправился вместе со мной, хотя из-за своей внушительной комплекции двигаться не любил. Я прониклась ответственностью момента и тоже заволновалась. Женщина в окошке равнодушно взглянула на мой документ и принялась перебирать бумажки в ящике.

— Ничего нет, — сказала она через полминуты. Я не удивилась, но почему-то стало обидно.

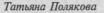

— Как нет? — полез в окошечко дядя Витя. — Посмотрите внимательно. Должно быть, я сам посылал.

Женщина терпеливо проверила еще раз и вдруг улыбнулась:

— Ну, конечно, фамилия смешная, Смородина... Извините, действительно были две бандероли. Несколько дней назад мы их отправили по обратному адресу.

— Постойте, куда отправили, почему? — возмутился дядя Витя.

— Таков порядок. Корреспонденция до востребования хранится определенное время, затем ее возвращают. Надо вовремя бандероли получать, — закончила она, глядя на меня.

— А вы не помните, куда их отправили?

— Кажется, Главпочтамт. Отправляла-то не я...

Несолоно хлебавши мы покинули почту.

— Попробуем узнать, где бандероли и как их можно получить, — вздохнул дядя Витя, но к тому моменту у меня повысилась мозговая активность, и я начала размышлять вслух.

— Допустим, бандероли послал папа. Если он указал в обратном адресе нашу квартиру, то бандероли придут к нам.

— Ты не сможешь их получить, нужен паспорт отца.

— Так он у меня есть, — обрадовалась я.

— Как...

— У него было два паспорта. Вы же знаете папу...

— Немедленно домой, — скомандовал дядя Витя, и мы поехали.

По дороге активность моего мозга возросла, и я выдвинула вот какую идею. Если дядя Витя встретил папу на Главпочтамте, так, может, и адрес папа указал вовсе не свой, а Главпочтамт, до востребования? В этом случае получить бандероли можем лишь я и папа. Учитывая его лютую ненависть к конфискации...

— Твой отец сумасшедший, — вздохнул дядя Витя, мы забрали папин паспорт и поехали на Главпочтамт.

Дядя Витя с паспортом моего папы отправился к окошку, на котором значилось: «Выдача корреспонденции до востребования», а я отошла в сторонку, потому что очень волновалась. Общение с дамой из окна под номером семь заняло у дяди Вити довольно много времени, в продолжение которого я волновалась все больше и больше. Вдруг дядя Витя выпрямился, улыбнулся, и в его руках я увидела два свертка. Он кивнул мне и направился к выходу, я бросилась за ним. В машине дядя Витя не произнес ни слова, только велел шоферу ехать на нашу квартиру. Мы поехали, а на коленях у меня лежали два одинаковых свертка.

Наконец мы оказались в квартире. Я торопливо вскрыла первую бандероль, дядя Витя победно усмехнулся, а я, сказать по правде, растерялась, обнаружив пачки долларов. В каждой бандероли было ровно по двести тысяч.

— Твой отец сумасшедший, — повторил дядя Витя, покидая меня. Но я с ним не согласилась. На самом деле папа гений. Если учесть его боязнь конфискации, он поступил очень мудро. Посылал деньги на мое имя до востребования, зная, что мне и в голову не придет идти на почту. Пролежав там определенный срок, деньги возвращались на Главпочтамт. Папа их получал, вновь посылал и был уверен, что его денежки в безопасности... от милиции. Неизвестно, кто из нас прав, я или дядя Витя, но быть дочерью гения гораздо приятнее, чем дочерью сумасшедшего.

Я тут же позвонила Стасу.

— Ты где? — сердито спросил он.

— Здесь, то есть дома. — От избытка волнения я отключила мобильный, чтоб никто не мешал. Стас не мог до меня дозвониться, вот и злился.

— Где дома?

— У себя дома.

— Что ты там делаешь?

— Это даже странно, — возмутилась я, но в честь удачного дня решила не обращать внимания на чужие колкости. — Я получила наследство. Я и Рита. По двести тысяч. Представляешь?

— Откуда оно взялось? — без всякого энтузиазма поинтересовался Стас.

— Долго объяснять. Скажи, ты рад?

— Нисколько. Чему мне радоваться?

— Как чему? — обиделась я. — У меня полно денег, и тебе не придется платить выкуп за Ритку, у нас свои деньги есть.

— Вот-вот, помнится, ты мечтала выйти замуж за богатого человека. И что теперь?

— Ничего.

— И этому я должен радоваться?

— Ты псих. Мне ни с того ни с сего достаются большие деньги и вместо того, чтобы...

— Ты выйдешь за меня замуж? — перебил он.

— Выйду.

— Тогда я рад, — не очень уверенно заявил он, но тут в дверь нашей квартиры позвонили, и мне пришлось спешно закончить разговор.

Памятуя о том, что в доме ценности, я выполнила папин наказ: не снимая цепочки, заглянула в глазок и увидела Ритку. Признаться, ее появление меня удивило, ну и обрадовало, конечно. Я распахнула дверь, бросилась ей в объятия и лишь после этого обратила внимание вот на что: рядом с Риткой стоял Севрюгин, сияя тульским самоваром. Можно предположить, что он явился за выкупом, но выражение лица в этом случае ему надо было срочно менять. На Риткиной шее откуда-то взялось ожерелье с бриллиантами, в сочетании с сарафаном оно было так же уместно, как сияние на лице Севрюгина. Не успела я поведать о том, что убийца разоблачен и Ритке нечего опасаться, как она заявила:

— Маня, я выхожу замуж. Конечно, моя скорбь по нашему папе все еще сильна, но мой долг перед ним и перед тобой...

— За кого? — насторожилась я.

— Что?

— За кого выходишь?

— За Геннадия Петровича, естественно. Он папин друг, и вообще нас многое объединяет... Гена, не стой в дверях, — шикнула она, и Гена бочком просочился в холл.

— А где Боня? Богдан Семенович? — спросила я.

— Я его уволила, — отмахнулась Ритка. — Страшный зануда. Если Гене необходим адвокат, за свои деньги найдем что-нибудь получше. Жить мы будем здесь: у Геннадия Петровича нет квартиры в городе, зато имеется прекрасный загородный дом, он тебе понравится. Но жить там постоянно... Ты же знаешь мои отношения с сельской местностью. Мы займем нашу прежнюю спальню. Главное, ты будешь под присмотром.

— Ага, — счастливо кивнула я, схватила Ритку за руку, увлекая ее в ближайшую комнату. — Ты с ума сошла, — зашипела я, прикрывая дверь.

— Он хороший человек. Своеобразный, но хороший. И денег у него...

— Ритка, папа оставил наследство, и я его нашла.

Гони Севрюгина в шею, у тебя есть двести тысяч баксов.

Она хлопнула ресницами, потом улыбнулась и заявила:

— Я тебя люблю. Ты совершенно чокнутая. Как твой отец. Найти деньги и отдать мне половину. Ведь двести тысяч это половина всей суммы?

— Конечно. Гони Севрюгина.

— Знаешь что, совершенно ни к чему сообщать ему о наследстве. Не надо путать личное с общественным, мои деньги — это мои деньги, а его — наши. Не смотри так. Я хочу замуж. Очень тяжело без мужского плеча, а он милый. Его оставила мать в трехлетнем возрасте, он нуждается в опеке, внимании. К тому же он, по-моему, в розыске, вряд ли мы будем видеться особенно часто. Представь, как мы с тобой заживем...

На этом в моем рассказе можно было бы поставить точку, однако в конце лета произошло еще одно событие. Мы с Риткой собирались пройтись по магазинам, и я поехала к ней. Стас вызвался сопровождать меня. Поднимаясь по лестнице, я обратила внимание на наш почтовый ящик, там что-то лежало. Я открыла его и обнаружила открытку. Ни обратного адреса, ни записки, просто открытка, адресованная мне. Вертя ее в руках, я и вошла в квартиру. Севрюгин по обыкновению околачивался в кухне, он прибавил в весе и выглядел совершенно счастливым. Ритка торопливо одевалась, но, заметив в моих руках открытку, поинтересовалась:

— Это что?

— Пришло по почте, — пожала я плечами.

— Отправлено из Сиднея две недели назад, — добавил Стас, успев как следует ее изучить.

— Тут же ничего нет, — повертев открытку, удивилась Ритка.

«Как посмотреть», — решила я, а вслух сказала:

— Поль Гоген. — И в самом деле открытка представляла собой репродукцию его картины.

— Поль Гоген? — нахмурилась Ритка. — Это не тот придурок, что сбежал на Таити, бросив жену без гроша за душой?

— Что-то припоминаю, — с умным видом кивнул Стас.

— Да? — рассвирепела Ритка и обратила гневный взор на меня. — На всякий случай: если твой папа надумает вернуться, я с нетерпением жду его, и его гроб в гараже у Стаса тоже ждет.

Конечно, Ритка вскоре утихла, а я порадовалась: может, там, на экзотических островах, папа наконец-то обрел счастье и мысли о конфискации его больше не беспокоят.

Литературно-художественное издание

Полякова Татьяна Викторовна
МИЛЛИОНЕРША ЖЕЛАЕТ ПОЗНАКОМИТЬСЯ

Ответственный редактор *О. Рубис*
Редактор *Г. Калашников*
Художественный редактор *Н. Кудря*
Художник *И. Варавин*
Технический редактор *Н. Носова*
Компьютерная верстка *В. Азизбаев*
Корректоры *Б. Бурт, В. Назарова*

Подписано в печать с готовых монтажей 23.09.2002.
Формат 84x108^1/$_{32}$. Гарнитура «Таймс». Печать офсетная.
Бум. газ. Усл. печ. л. 16,8. Уч.-изд. л. 12,8.
Доп. тираж 20 000 экз. Заказ 4202244.

Отпечатано на ФГУИПП «Нижполиграф».
603006, Нижний Новгород, ул. Варварская, 32.